JN066330

1500年	1400年	1300年	1200年	1100年	100

○ アンカラの戦い
○ 靖難の役
○ 紅巾の乱
○ 元寇
○ ワールシュタットの戦い
○ 靖康の変

○ 百年戦争
○ ジャックリーの乱
○ ワット=タイラーの乱
○ フス戦争
○ ノルマン=コンクェスト
○ 十字軍の遠征

○ コンスタンティノープルの陥落

年	900年	800年	700年	600年	500年	400年
	○黄巣の乱	○安史の乱	○白村江の戦い			○淝水の戦い
		○トゥール・ポワティエ間の戦い	○レコンキスタ			
		○タラス河畔の戦い		○ニハーヴァンドの戦い		

戦争超全史

東 大 生 が 教 え る

The Complete History of the War,
Taught by University of Tokyo Students

東大カルペ・ディエム

ダイヤモンド社

はじめに

 ## 「戦争」から歴史を理解する！ これまでにない「世界史の超入門書」

　本書は、世界史、現代情勢を理解するうえで重要な戦争、反乱、革命、紛争を一冊にまとめたものです。古代から現代に至るまで、約140の戦争を紹介しています。

　歴史の中で起こった数々の「戦争」は、国家や民族、宗教などについての知識が凝縮された示唆に富むトピックです。また、世界史とは、戦争の歴史でもあります。戦争は、**歴史の重要な転換点**になっていることが多いからです。

　つまり、**戦争をたどることは、歴史を流れでつかみ、必要な知識を身につけるための最良の方法なのです。**

　本書では、現役東大生集団である私たちが、世界史の流れ、民族、宗教、地政学、現代の世界情勢などを理解するうえで、**絶対に押さえておきたい戦争をピックアップし、必要な順序で、必要なポイントだけをわかりやすく解説しました。**

　教養を身につけたい社会人の方から受験生まで、これまで以上に世界の「歴史」と「今」が理解できるようになるはずです。

 ## 「なぜ争った」「どうなった」でポイントを超要約

本書では、それぞれの戦争を、次の2つのパートに分けて解説しています。

 戦争の"背景"　　 **戦争の"結果・影響"**

それぞれの戦争の「背景」と「結果・影響」を分けて読むことで、戦争そのものの理解に加え、世界史の流れやポイントをより理解しやすくなるでしょう。

「地域別」で見れば、
世界史はもっと簡単に理解できる

また、**本書は主に「地域別」に重要な戦争をピックアップしています。**世界史を理解するうえでは地域ごとに流れをつかむほうが理解しやすいと考えたからです。

PART1**中国・アジア**、PART2**ヨーロッパ**、PART3**中東・イスラーム**、PART4**アメリカ・ロシアと冷戦**、PART5**アフリカ**という構成で、地域ごとに歴史の前後関係をとらえやすいようにしています。

また、本書の巻頭では、すべての地域の戦争を年代別に一つにまとめた年表も掲載しました。そちらも参考に読み進めていただければ、年代ごとの各地域のつながり・関係についても理解しやすくなるはずです。

戦争を通じて、それぞれの国や民族、宗教、そして世界がどう変化していったのか。本書によって、世界史の理解をいっそう深めていただければうれしく思います。

なお、本書の語句・年号は、主に『世界史用語集 改訂版』（全国歴史教育研究協議会編、山川出版社）を参考にしています。

東大カルペ・ディエム

PART 2　ヨーロッパ
Europe

Chapter 1　古代ギリシアとローマの覇権

PART 4 アメリカ・ロシアと冷戦
America, Russia and the Cold War

Chapter 3　プーチンの思惑

PART 5　アフリカ
Africa

Chapter 1　西欧列強によるアフリカ分割

Chapter 2　アフリカの独立と止まらぬ紛争

PART 1

中国・アジア

China / Asia

Chapter 1

古代中国の動乱

春秋・戦国時代

前770〜前221年

前770年以降の各地の諸侯が独立し始めた「春秋時代」、
前403年以降の戦国の七雄が争った「戦国時代」のこと。
ここでは多くの争いが起きた。
漫画『キングダム』は戦国時代末期を描いたもの。

 ① なぜ争った ## 神の子「天子」が田舎者に敗戦し、権威を失った

　戦国時代というと、日本の戦国武将たちがしのぎを削った時代のことを思い浮かべる人も多いかもしれません。しかし、これはそれよりはるか昔、古代の中国での話です。

　「春秋・戦国時代」と呼ばれるこの時代は、各地の有力者たちが勢力争いを繰り広げました。あまりにも戦いの数が多いため、本書では一つの時代としてまとめています。

　春秋・戦国時代は、前期の**春秋時代**（前770〜前403年）と後期の**戦国時代**（前403〜前221年）に分かれます。果たしてこの時代はどのように始まったのでしょうか。

　きっかけは、春秋時代よりもさらに300年以上前にさかのぼります。前11世紀頃、**周**という新たな王朝が当時中国世界を支配していた**殷**という国を滅ぼしました。周の王様は**天子**、つまり天からの子を自称し、圧倒的な権力を持って、各地の諸侯（天子から土地を預かり、その土地の人々を支配する人）を統率していました。

　しかし、この天子の権力が弱まる出来事が起こります。はるか西方の地、言ってしまえば当時の田舎に住んでいた**犬戎という民族によって周の首都・鎬京（現在の西安付近）が攻め落とされてしまったのです**。周は、東の地にあった洛邑（現在の洛陽）に首都を移さざるを得なくなりました。東方に首都を移して以降の周は**東周**と呼ばれます。

　この東周の時代と同時に始まったのが春秋時代です。かつては圧倒的な

権力で中国を支配していた天子も、遷都以降はその権威を急速に失っていきました。「偉そうにしていたのに、田舎者に負けて逃げた天子の言うことなんてもう聞いていられない」といったところでしょうか。そして、**天子の権威失墜とともに、各地の諸侯は次々と独立をし始め、勢力を拡大していったのです**。

　その中でも特に有力な人々は覇者と呼ばれ、斉の桓公、晋の文公などの5人は春秋の五覇として名を馳せました。

　ただしこの時点では、どの覇者も形式上は周王の権威を尊重し、異民族から国を守るために勢力を拡大しているのだ、という言い分でした。

「戦国の七雄」が切磋琢磨し、勢力拡大を図った

　春秋時代が始まってから約360年後、当時の大国の一つであった晋で「下剋上」が起こり、趙、魏、韓の3つに分離独立することになりました。この頃は、諸侯に仕えていた家臣が反旗を翻し、一気にトップに上り詰めるという出来事が頻発していたのです。**この晋が三国に分裂した前403年以降、時代は「戦国時代」に突入します。**

　戦国時代になると、いよいよ諸侯たちは周王のことを気にしなくなってしまいました。「戦国の七雄」と呼ばれる7つの国、秦、楚、斉、燕、趙、魏、韓の領主たちは、自らを「王」と名乗るようになります。これはつまり、「王様はこの世に一人だけ」という最低限の建前すらも無視するようになったということです。こうして時代は、各国が国力増強と勢力拡大のために争う時代に突入したのです。

　各国は自国をうまく統治するために、社会的な仕組みも発展させていきました。人が増えてモノの流通も盛んになった結果、次第にお金のやり取りも始まり、各国は独自の青銅貨幣を用いて、モノの売買や納税手続きを効率的に行えるようにしました。

戦国時代（前4世紀末）の「戦国の七雄」

また、戦いと同時に発展したのが学問です。天子の権威が失墜し、下剋上が盛んになった時代を嘆き、「徳こそ重要」と説いたのが、かの有名な孔子です。春秋時代という名称も、孔子が編纂したといわれる『春秋』という書物の名前から来ています。

　ほかにも、秦の商鞅などが法律による統治の重要性を訴えたり、孫子の兵法に代表されるような戦争に勝つための軍法を研究する人が現れたりしました。

「秦」が初めて中国世界を統一

　戦国の七雄たちは、次第に強者と弱者に分かれていきました。最初に台頭したのが、西方の秦、南方の楚、東方の斉です。その中で**最終的に勝者となったのが秦でした。**

　秦は、孝公という人物がトップを務めた時代に、先ほど紹介した商鞅を招き、国家の改革を行いました。

　これが大正解でした。**周囲の国々に比べてより効率的で優れた国家体制を築き上げた秦は、他の6つの大国を併合し、ついに中国世界を統一したのです。**「中国」という地域の歴史は、ここから新たなステージに進んだと言えます。

陳勝・呉広の乱

前209〜前208年

秦の圧政に対し、陳勝・呉広という2人の農民が中心になって反乱を起こした。
反乱は全国へ拡大し、秦は滅亡へ追いやられた。

──────┤ 主な交戦勢力 ├──────

陳勝、呉広率いる農民反乱軍　　　　　　　　秦

 秦の過酷な支配に、2人の農民が立ち上がった

　戦国時代を勝ち抜き、中国の覇者となった秦を滅亡に追いやったのが、陳勝・呉広の乱です。

　この反乱の原因をつくったのが、中国統一を成し遂げた秦の王、始皇帝でした。

　始皇帝は、中国という広大な土地をうまく統治するために、法家の学者李斯を登用しながら、さまざまな政策を実施していきました。

　その一つが、**文字やものさし、貨幣の統一**です。戦国時代には、各国はそれぞれ独自の文字や貨幣を使っていました。しかし、それではコミュニケーションやモノの売り買いには不便です。そこで始皇帝は、文字や貨幣を統一することで、人・モノ・金のやり取りを円滑し、国を統治しやすくしたのです。

　始皇帝は、中国全土を「郡」と「県」に分け、中央から官僚を派遣して統治する郡県制を取り入れたことでも有名です。郡県制は、その後の中国王朝でもたびたび取り入れられました。

　高い統治力を示した一方、始皇帝は人民に対して非常に厳しい姿勢をとったことでも知られています。その一つが、李斯のアドバイスをもとに行った焚書・坑儒です。

　焚書とは「書物を焼く」という意味であり、農業や医学、占いなど、当時の人々にとって実用的な書物以外はすべて没収して焼き捨ててしまいました。坑儒とは「儒者を埋める」という意味です。つまり、儒教について学ぶ者は

政治の邪魔だとして、儒者を捕らえて生き埋めにしてしまいました。

　また、**たびたび行われた戦争と土木事業も、人民を疲弊させていきました。**当時、始皇帝は、中国の北方で勢力を拡大していた匈奴（きょうど）という騎馬遊牧民を追い払い、さらに二度と反撃されないよう北部に防御壁（かの万里の長城）を築きました。また、運河や道路の建設も進めていきました。

　しかし、これらの戦争や建築にはもちろん労働力が必要です。軍隊を用意するにも、労働力を確保するにも、大量の人員が必要なわけで、そこで酷使されたのが民間人でした。

　特に、貧しい農民たちは厳しい統治のもとで決して豊かとは言えない生活を強いられ、相当な不満がたまっていたことでしょう。始皇帝が亡くなると、「最強のトップ亡き今こそ」と思ったのか、2人の農民のもと、反乱が起こりました。

　立ち上がったのは陳勝（ちんしょう）、呉広（ごこう）という2人の農民です。そのうち陳勝は「王侯将相（こうしょうしょう）いずくんぞ種あらんや」というスローガンを掲げました。「高い身分は、家系や血筋が良いからなれるのではない。本来は、実力によって誰でもその地位に上れるはずだ」という意味です。これで同じ境遇の貧しい人々を鼓舞し、秦に対して反乱を起こしました。

 反乱は全国に飛び火し、秦は滅亡

　残念ながら、この反乱はすぐに鎮圧されてしまいます。その大きな原因は内部分裂です。歴史上、内部統制ができずに反乱が失敗に終わるケースは非常に多く、この反乱もそうでした。

　とはいえ、この反乱はしっかりと意義を残しました。**陳勝・呉広の乱をきっかけに、「彼らが立ち上がったなら」と各地の農民たちが立ち上がり、反乱は秦全土へと拡大していったのです。**秦王朝の統治は、それだけ多くの人々に不満を抱かせていたということでしょう。

　その中で、2人の有力者が目立った活躍をします。その一人が劉邦（りゅうほう）です。彼もまた農民出身でしたが、有力な仲間たちを従えて秦に侵攻し、見事に勝利を収め、秦王から玉璽（ぎょくじ）（王としての印）を受け取りました。こうして秦は名実ともに滅亡することになりました。

　一方、もう一人の有力者が項羽（こうう）です。彼は劉邦と、どちらが先に秦を倒

せるか競争していました。劉邦より遅れてやってきた項羽は、秦王やその家来たちを殺害し、財物を略奪するという残虐な方法に出ます。

　こうして前206年に秦は滅亡しました。秦亡き後の中国では、次は誰が中国を治めるのかという争いが再び激化するのでした。

楚漢戦争

そ かん

前206〜前202年

秦滅亡後に、項羽（西楚）と劉邦（漢）が中国の覇権をめぐって争った。
勝利した劉邦の漢により、再び中国は統一された。

─┤ 主な交戦勢力 ├─

西楚の項羽　　　　　　　　　　漢の劉邦

 なぜ争った ## 秦の滅亡後、再び中国の覇権争いが激化した

　秦の滅亡後に起きた、**項羽**と**劉邦**による中国統一をめぐる覇権争いが楚漢戦争です。秦を滅ぼした反乱で圧倒的な存在感を示した2人にとって、当然、次なる問題は「どちらが中国を統一するか」でした。

　項羽は、代々、楚の将軍の地位にあった名家の出身で、秦が滅亡した後の事態の収集でも主導権を握ります。懐王という人物を「義帝」として担ぎ上げた上で、自らは西楚の覇王を名乗って東方の地を支配しました。

　一方の劉邦は、項羽よりも先に秦に入ったにもかかわらず、身分や家柄などで勝っていた項羽に命じられ、当時まだ田舎であった漢に移ることになりました。**項羽は、劉邦の勢いを削ぐためにあえて辺境に行かせたのです。** ちなみに、この出来事は「左遷」の由来になったといわれています（当時の漢は中国の左側にありました）。

　ただし、項羽もあくまで小国のトップに立ったにすぎず、かつての秦のように中国全土を支配するパワーはまだ持っていませんでした。こうして、かつての戦国時代のように、各地の有力者たちが互いに争い合う時代に逆戻りしたわけです。

秦滅亡後、前206年頃の中国

こうした混乱の中で、僻地に移されたことに不満を抱えていた劉邦は、西部での勢力拡大を始めます。一方の項羽も北部に侵攻するとともに、自らが担ぎ上げた名目的な存在だった義帝を殺害しました。

　この義帝殺害は、劉邦が項羽を攻める口実となりました。両者は何度も激突し、勝敗を繰り返しながら数年にわたって戦い続けました。これを両者の国の名前から楚漢戦争と呼びます。

劉邦が勝利し、「前漢」を築いて再び中国を統一

　楚漢戦争では、主に次の3つの戦いが有名です。

　①彭城の戦いでは、項羽不在の西楚を漢の劉邦が占領しましたが、戻った項羽に撃退されてしまいます。このとき、漢軍は50万の兵力を有していたのに、わずか3万の楚軍にやられてしまいました。圧倒的有利だったはずの漢軍が負けたのは、すでに勝利を確信して大宴会を開いていたからだといわれています。

　続く②榮陽の戦いでも再び漢軍は敗れ、最終決戦である③垓下の戦いが始まりました。これまで負け続けた劉邦でしたが、ここで項羽を自害に追い込み、勝利を決定づけます。追い詰められた項羽が、周りを取り囲んだ漢軍が楚の国の歌を歌うのを聞いて「味方が全員降伏してしまった」と絶望した、というエピソードは「四面楚歌」という四字熟語として残っています。

　項羽を破って中国世界を統一した劉邦は、長安（現在の西安付近）を首都とした漢王朝を建てました。この「漢」という名前の王朝はのちにも現れるため、こちらは前漢、その次は後漢と呼ばれます。

　前漢は、その後、長きにわたって中国を支配し続けることになりました。劉邦は、秦の時代に行われていたやり方をある程度踏襲しつつ、いくつかを改善して統治を進めました。

　その一つが郡国制と呼ばれる統治法です。**中央の直轄地は郡県制、地方は封建制（自分の一族や貢献してくれた家臣たちに土地を与え、そこの統治を任せる方法）で統治する**という仕組みをとりました。これには、滅亡した秦が郡県制によって中央集権を強化しすぎた結果、人民の反乱を招いてしまったことへの反省がありました。

呉楚七国の乱

_{ご そ しち こく}

前154年

前漢の6代皇帝・景帝が行った諸侯の勢力削減に対し、
有力諸侯が収める7つの国が手を組んで戦った。

┤ 主な交戦勢力 ├

前漢　　　　　　　　　呉、楚、趙、済南、菑川、膠西、膠東

中央集権を強化する前漢の6代皇帝・景帝に、7つの王国が反発した

　楚の項羽を倒して一躍中国の覇者となったのが、農民出身の劉邦が率いる**前漢**でした。彼が導入した**郡国制**という統治手法は、この呉楚七国の乱を解説するうえでは不可欠です。ここで改めて確認しておきましょう。

　まず、もともと周の時代に用いられていたのが**封建制**です。これは、王が各地の諸侯に土地を与え、その土地の統治をある程度自由に任せるという制度です。その土地は、代々、子孫に受け継がれることになっていました。日本では、鎌倉時代などにこの制度が用いられています。

　続いて、初めて中国世界を統一した秦の始皇帝は、とにかく厳しい統治で人民を締め付けました。彼が導入したのは**郡県制**でした。これは、封建制とは異なり、王様が中央から役人を派遣し、役人が各地を統治する仕組みです。つまり、全国どこでも王様の意のまま、ということです。

　しかし、この厳しい締め付けによって起こった反乱で滅亡した秦を見ていた劉邦は「王様の権力を強くしすぎるのはよくない」と考えます。そこで彼は、**中央に近い地域（王の直轄地）だけは役人を派遣し、それ以外の土地は封建制を使い、各地の諸侯をある程度自由にさせました。**これが郡国制であり、各地の諸侯たちの不満を解消し、反乱が起きないようにしたのです。

　しかし、劉邦以降の前漢の皇帝たちは、諸侯に圧力をかけ、自由を奪おうとしました。その最たるものが、今回の反乱の中心人物である6代皇帝の**景帝**が取った方策です。彼は側近の官僚のアドバイスを受け、諸侯の土地

を削減していきました。これに諸侯たちは激怒します。そして、**有力な諸侯が治める呉や楚など7つの王国が協力して前漢王朝に反乱を起こしました。** これが呉楚七国の乱です。

 ## 前漢の郡国制は縮小し、再び中央集権強化へ逆戻り

　戦争の名前にもなっている呉の王は、楚、趙、済南、菑川（しせん）、膠西（こうせい）、膠東（こうとう）の王と協力し、前漢に攻め入りました。当初は連合軍の勢いもよく、前漢に打撃を与えることに成功します。

　しかし、彼らはあくまで「各地の有力者」にすぎず、中央で戦力・財力を存分に蓄えた前漢の景帝に長期戦を仕掛け続けることはできませんでした。反乱が始まって約3か月たった頃には、連合軍は抑えられ、反乱は鎮圧されました。

　この反乱を通して、「各地の諸侯は、何かあれば中央を攻めてくる危険因子である」ということがはっきりしました。そうなれば、中央の皇帝がとる方策は一つ、諸侯たちのさらなる勢力削減です。

　郡県制と封建制の「いいとこどり」をしようとして始まった郡国制でしたが、結局はほぼすべての土地に役人を中央から派遣することになり、かつて始皇帝が始めた郡県制と変わらない状況となってしまいました。こうして**呉楚七国の乱以降の前漢では、再び皇帝が中国全土を支配するという中央集権体制が復活しました。**

　その後の前漢は、武帝のもとで最盛期を迎えますが、朝鮮への遠征などによって国家財政がひっ迫し、塩・鉄・酒の専売や均輸法・平準法（物流や物価を国家が統制する制度）などによって国家財政の安定が図られました。しかし、これが商業の衰退や人民の不満を招く結果となりました。

　結局、西暦8年には王莽（おうもう）が前漢を奪い取るかたちで新しい王朝の新（しん）を建国し、約200年も続いた前漢の時代は終わりを告げたのでした。

黄巾の乱

<ruby>黄<rt>こ</rt>巾<rt>う</rt><rt>き</rt><rt>ん</rt></ruby>

184年

宗教結社の太平道が、政治の腐敗が進む後漢を倒そうと起こした反乱。
これにより後漢は混乱に包まれた。

┤ 主な交戦勢力 ├

後漢 黄巾賊

後漢の腐敗した政治に、宗教結社「太平道」が立ち上がった

　社会が不安定な時代に広まるのが"宗教"です。この反乱も、とある宗教結社が当時の中国の王朝「後漢」の政治の腐乱を見かねて立ち上がったものでした。

　秦滅亡後に中国を率いた前漢は、中国初の長期政権であり、約200年もの間、中国を統率し続けました。しかし、皇帝の妃の一族であった王莽が皇帝位を奪い、新たに新という王朝が築かれました。

　ところがこの王朝は、赤眉の乱によってわずか15年で滅ぶことになります。そして、劉秀という人物が再び漢王朝を復活させました。以前の漢を「前漢」というのに対し、それを引き継いだこの王朝は「後漢」と呼ばれます。

　復活した後漢は、国力を安定させるとともに周辺国を圧倒し、以前の漢王朝と同じくらい強い王朝となりました。

　しかし、宦官（皇后などのお世話役）と外戚（皇帝の妃の一族）らによる権力争いなどが原因で本来の政治が疎かになり、権力を求めた蹴落とし合いばかりが起こった結果、国が混乱に陥ってしまいます。

　そんなときに現れたのが、新宗教である太平道のリーダーである張角でした。太平道とは、「罪を懺悔して、水とお札を飲むと病が治る」という宗教で、そのハードルの低さから庶民にも受け入れられやすく、多数の信者がいたとされます。社会が不安定な時代において広まるのが宗教であり、この後漢の政治が腐敗したタイミングは、まさに太平道の拡大に適していたのでしょう。

　この張角が率いる太平道が引き起こした一大事件が、後漢をひっくり返す大乱「黄巾の乱」でした。張角は『蒼天已死　黄天當立　歳在甲子　天下大吉（蒼天すでに死す、黄天まさに立つべし。歳は甲子に在り、天下大吉なり）』をスローガンに、信者たちと反乱を起こしました。

　「黄天」とは、陰陽五行という思想に基づいたものです。当時中国に存在したこの思想では「木火土金水」という順番で王朝が移り変わると考えられていました。そして、漢王朝は「火」であり赤の王朝でした。**するとその次に出てくるのは「土」である黄色の王朝です**。そこでこの反乱では、参加者は黄色の頭巾を身につけ、敵・味方を区別しました。これが"黄巾"の乱といわれるゆえんです。また、「色」を使うことは、士気を高める効果もあり、この後の中国でもこの手法をまねた反乱が起こっています。

反乱は平定されるも、後漢は混乱に陥った

　かの有名な小説『三国志演義』の冒頭には、劉備、関羽、張飛の3人が桃園の誓いを結ぶ印象的なシーンがあります。これは、黄巾の乱などで乱れた世を正そうと集まった3人が、「生まれた日は違えども、死ぬときは同じ日に死ぬことを願う」と誓った場面です。

　こうして、各地の有力者たちが名を上げるために、想像以上に大きくなった反乱勢力の討伐に向かいました。そのため、たった10か月の間に10万人余りの黄巾賊が殺されたといいます。結局、最後は張角が病死し、反乱は平定されました。

　しかし、後漢陣営の被害も甚大であり、この後も黄色の頭巾をかぶった人たちが完全に消え去ることはなく、小規模な反乱が止まらない状態だったとされています。

古代中国の動乱

春秋時代 **周** の天子の威厳が失われ、各地の諸侯が台頭

戦国時代 戦国の七雄が勢力争いを繰り広げる

戦国時代の勝者 **秦** が中国世界を初めて統一

陳勝・呉広の乱が起き、劉邦と項羽によって秦が滅亡

西楚（項羽）と漢（劉邦）による楚漢戦争が勃発。
ここで勝利した劉邦が **前漢** を建国し、中国を再び統一

前漢の圧政に対して、呉楚七国の乱が起きる

前漢が滅び、**新** を経て、**後漢** が誕生

黄巾の乱により、後漢国内が混乱に陥る

Chapter 2

激化する中国大陸の
覇権争い

三国時代

220〜280年

3つの大国、「魏」「呉」「蜀」が
中国の覇権をかけて争った。

──┤ 主な交戦勢力 ├──

魏　　　　呉　　　　蜀

 中国大陸が3つの大国に分割された

　黄巾の乱で後漢が混乱に包まれる中、当時幼かった後漢の皇帝を抱え込んで朝廷の実権を握ったのが、董卓とその部下呂布でした。

　その状況をうまく利用したのが、『三国志』の主人公の一人でもある曹操です。彼は劉備と協力し、後漢最後の皇帝となった献帝を保護します。これにより曹操は「皇帝を保護した偉大な英雄」という称号を手にしました。一方、劉備は曹操が実権を握ったことに不満を抱き、次第に2人は対立していきました。

　その後も曹操は、官渡の戦いにて、当時強力な武将として名を馳せていた袁紹を奇襲作戦で破り、一気に天下取りに近づきました。

　さらに、すでに中国北方を押さえていた曹操は、次に南方を制圧すべく南へと下ります。その過程で、敵対していた劉備と孫権を討とうと考えました（赤壁の戦い）。

　この戦いでは孫権と劉備が協力し、曹操軍を迎え撃ちました。孫権軍が曹操の船団に火矢を放って撃退し、陸に逃げた曹操軍を劉備軍が倒したことで、曹操は大敗北を喫することになります。

　これを受け、中国大陸は曹操、劉備、孫権に分割され、それぞれが国を建国することになりました。曹操の死後、子の曹丕が帝位につくかたちで魏が成立すると、その後、孫権が呉を、劉備が蜀を建国します。こうして、魏、呉、蜀という3つの国がしのぎを削る時代、三国時代が到来したのです。

どうなった

呉と蜀は滅亡。魏もクーデタによって倒れ、西晋の時代へ

　3つの国は互いに争い、時には勝ち、時には負けを繰り返しました。

　しかし、**次第に「魏」が優勢となっていきます**。結局、魏の侵攻により蜀は滅び、呉も滅亡に追いやられてしまいました。

　こう見ると「最後は魏が中国の覇者になったのか」と思うかもしれません。しかし、呉を滅ぼしたのは、厳密には魏ではありませんでした。

　魏という国がもっとも優勢で、

三国時代の中国

もっとも広大な土地を有していたことに違いはありません。しかし、魏国内で問題が起こったのです。

　蜀との戦いで一躍有名になった魏の司馬懿（しばい）が国内でクーデタを起こし、実権を握ったのです。そして、彼の孫である**司馬炎**が、魏から皇帝の位を正式に譲り受けて初代皇帝・**武帝**となると、魏はその歴史を終えました。ここからは司馬氏一族による西晋（せいしん）の時代となります。呉を滅ぼしたのも、西晋の武帝だったのです。

三国時代の主な出来事		
200年	官渡の戦い	曹操軍が袁紹軍に勝利。
208年	赤壁の戦い	孫権・劉備連合軍が曹操軍に勝利。
220年	魏の建国	曹操の子、曹丕が帝位につき、成立。
221年	蜀の建国	魏に対抗して劉備が建国。
222年	呉の建国	孫権が建国し、帝位につく。
263年	蜀の滅亡	魏の侵攻により滅亡へ。
265年	魏の滅亡、西晋の建国	司馬炎により西晋が建国される。
280年	呉の滅亡	西晋により呉が倒される。

八王の乱

290〜306年

西晋の武帝亡き後に起こった8人の有力者による皇帝位争い。
ここで五胡の侵入を招いてしまった西晋は滅亡へ。

┤ 主な交戦勢力 ├

西晋の八王

 西晋の皇帝の位をめぐって司馬氏一族が争った

　八王の乱とは、その名の通り、中国の8人の有力な王が争った戦いです。

　騒乱続きの三国時代が終わり、西晋によって中国が統一されると、初代皇帝の**武帝**は土地所有の上限を定めたといわれる**占田・課田法**を発布するなど、国家の体制を整えていきました。

　しかし、武帝の後を継いだ**恵帝**はあまりに無策でした。そこで、この暗愚な皇帝を見かねた皇后一族が、政治の実権を握ろうと画策しだします。そこに武帝の兄弟や子たち「司馬氏一族」の8人の王も加わり、西晋の皇帝位をめぐる内乱が勃発したのです。

 八王の全員が「北方異民族」の力を頼った

　この内紛では、8人の王それぞれが兵力増強を目指し、**匈奴、鮮卑、羯、氐、羌**の5つの**北方異民族**（**五胡**）に目をつけました。

　北方異民族は力が強く、戦力として優れていたため、それぞれの王は「報酬をやるから俺のために戦ってくれ」と彼らを頼り始めたのです。**最終的にはなんと、全員が北方異民族の力を借りることになりました。**

北方異民族の一人勝ちというまさかの結果に。 西晋は滅び、五胡十六国時代へ

　この戦いは誰もが想像しなかった結末に落ち着きました。一時的に恵帝の弟・懐帝（かいてい）が即位するも、その後、北方異民族の匈奴の族長・劉聡（りゅうそう）が**永嘉の乱**（えいか）を起こし、西晋の都・洛陽を攻撃して制圧してしまいます。さらに懐帝が倒され、力を失った西晋はその後滅亡してしまいました。

　結局、**八王は誰も勝つことなく、中国は北方異民族の侵入を許す結果に終わりました**。このとき、宮殿も民家も燃やされて、なんと数万人が殺されたといいます。

　こうして、西晋はあえなく滅び、中国では侵入してきた北方異民族たちが華北に国を乱立する**五胡十六国時代**に突入するのでした。

淝水の戦い

ひ　すい

383年

華北を統一した異民族王朝の「前秦」が、
中国統一を目指して江南の漢民族王朝の「東晋」を攻めた。

┤ 主な交戦勢力 ├

前秦　　　　　　　　　　東晋

? なぜ争った　華北を統一した前秦が、中国統一を目指した

　4世紀初めに西晋が滅んで以降の中国では、北方異民族たちが華北を支配する**五胡十六国時代**に突入しました。約135年間で、北方異民族たちが華北に多くの国をつくった時代です。

　北部が北方異民族に占領された中国では、一度は滅びた西晋の司馬氏一族の**司馬睿**が、南部の**建康**に遷都するかたちで晋を再生させました。これを**東晋**と呼びます。こうして、**4世紀初めからの中国は、華北の「五胡」、江南の「東晋」という時代に移り行くのです。**

　さて、北方異民族が華北を支配したと言うと、漢民族を追い出したイメージを持つかもしれませんが、そうではありません。もともと北方異民族は、騎馬兵力として漢民族の傭兵として働いていたため、漢民族社会にも溶け込んでいました。そのため、北方異民族が国をつくった際も、もともとその地に住んでいた漢民族はそのままの生活を続けられたのです。

　ここで漢民族は、北方異民族の生活習慣に影響を受けることになりました。騎馬や小麦を主食とす

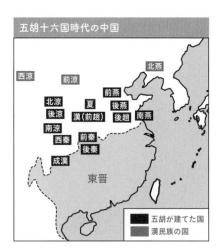

五胡十六国時代の中国

西涼　前涼　　　　　　北燕

北涼　　夏　前燕
後涼　漢(前趙)　後燕
南涼　　　西秦　前秦　後趙　南燕
　　　　成漢　後秦

東晋

■ 五胡が建てた国
■ 漢民族の国

る文化、さらに面白いのは椅子に座る文化も北方異民族のものだったといわれています。これらは、現在の中国人の生活にまで影響を与えているようです。

こうして南北に分かれてしまった中国において、**北方では氐が建国した前秦が華北をほぼ完全に統一しました。そしてその勢いのまま、中国を完全統一しようと江南の東晋に戦いを挑んだのです。**

3つの軍に分かれて南下した前秦軍は、淝水と呼ばれる、黄河と長江の間を流れる淮水（淮河）の支流の一つから東晋の都・建康を攻めました。これを淝水の戦いと呼びます。

敗北した前秦が滅び、再び中国は混沌の時代へ

歩兵60万、騎兵30万ともいわれる圧倒的な兵力を投入した前秦軍でしたが、その内情は漢民族と北方異民族による混合部隊でした。そのため統制がとれず、士気もそこまで高くなかったといわれています。

対する東晋軍の兵力は約8万でしたが、3つに分かれて南下する前秦軍が集合する前に、淝水の北岸から一気に先制攻撃を仕掛けて総崩れにさせました。その勢いで奇跡的に大勝利をもぎ取り、前秦は大敗北を喫しました。**この敗北の影響で前秦は滅び、再び中国は混沌の時代に戻っていきました。**

激しく王朝が入れ替わる南北朝時代を迎えた

混乱が深まる中国で、再び華北を統一したのは北方異民族の一つ、鮮卑による北魏でした。

一方の東晋では、淝水の戦いを勝利に導いた劉裕が宋という王朝を建てますが、その後、短期間のうちに、斉→梁→陳と次々と王朝が入れ替わりました。これら宋、斉、梁、陳をまとめて「南朝」と呼びます。また呉、東晋も含めた6代の漢民族王朝をまとめて「六朝」と呼ぶこともあります。

これ以降の中国は南北朝時代に突入し、北魏から始まる北朝と、宋から始まる南朝という2つの王朝が並列していく時代となりました。

南北朝時代は、100年以上にわたって続きました。この間に、北部では

北魏が西魏と東魏に分裂し、さらにそれぞれの皇帝が家臣に地位を譲ったことで北周と北斉となりました。

隋が再び中国を統一するも、わずか38年で滅亡

　そして、北周が北斉を破ると、ここで台頭したのが楊堅（ようけん）でした。彼は北周の将軍として名を上げ、北周最後の王が若くして即位したのを機に実権を握り、**文帝**として即位して隋（ずい）を建国しました。

　そして、**文帝は、中国の南北分裂を終焉に導きました**。たびたび中国を悩ませ続けてきた北方の遊牧民の突厥（とっけつ）に攻め込むとともに、当時南部の王朝であった陳にも攻撃を仕掛け、滅亡に追いやります。こうして**中国を統一した隋は、伝統的な漢民族と北方異民族の鮮卑が融合した、新たな王朝となりました**。

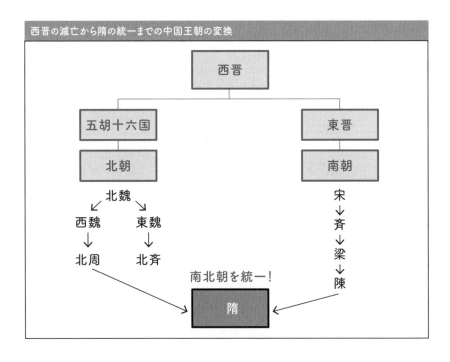

西晋の滅亡から隋の統一までの中国王朝の変換

西晋

五胡十六国 — 北朝

北魏 → 西魏 → 北周 / 東魏 → 北斉

東晋 — 南朝

宋 ↓ 斉 ↓ 梁 ↓ 陳

南北朝を統一！

隋

しかし隋は、**その後40年も持たずに滅びてしまいます**。それは、文帝に代わって隋の王となった煬帝が原因でした。彼は、先代に続いて南北中国世界を結ぶ大運河の建設を進め、中国を地理的にも統一しました。また、周辺地域にも盛んに遠征し、現在のベトナム方面にまで勢力を拡大しています。

　しかし、大工事や遠征には、それだけの人とお金が必要になります。短期間に行われたこれらの取り組みに、民衆はすっかり疲弊してしまいました。さらに、高句麗遠征が失敗に終わったことも決定打となり、煬帝は完全に信用を失ってしまったのでした。

　こうして隋国内では反乱が起きるようになり、煬帝は側近により暗殺されてしまいます。結果、隋はわずか38年で滅亡してしまいました。

　しかし、隋が整備した制度やインフラはしっかりと中国に残されました。これらを引き継いで大帝国となったのが、続く唐なのです。

激化する中国大陸の覇権争い①

三国時代 魏、呉、蜀の三国が中国の覇権をめぐって争う

呉、蜀は滅亡。魏では司馬懿のクーデタが起き、
司馬炎が魏から皇帝の位を譲り受けて武帝として即位。
これにより魏は滅亡し、**西晋** が誕生。中国を統一

八王の乱で台頭した北方異民族が西晋を滅ぼす。
北方異民族が華北に国を乱立する **五胡十六国時代** へ

五胡十六国時代に華北を統一した **前秦** が、
淝水の戦いで華南の **東晋** に戦いを挑むも敗れる

北魏が華北を統一。華南では東晋に代わり宋が建国。ここから中国
は、南北の2つの王朝が共存する **南北朝時代** に突入

隋 が中国南北を統一するも、わずか38年で滅亡。**唐** の時代へ

白村江の戦い

はくすきのえ

663年

朝鮮半島において、唐・新羅連合軍と日本軍・百済復興軍が、
百済の再建をかけて争った。

────┤ 主 な 交 戦 勢 力 ├────

日本軍・百済復興軍　　　　　　　　　　唐・新羅連合軍

なぜ争った

唐の支配から逃れたい旧百済が
日本に救援を要請した

　隋の後に中国で生まれた唐は、世界的な帝国へと発展していきました。3
代目の高宗の時代にはその領土は最大となり、彼は中央アジアの西突厥を
支配して西側へ領土を広げ、さらに朝鮮半島にもその支配を伸ばそうとしま
した。その中で起こったのが、この白村江の戦いです。

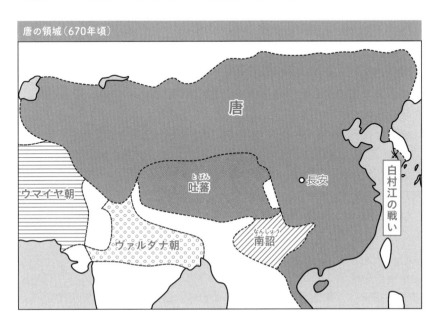

唐の領域（670年頃）

唐

吐蕃

長安

白村江の戦い

ウマイヤ朝

ヴァルダナ朝

南詔

この頃の朝鮮半島は、高句麗、新羅、百済の3国に分かれていました。**このうち西南に位置する百済は日本と親しい関係を築いていました。**大和政権以来、日本は、漢字や儒教などさまざまな文化を百済から受容してきたのです。

しかし、7世紀半ば頃になると、百済の国力は目に見えて落ち始めました。2度の大干ばつに加え、当時の義慈王が大酒飲みで女性にだらしないどうしようもない王様だったことがその一因です。

7世紀前半の朝鮮半島

この落ちぶれてきた百済に目をつけたのが唐でした。唐は百済への侵攻準備を進め、百済に攻められた新羅が唐に支援を要請したことを機に、13万もの兵を百済に送り出しました。唐・新羅の大軍に、百済はわずか4か月で降伏に追い込まれ、滅亡しました。

こうして百済では唐による統治が始まります。しかし、それをよく思わなかったのが旧百済の王族たちです。彼らは反乱軍を結成し、百済を再建すべく復興運動を始めます。その中心となったのがかつてのダメ王様・義慈王の従兄弟の鬼室福信でした。彼は義慈王とは違い、国民からの好感度が高く、尊敬を集めていました。

福信は倭国（当時の日本）に向けて援軍を依頼し、日本はこれを受け入れました。百済の滅亡は、日本にとって朝鮮半島への影響力が失われることを意味したからです。日本は百済救援のための軍を結成し、斉明天皇自らが飛鳥（現：奈良県）を出て筑紫（現：九州北部）へ向かいました。

しかし、派遣の準備を進めていたタイミングで斉明天皇が急死してしまい、後を継いだ息子の中大兄皇子（後の天智天皇）は派遣を一旦中止し、喪に服しました。

本格的な援護を開始したのはそれから2年ほど経過したときのことでした。中大兄皇子は水軍を百済の応援に向かわせ、白村江にて唐・新羅連合軍と開戦することになったのです。

日本・百済連合軍は大惨敗し、百済は完全に滅亡。日本は九州の警備強化を進めた

　日本軍・百済復興軍は、白村江にて唐・新羅連合軍と激突しました。しかし、安易な突撃作戦に出た結果、唐の挟み撃ちに遭い、大惨敗を喫してしまいます。**日本の歴史上初めての救援は、大敗北に終わり、百済も完全に滅びてしまいました。**しかし、その後も朝鮮からの渡来人は絶えず、日本の文化や社会に大きな影響を与えています。

　また、この惨敗から唐や新羅の脅威を感じた日本は、国の防御を強化する必要性に迫られました。そこで、北九州に防人を配置し、朝鮮式山城や水城も築いて海辺の防衛に力を入れていきます。これが、のちの元寇（→53ページ）の際にも役立ちました。

　一方、この戦いに勝利した唐・新羅は、その勢いのまま668年には高句麗も滅ぼし、長く続いた朝鮮の三国時代は終わりを告げました。その後、唐は朝鮮半島支配を試みますが、新羅が唐軍を追い払い、朝鮮半島の統一を成し遂げます。しかし、その後に現れた高麗が新羅を滅亡させ、936年には朝鮮半島を再統一しています。

安史の乱

755〜763年

世界三大美女の楊貴妃が唐をめちゃくちゃに!?
唐に対して安禄山が起こしたクーデタ。

———┤ 主な交戦勢力 ├———

安禄山　　　　　　　　　　　　　　　　唐

どんどん力を蓄える安禄山を、楊国忠が排除しようとした

　唐を衰退へと導いたとされるのがこの安史の乱です。この一大事件を招いたのは、世界三大美女の一人として名高い楊貴妃（ようきひ）と言っても過言ではありません。唐の6代皇帝・玄宗の王子の妃であった楊貴妃は、絶世の美女として玄宗の目にとまり、寵姫（ちょうき）として溺愛されるようになりました。玄宗は彼女を妃の最高位である"貴妃"の地位につけたため「楊貴妃」と呼ばれるようになったのです。

　このとき、楊貴妃に気に入られた人物がいました。それが安禄山（あんろくざん）です。200キロを超す超肥満体だったといわれる彼を、楊貴妃は大きなおもちゃのように扱って遊び興じた、という伝承が残されています。楊貴妃に気に入られた安禄山は、楊貴妃の養子になり、節度使（唐の各地に置かれた軍を統率する司令官）となってどんどん出世していきました。

　一方、楊貴妃にうつつを抜かし、次第に政治への意欲も失っていった玄宗は、楊貴妃一族の楊国忠（ようこくちゅう）を重用し、次第に彼が実権を握っていくようになりました。

　その楊国忠が、力を持った安禄山を恐れて排除しようとしたことから、安禄山は唐に対してクーデタを起こしました。安禄山には、彼の両親のルーツであったソグド人、突厥（とっけつ）人が味方となりました。また、玄宗がまったく政治をしなかったこともあり、社会不安も手伝って多数の反乱軍が安禄山側についたといわれています。

どうなった クーデタは失敗に終わるが、唐は衰退の道へ

　クーデタが起きると、玄宗と楊貴妃は一時的に長安から逃げ、安禄山は洛陽で自らを大燕皇帝（だいえん）と名乗り、「我こそが王だ」と高らかに宣言しました。この混乱の中で、楊国忠と楊貴妃は責任を追及され、殺害されてしまいました。

　その後、安禄山は殺され、安禄山の盟友であった**史思明**（ししめい）が反乱を引き継ぎました。「安」禄山と「史」思明で「安史」の乱なのです。しかし、ウイグル軍の支援を受けた唐により、反乱は鎮圧されてしまいます。

　なんとか反乱を収めた唐でしたが、その後、唐を支援したウイグル人が台頭し、彼らは強大な国家を形成して唐に圧力をかけ始めました。また、反乱直後の混乱の中、吐蕃（とばん）（チベット）が長安を攻め落とし唐の西域を占領したことで、**唐の領土は中国本土まで大きく縮小してしまいました。さらには、反乱によって国土は荒れ、人口も減少するなど、唐は大きく国力を落としてしまいます**。

　国際的な繁栄を誇った唐は、この反乱を経て一転して衰退へ向かっていったのです。

黄巣の乱
こ　う　そ　う

875〜884年

唐政府が行った塩の密売取り締まりに不満を抱いた密売人が、
農民たちも巻き込んで起こした反乱。唐滅亡のきっかけとなった。

┤ 主な交戦勢力 ├

唐 塩の密売人・農民

 唐が塩の密売を取り締まり、密売人が大反発

　唐が実質的に滅亡した原因がこの黄巣の乱でした。塩の密売人たちを指導者とし、農民が起こした反乱です。

　安史の乱以後、唐は誰の目にも明らかな勢いで衰退していきました。財政難になった唐は、**両税法**や**塩専売制**により立て直しを図りました。これまでの一律で税を課す方法を廃し、土地の面積や生産力に応じて課税する現実的な両税法に改めて税収回復を狙い、さらに塩の販売を国が独占することで財政を立て直そうとしたのです。

　しかし、国家による専売が始まると、市場競争の原理が働かなくなります。**その結果、塩の価格は数十倍にまでつり上がり、民衆たちは正規ルートでは買えなくなってしまいました。**

　しかし、塩は生活必需品であり、生きていくうえで欠かせません。そこで横行したのが密売です。この塩の密売で儲けていたのが、**王仙芝**や**黄巣**などの密売人でした。
おうせんし　こうそう

　塩取引の利益を独占するために専売を始めた唐からすれば、密売人に儲けられては困ります。そこで、塩の密売を厳しく取り締まったところ、密売人たちが反発して起こしたのが黄巣の乱なのです。そこに、困窮していた農民も集まり、唐の滅亡にまでつながる大きな反乱となりました。

反乱は失敗に終わるも、その後すぐに唐は滅亡へ

　反乱はどんどん勢いを増し、困った唐政府は、密売人らに官職を与えることで事態を収めようとしました。それに王仙芝のほうは応じようとしたものの、黄巣は大反発し、反乱は二手に分かれることになりました。

　その後すぐに王仙芝が亡くなると、指導者となった黄巣は、広州で金品を略奪して資金をつくり、長安を攻めて皇帝を追いやって、皇帝の位につきます。

　しかし、その黄巣の部下であった朱温（しゅおん）が唐軍に寝返り、状況は一変しました。黄巣は長安から追い出され、敗走している最中に自殺に追い込まれてしまいます。こうして反乱は鎮圧となりました。

　反乱鎮圧に大きく貢献した朱温は節度使として頭角を現し、朱全忠（しゅぜんちゅう）と名乗って、次第に唐の実権を握るようになりました。そして、最終的には皇帝を殺害し、自らが皇帝となって後梁（こうりょう）という王朝を建国します。これによって唐は滅亡しました。

中国を統一した唐が滅亡すると、さまざまな勢力が入り交じる「五代十国時代」へと突入

　唐の滅亡後、中国は5つの王朝が短期間で入れ替わる**五代十国時代**へと突入します。「五代」とは、後梁、後唐、後晋、後漢、後周の5つの王朝のことで、これらの王朝が10年ほどの周期で移り変わりました。

　また、この5つの王朝は華北にあり、その他の地域で興亡したのが「十国」です。呉越、南唐、前蜀、後蜀、呉、閩（びん）、荊南（けいなん）、楚、南漢、北漢を指し、これらの国は、節度使出身の軍人たちが武力を背景に政治を行いました。しかし、軍人ゆえに政治の安定性に欠け、どの国も長続きしませんでした。

　この時代を終わらせたのが、後周の将軍であった趙匡胤（ちょうきょういん）でした。彼は**960年に宋（南北朝時代のものとは異なる）を建国し、979年には中国を統一しました**。そして、今までの武力による政治をやめ、節度使の勢力を抑えて文官に代え（文治主義）、武力ではなく官僚制による政治体制を整えました。

靖康の変

1126〜27年

約束を守らない宋に激怒した金が、宋に侵攻。
宋は滅亡し、南宋が生まれた。

──────────┤ 主な交戦勢力 ├──────────

宋 金

 ## 女真族の王朝「金」が約束を守らない宋を攻めた

　唐の滅亡後、短期間に5つの王朝が入れ替わった五代十国時代を経て、新たに中国を統一したのが宋でした。文治主義によって、官僚による中央集権的な体制をつくり上げた宋は、経済、文化が大きく発展したことでも知られています。宋の首都・開封の繁栄を描いた『清明上河図』という絵巻物は有名で、当時の開封には飲食店や瓦市と呼ばれる盛り場が集まり、夜通し人々でにぎわったといわれています。

宋の首都開封を描いた『清明上河図』

その宋を悩ませたのが、**北方や西方で勢力を拡大していた漢民族以外の国家でした**。北方では、モンゴル系民族による遼（契丹）との間で燕雲十六州（現在の北京周辺）の領有をめぐってたびたび争いが起こりました。ここでは、遼に優位な講和（澶淵の盟）が結ばれ、その後は安定した関係が築かれました。

11世紀の中国

遼（契丹）

高麗

西夏

宋

また西北部では、チベット系タングート人による西夏（大夏）と貿易などをめぐって争いました。西夏の李元昊という将軍による度重なる侵攻に困った宋は、ここでも和約（慶暦の和約）を結んで事を収めました。

そして、最終的に宋を滅ぼすことになったのが、中国東北地方の女真族（満州族）が建てた金です。もともと遼の東北にいた女真族は次第に力をつけ、優秀なリーダーである完顔阿骨打のもとに金を建国しました。

金は当初、領土を隣り合わせに持つ遼をライバル視し、これを倒すことを目標にしていました。そこで金は、宋と組んで遼を挟み撃ちにする作戦を立てます。これが見事に成功し、遼は滅亡しました。

このときに金は、「遼を倒した際には、宋から金に歳幣（定額の銀や絹などの金品）や兵糧を渡す」と宋と約束していました。しかし宋がこの約束をいつまでたっても守ろうとしなかったため、怒った金が宋に攻め込みました。これが靖康の変です。

どうなった ❶

宋の皇帝・首脳陣が逃げ出し、宋は滅亡

当時の宋の皇帝は徽宗という人でした。彼は、芸術家としては素晴らしい才能を持つ一方、政治家としてはからっきしだめだったといわれています。金の侵攻を聞いた徽宗は退位して都から逃げ出し、その他首脳陣の多くも逃げ隠れてしまいます。

国のトップがこのような状況では、宋軍がまともに抵抗できるはずもなく、宋はあっさり金軍に攻め込まれてしまいました。ひとまず逃げた徽宗も、息

子で次の皇帝となった欽宗とともに金の捕虜となってしまいました。こうして、宋は一旦滅亡してしまいます。

宋から逃れた一部の有力者が南宋を建国。中国は南北に分かれた

　一度は滅亡した宋でしたが、**欽宗の弟が南部に逃れ、臨安（現在の杭州）を都とする南宋を建国しました。**

　南宋では、金に反撃すべきだと考える主戦論を唱えた岳飛と、和平論者である秦檜とが一時対立しましたが、結局、南宋の皇帝は最終的に和平論を受け入れました。

　こうして、金と南宋は和約（紹興の和議）を結びました。ここで南宋と金の国境が定められ、南宋は金に服従し、毎年多額の歳幣を送ることなどが決められました。南宋にとっては屈辱だったでしょうが、ここではあくまで生き残ることを選んだわけです。ここで取り決められた秩序は、のちに中国にモンゴル軍が進行してくるまで続くことになります。

紹興の和議以降、12世紀の中国

金
西夏
高麗
臨安
南宋
大理

激化する中国大陸の覇権争い②

 が領土を大きく拡大。
白村江の戦いでは朝鮮半島の百済をめぐって日本とも戦う

⌄⌄⌄

安史の乱を経て、唐は国力を大きく落とす

⌄⌄⌄

黄巣の乱で台頭した朱全忠により、唐は滅亡。
中国はさまざまな王朝が短期間で入れ替わる 五代十国時代 へ

⌄⌄⌄

五代十国時代を経て、 が中国を再び統一

⌄⌄⌄

靖康の変で宋が 金 に敗北。
宋は南に追いやられ 南宋 を建国した

Chapter 3

モンゴルの侵略

ワールシュタットの戦い

1241年

強すぎるモンゴル！ 勢力を拡大するモンゴル帝国がポーランド・ドイツ連合軍を敗り
ヨーロッパのキリスト教社会に衝撃を与えた。

── 主な交戦勢力 ──

モンゴル ポーランド・ドイツ連合軍

 なぜ争った

モンゴル帝国が急速に勢力を拡大。
ヨーロッパにも手を伸ばし始めた

13世紀にアジアで急速に勢力を拡大したのがモンゴルでした。その中心と
なったのが**チンギス＝ハン**です。彼は、諸部族に分かれていたモンゴル民
族を統一し、「ハン（ハーン）＝遊牧民国家の君主」の称号を得て、モンゴル
帝国を成立させました。

チンギス＝ハンは、南西にある**ナイマン**に始まり、**ホラズム＝シャー朝**、
そして折り返して**西夏**を征服していきました。

ここでモンゴル帝国は、**東アジアからペルシア湾あたりまでを一気につなげ
ました**。アジアとヨーロッパを結ぶ陸上交
易ルート、海に近い地域を押さえた彼らは、
交易ネットワークの構築をもくろみながら
征服を進めていったのです。

リーダーが**オゴタイ＝ハン**に代わってか
らは、中国の北半分を支配する金も征服
しました。さらに、オゴタイはヨーロッパ
への遠征も開始します。東ヨーロッパお
よび北ヨーロッパに位置するキエフ公国
を征服し、その勢いのまま、ポーランドへ
と侵攻を開始しました。これがワールシュ
タットの戦いです。

チンギス＝ハン

モンゴル帝国がポーランド・ドイツ連合軍に勝利し、キリスト教社会に衝撃が走った

どうなった ❶

ヨーロッパ遠征を指揮していたバトゥ率いるモンゴル軍は、ワールシュタット（現在のレグニツァ近郊）でポーランド・ドイツ連合軍と戦いました。

重装備の騎士による一騎打ち戦術で挑むポーランド・ドイツ連合軍に対し、モンゴル軍は軽装備に騎兵、集団戦法によって圧倒し、見事勝利を収めました。

これは、キリスト教世界を中心に驚きと恐怖を与えました。「なぜ、これほど強いのか」とモンゴル民族への関心が高まり、ローマ教皇インノケンティウス4世が修道士をモンゴルに派遣して情報収集を図るほどでした。

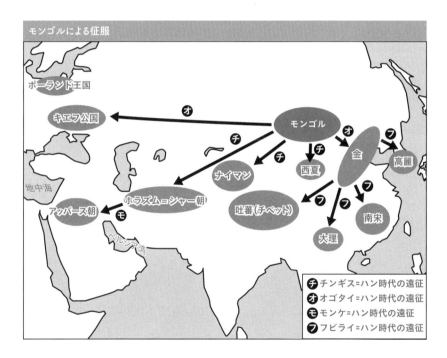

モンゴルによる征服

チ チンギス=ハン時代の遠征
オ オゴタイ=ハン時代の遠征
モ モンケ=ハン時代の遠征
フ フビライ=ハン時代の遠征

着々と支配域を広げたモンゴル帝国が、ついにユーラシア大陸の広範囲を支配

どうなった ❷

この戦いにより、モンゴル帝国の支配域は、現在の中国からロシア・イラ

P
A
R
T
1

中国・アジア

ンあたりに至るまで拡大しました。その後、**モンケ=ハン**の治世には、西ア
ジア遠征によりイスラーム勢力の**アッバース朝**を征服し、地中海への道をつ
ないでいきます。

　モンゴル帝国が支配していった数々の土地は、それぞれの遠征で活躍し
たチンギス=ハンの一族に分与されました。土地を受け取った彼らは、そこ
にモンゴル人国家を建国し、南ロシアの**キプチャク=ハン国**、中央アジアの
チャガタイ=ハン国、西アジアの**イル=ハン国**が生まれました（3ハン国）。

　その後、フビライ=ハンが5代皇帝に即位すると、彼は都を大都（現在の
北京）に移し、国号を元（げん）に変更しました。さらに、フビライは中国南部を支
配していた南宋も滅ぼして、ついに中国全土を征服しました。

　一方で、フビライの即位後には、彼の即位に反対する内乱（ハイドゥの乱）
が起き、モンゴル帝国は次第に内部対立を始めました。しかし、3ハン国な
どの各勢力は、あくまで元を宗主国として従属しており、ここでモンゴル帝
国が解体したわけではありません。

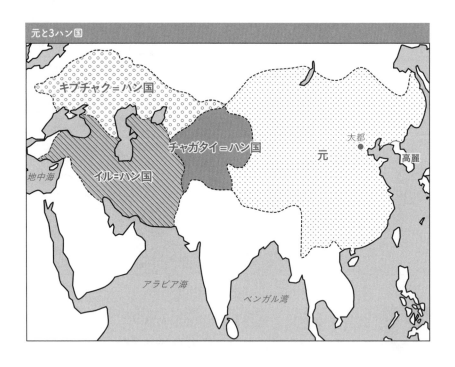

元と3ハン国

キプチャク=ハン国

チャガタイ=ハン国

イル=ハン国

地中海

元

大都

高麗

アラビア海

ベンガル湾

元寇
（文永の役、弘安の役）

1274年、1281年

日本に「神風」が吹いた!?
元が2度にわたって日本の九州に攻め入った。

―――| 主な交戦勢力 |―――

元　　　　　　　　　　日本（鎌倉幕府）

なぜ争った　元が鎌倉幕府に朝貢を拒否されて九州に攻め入った

　モンゴル帝国の「元」が、日本の九州に攻め入ったのが元寇です。その侵攻は2回あり、第1回を文永の役、第2回を弘安の役と呼びます。

　13世紀初頭にモンゴル高原にチンギス＝ハンが登場し、中央アジアから南ロシアまでを一気に征服しました。チンギス＝ハンの後継者たちもヨーロッパ方面に遠征し、さらには中国の金を滅ぼすなど、ユーラシア大陸の広範囲にわたる大帝国を築き上げました。

　チンギス＝ハンの孫であるフビライ＝ハンの治世には、国号を元に変え、当時、朝鮮半島を支配していた高麗を服従させ、**日本に対しても何度も朝貢を要求してきました。**

　しかし、鎌倉幕府の8代執権、北条時宗がこの要求を拒否します。そこで元は、高麗の軍も含めた約3万の兵で現在の長崎県にある対馬、壱岐を攻めた後、そのまま九州北部に向かいました。これにより、元寇の第1回である文永の役が起こりました。

どうなった　2度にわたる侵略も元軍が敗北。日本の征服を断念

　幕府は、九州に領地を持つ御家人たちを動員して元軍を迎撃しました。しかし、元軍が優れた兵器で集団戦を仕掛けてくるのに対し、日本軍は「やあやあ我こそは」という一騎打ち戦術を主としたために苦戦を強いられまし

た。しかし、元軍も被害が大きく、内部対立などもあって撤退しました。これが文永の役です。その後、幕府は元の再襲来に備えて、九州北部の要地の警備を九州の御家人に課し、異国警固番役を大幅に整備するとともに、博多湾沿いに石造りの防塁を築かせました。

　一度は追い返された元軍でしたが、当時の中国王朝の南宋を滅ぼした後、再び日本征服をもくろんで、今度は約14万もの大軍を率いて九州北部に向かいます。しかし、博多湾岸への上陸を阻止されている間に暴風雨が発生し、大損害を受けた元軍は再び敗走することとなりました。これを弘安の役と言います。この2度にわたる元軍の襲来を、蒙古襲来または元寇と言います。

　その後も元は日本征服を諦めませんでしたが、フビライ＝ハンが亡くなって以降、一度の交渉を最後に、日本の征服は断念されています。

　なぜ、多くの国を征服した元が、日本を攻略できなかったのか。その理由が最近の研究からわかってきました。

　元軍がユーラシア大陸を広範囲にわたって征服することができたのは、モンゴルの遊牧騎馬民族による騎馬戦が非常に強かったからです。そのため、元軍は日本を攻める際にも馬を連れて行ったと考えられます。

　しかし、馬は狭い場所と揺れがとても苦手な生き物です。輸送というストレスがかかる条件下では発熱してしまい（輸送熱と言います）、それが長時間続くと死に至ることさえあります。現代の馬運車でもこまめに駐車して休憩を入れるほどです。現代よりも時間がかかり、休憩もない元軍の船では多くの馬たちが死んでしまったと考えられます。

　さらに、この元寇に使う船をつくったのは朝鮮半島の高麗の人々でした。元は完成を急かしたうえに、費用は高麗持ちというひどい条件を突きつけたため、高麗の人々は、早く安くつくれる「高麗式」の船をつくったそうです。

　元や中国の船の底がV字型である一方、高麗の船は底が平らでした。しかし、底が平らな船はV字型のように波を切れず、波に乗るかたちになるため、非常に揺れが大きかったと考えられます。馬はもちろん、人間でさえも船酔いでろくに戦えない状況だったのではないでしょうか。

　また、日本も防塁を築くとともに河口に杭を打ち、河口から船が入れないように対策していたようです。そのため、元軍は小さな船に乗り換えたうえで、隠れる場所がない浜辺に上陸せざるを得ず、その間に日本軍は陸から弓で次々と相手を倒していったと考えられています。

紅巾の乱

1351〜66年

中国で、漢民族王朝が復活するきっかけとなった反乱。
白蓮教徒が中心となって元を滅亡に追い込んだ。

―――| 主な交戦勢力 |―――

元　　　　　　白蓮教徒、農民

 なぜ争った

元の厳しい支配に不満を抱いた農民たちが、
白蓮教のリーダーのもとで反乱を起こした

　フビライのもとで成立した元は、中国全体に支配を広げました。しかし、成立から80年ほど経過した頃には、元に徐々に問題が生じてきました。政治的な腐敗や重税、さらには悪天候なども重なり、厳しい状況に置かれた漢民族をはじめとする多くの農民たちは、強い不満を持つようになったのです。

　そこで勢力を伸ばしたのが、白蓮教といわれる宗教結社でした。世界は「明＝善」と「暗＝悪」に分かれ、弥勒仏がこの世を支配すれば極楽浄土がやってくるという、現世を否定する教義を持つこの宗教は、世の中に不満を持つ民衆たちに深く刺さりました。自分も救われたいという信者がどんどん増えていったのです。

　そして、農民たちの不満が爆発する決定的な事件が起こります。**元が、黄河で起こった大氾濫の修繕を農民たちに無償で行わせようとしたのです。**これに「もう我慢ならない」と激怒した農民たちは、白蓮教のリーダーである韓山童を押し立てて蜂起するに至りました。

　このとき、反乱軍は黄巾の乱（→24ページ）のように、紅い色の頭巾をつけて敵・味方を区別したことから"紅巾"の乱と呼ばれています。

紅巾軍を裏切った朱元璋が反乱を鎮圧。
漢民族王朝の「明」が誕生し、元は滅亡した

反乱が始まってすぐに、白蓮教のリーダー韓山童が捕らえられて殺されてしまいます。しかし、その息子の韓林児が引き継いで以降、反乱は拡大し、元全域に及ぶことになりました。

この反乱で頭角を現したのが農民出身であった朱元璋でした。反乱に参加した彼は、独自の部隊を擁立して旧都であった南京を占領しました。その後、王を名乗って紅巾軍と袂を分かち、一転して地主などと手を組み反乱鎮圧に回ります。

そして反乱を鎮圧した朱元璋は、南京を首都とする漢民族王朝の明を建国して初代皇帝洪武帝として即位しました。中国の歴史上、農民から皇帝になったのは前漢の高祖（劉邦）と、朱元璋のたった2人だけだといわれています。

新たな漢民族の王朝である明は、元の首都である大都に進撃し、北に追いやりました。さらに、北の上都も陥落し、これによって中国を支配していたモンゴル民族の王朝・元は完全に滅亡することになりました。

靖難の役
せい なん

1399〜1402年

明の2代皇帝・建文帝の政策に不満を抱いた燕王が挙兵した。

────┤ 主な交戦勢力 ├────

燕王　　　　　　　　　　　　建文帝

明の2代皇帝・建文帝が権力強化を図ろうとし、それに反発した燕王が反乱を起こした

なぜ争った

　明を建国した洪武帝は、1398年に亡くなるまで、30年も国を統治し続けました。彼の死後、次の皇帝となったのが、洪武帝の孫である建文帝でした。
けんぶんてい
彼は温和な性格で学問の素養があったとされていますが、軍事には長けていなかったといわれています。

　その建文帝の即位を快く思わなかった人物が、洪武帝の四男の燕王です。
えんおう
軍事的な才能に恵まれた彼は、当時、対モンゴルの要衝である北平（現在の北京）を守る重要な役割を担っていました。人望もあった燕王は、自身が皇帝でもよかったのではないか、と考えていたのです。

　一方の建文帝は、**皇帝権力の強化を目的とし、燕王をはじめとする叔父たちから領土を取り上げ、権力を削ぐ政策を進めました**。これに燕王が反発し、「君主は悪い奴にだまされている」と挙兵して、燕王と建文帝による靖難の役が始まったのでした。

勝利した燕王が3代目永楽帝として即位し、明は最盛期を迎える

どうなった

　この戦いは、内乱としては異例の4年という長さになりました。その理由はいくつかあったようですが、一説には戦っている2人が弱気だったからだともいわれています。

　燕王は、「建文帝はだまされている」という大義名分を掲げてはいたものの、

誰もがこれに賛同するわけではありません。自身もその根拠に少し不安があったといいます。

　一方の建文帝も、生来の優しい性格と叔父に対する想いから、あまり強く出られなかったといいます。「捕らえても殺したりしないように」と指示していたといわれているくらいです。

　こうしてだらだらと続いた甥と叔父の争いは、最終的には燕王が南京を攻め落として勝利し、明朝3代目の皇帝・永楽帝として即位しました。敗れた建文帝は、その後消息不明となったようです。

　建文帝を反乱で追いやってまで皇帝となった永楽帝は、宮廷の官僚たちから激しく非難されてしまいます。そこで永楽帝は、官僚に代わって宦官（皇后などのお世話役）に政治を任せました。

　また彼は、鄭和の南海遠征でも有名です。鄭和という人物に命じて、東南アジアやインド、アフリカ東岸などに大艦隊を率いて遠征させ、朝貢貿易の拡大を狙いました。また、南京から北京に首都を移すなどし、明を繁栄させていきました。

アンカラの戦い

1402年

一気に領土を拡大したティムール朝が、
当時のイスラーム最大勢力であったオスマン帝国を敗った。

─┤ 主な交戦勢力 ├─

ティムール オスマン帝国

一代で大帝国を築き上げたティムールが、イラン、ロシア、インドに続いてオスマン帝国に侵攻した

なぜ争った

　紅巾の乱で元が滅亡して以降、中国西方に位置していた3ハン国（→52ページ）も勢いを失っていきました。その中で台頭したのが**ティムール**という人物でした。彼は、**西チャガタイ＝ハン国**（チャガタイ＝ハン国は14世紀半ばに東西に分裂）の有力な豪族でした。

　チンギス＝ハンの子孫を自称したティムールは、**サマルカンド**を首都とし、自らの王朝である**ティムール朝**を建国しました。彼には、**かつてのモンゴル帝国のような広大な帝国を築きたいという野望がありました**。そして実際に、類いまれな才能を発揮した彼は、一代でティムール朝を大帝国に押し上げます。

　ティムールはまず、すでに事実上滅亡していた**イル＝ハン国**の領土を吸収してイラン・イラク方面を押さえ、その後は北進して南ロシアの**キプチャク＝ハン国**の一部領域も確保しました。さらに、インド北部のデリー・スリタン朝（トゥグルク朝）を襲撃してインド西北を支配し、短期間で一気に領土を拡大したのです。

　インド遠征の時点ですでに60歳を超えていたティムールでしたが、当時トルコを中心に勢力を増していたイスラームの強国、**オスマン帝国**にも攻め入りました。

　当然、オスマン帝国がティムールの侵攻を黙って受け入れるはずがなく、直接対決となりました。これが**アンカラの戦い**です。

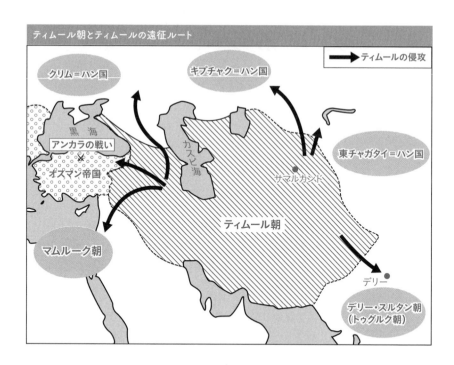

ティムール朝とティムールの遠征ルート

クリム＝ハン国

キプチャク＝ハン国

→ ティムールの侵攻

黒海

アンカラの戦い

カスピ海

オスマン帝国

東チャガタイ＝ハン国

サマルカンド

ティムール朝

マムルーク朝

デリー

デリー・スルタン朝
（トゥグルク朝）

どうなった

ティムールがオスマン帝国に圧勝。
次なるターゲットの「明」へ遠征するも……

　勢いに乗っていたこの2国の戦いは、ティムールの圧勝に終わりました。事前に十分な策略を練ったうえで戦いに臨んだティムール軍に対し、オスマン帝国は十分な兵力を用意できていませんでした。結局、オスマン帝国は当時の王が捕虜となってしまうなど、言い訳のしようもないほどの惨敗を喫してしまいます。

　このときティムールには、アンカラからさらに西方にあるオスマン帝国の本拠地まで攻め入るという選択肢もあったはずです。しかし、彼はこの勝利に満足したのか、これにて西進をストップします。そのため、オスマン帝国は滅亡という最悪の状況は免れましたが、領土の一部を一時放棄せねばならず、弱体化してしまいます。

　ティムールが次なるターゲットとして選んだのは、元を滅ぼした因縁の相手、中国の明でした。しかし、**彼は明への遠征の途中で病死し、ティムールの版図拡大は志半ばで終了してしまいました。**

圧倒的なリーダーを失ったティムール朝では不安定な状態が続き、中央アジアから南下したウズベク人に攻め入られたことで、1507年には滅亡してしまいました。

　ちなみに、ティムールの遺体は、首都サマルカンドに埋葬されました。彼のお墓にまつわるこんなエピソードがあります。

　1941年、当時中央アジアにまで勢力を広げていたソ連は、何を思ったかティムールの墓の調査を始めました。そこでソ連は、ティムールの棺（ひつぎ）に「私が死の眠りから覚めるとき、世界は恐怖に見舞われる」という呪いの言葉を発見します。しかし、ソ連がそのまま棺を開けると、さらにその蓋には「墓が暴かれたとき、大きな災いが起こる」という言葉が書かれていました。

　そしてなんと、ソ連はこの調査の数日後、ドイツからの攻撃を受けます。呪いなんてバカバカしいと思ったはずのソ連もこれには驚いたのか、翌年にはティムールの棺を埋葬し直したとされています。死後も暴れ続けるティムール、恐るべしです。

李自成の乱

1631〜45年

一人の失業者が明を滅ぼした!?
明に対する農民反乱。これによって明は滅亡し、清の時代に移った。

───────┤ 主な交戦勢力 ├───────

農民軍　　　　　　　　　　　　　　　　明

なぜ争った

大飢饉、政治の腐敗などに不満を抱いた
明の農民たちが反乱を起こした

　靖難の役で2代皇帝の建文帝を倒した永楽帝のもと、明は最盛期を迎えました。しかし、永楽帝の死後、明はさまざまな問題に直面します。北部からはオイラト、タタールというモンゴル勢力に侵入され、南部では倭寇（わこう）と呼ばれる海賊の取り締まりに追われました。

　さらに、永楽帝が宦官（かんがん）を政治登用したことによるつけがまわってきて、宦官と官僚による権力争いも起きるようになってしまいます。また、16世紀末には豊臣秀吉の朝鮮出兵などもあり、次第に明は衰退していきました。

　そこに追い打ちをかけたのが大飢饉（だいききん）でした。厳しい状況に置かれ、政治の腐敗にも不満を抱えていた農民たちは、次第に反乱を起こすようになっていったのです。

　この反乱に参加したのが、李自成（りじせい）でした。多くのトラブルや不幸に見舞われた結果、失業者になってしまったという経緯を持つ彼は、次第に頭角を現し、反乱の指導者にまで上り詰めました。さらには「王」を自称し始め、拡大した軍勢を率いて明の都であった北京に攻め込みました。

どうなった

明は滅亡し、中国は「清」の時代へ

　この反乱は、内外で問題を抱えて疲弊していった明にとどめを刺しました。反乱軍によって北京は占領され、当時の皇帝は自殺に追い込まれてしまいま

す。こうして明は滅亡しました。

　明が負けた理由の一つには、清の存在がありました。この反乱の少し前、中国の東北部では**ヌルハチ**という人物により後金という国が建国されました。これは、**女真族**（満州族）が、かつて華北に建国した金を復活させたものです。農民反乱が始まった少し後、後金は国号を清と変えました。明はこの清に対する防衛に軍を割いていたこともあり、反乱軍の北京進軍を鎮圧することができなかったのです。

　明が完全に滅亡すると、**清は北京に都を移し、中国は清の時代を迎えることになります**。異民族王朝であった清は、漢民族による抵抗を受けますが、明の制度を採用したり、漢民族を重要ポストに採用したりするなど、柔軟な政策で平和な国づくりに取り組みました。

　一方で、女真族の文化であった**辮髪**の強制や、**文字の獄**（清への批判を書いた者を極刑に処す）など、アメだけでなくムチもしっかり取り入れて人民をコントロールしました。

　清は、4代**康熙帝**、5代**雍正帝**、6代**乾隆帝**の治世で全盛期を迎え、広大な領土を支配する大帝国となります。その後、中華民国が建国されて最後の皇帝（宣統帝）が退位するまで、清は中国最後の王朝として、長く中国を支配し続けることになります。

女真族の文化であった辮髪

モンゴルの侵略

モンゴル帝国 がユーラシア大陸の広範囲を支配。

中国王朝の金、西夏も征服される

⌄⌄

フビライ＝ハンの時代に、モンゴル帝国は国号を 元 に変更。

南宋も滅ぼされ、中国全土がモンゴルに支配される

⌄⌄

元が日本に攻め込むも（元寇）、日本が勝利

⌄⌄

紅巾の乱で漢民族王朝の 明 が誕生。元を滅亡に追いやる

⌄⌄

靖難の役を経て皇帝となった永楽帝のもと、明は最盛期を迎える

⌄⌄

中東周辺で ティムール朝 が台頭。

モンゴル帝国の復活を目指して一気に勢力を拡大するも、

明への侵攻には及ばず

⌄⌄

李自成の乱により明は滅亡。その後、清 の時代が始まる

清の繁栄と
列強の圧力

アヘン戦争

1840〜42年

イギリスが清の人々を麻薬漬けに！
清がアヘンの輸入を禁止したため、イギリスが戦争を仕掛けた。

┤ 主な交戦勢力 ├

イギリス 清

 清のアヘン取締りに、イギリスが激怒

　イギリスが清の人たちをアヘン（ケシの実の果汁を乾燥させた麻薬の一種）依存にしたあげく、アヘンの輸入を禁止した清に戦争を仕掛けたのが**アヘン戦**争です。他の戦争が、争った国や戦地、主要な人物が戦争の名前になる中、この戦争は原因となった「アヘン」が名前についているという変わった戦争です。

　17世紀半ば、**明が滅亡した中国をまとめた清は、以降19世紀に至るまで広大な領土を有する超大国として発展しました**。最大領域は現在の中華人民共和国よりひと回り大きく、今でいうモンゴルや、中央アジア、ロシアの一部も含んでいました。

アヘンの材料となるケシの実

　繁栄を極めていた頃の清は「茶・絹・陶磁器」という、ほかでは作れない特産品をヨーロッパや東南アジアに輸出して儲けていました。現代の私たちからすると不思議ですが、当時これらは非常に価値が高く、生活に欠かせないものでした。たとえるなら「冷蔵庫・洗濯機・スマホ」を売っていたようなものです。それを独占販売していたのですから、儲かって当然です。

　17〜18世紀の清とイギリス間の貿易は片貿易といわれ、清が茶、絹、陶磁器を売り、イギリスが銀で代金を支払うという一方的な状況にありました。

当時、紅茶大国のイギリスでは空前のお茶ブームが起きていて、清から茶や陶磁器を大量に輸入せざるを得なかったのです。そのため、大量の銀がイギリスから清に流れてしまいました。イギリスも産業革命を成し遂げ、安価な綿織物を大量生産できるようになってはいましたが、絹織物の本家たる清はそれを欲しがらず、状況は変わりませんでした。

当時、銀の流出は、国家が貧しくなることを意味しました。そこでイギリスは、何がなんでも銀を回収しようと試み、かなり悪いことを思いつきます。それが、植民地のインドを巻き込んで間接的に清から銀を取り返す方法です。

イギリスはインドにアヘンという薬物の一種を栽培させ、清に（ひそかに）出荷させます。たちまち清の人々はアヘン依存になり、今度は大量の銀が清からインドに流れ込みました。そしてイギリスは、植民地インドに大量の綿織物を買わせて銀を回収したのです。

19世紀に起こったこのイギリス、インド、清の**三角貿易**は面白いほどイギリスにとってうまく運び、清とイギリスの立場がとうとう逆転しました。

しかし、国民がアヘンでダメになり、財政が悪化するのを清も黙って見過ごすわけにはいきません。清はアヘンの輸入・吸引禁止と、アヘンを取り締まる法律をつくって対策を施しました。しかし、すでにアヘン依存者が多数いる清では、禁止といわれたところでそれを守れるはずもなく、密輸・密売が公然と行われる状態となります。

このままではまずいと考えた清は、林則徐をアヘン禁輸対策の大臣に任命しました。彼は、イギリス商人から大量のアヘンを没収し、破棄しました。これに怒ったイギリスは、清に戦いを挑んだのです。

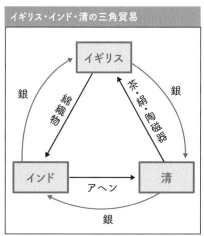

イギリス・インド・清の三角貿易

ちなみに、これだけ非人道的な戦争は、当のイギリスでも「さすがにこれはマズいのでは？」という声が上がり、戦争反対の機運も高まったそうです。しかし、議会の採決の結果は賛成271票、反対262票と、わずか9票差で戦争が決まりました。

PART 1 中国・アジア

清の繁栄と列強の圧力　**6 7**

負けた清は香港をイギリスに割譲。
アジアがヨーロッパの食い物にされるきっかけに

　これだけ繁栄し、広大な土地を持つ清が負けるはずがない、という事前の下馬評とは裏腹に、この戦いはイギリスの圧勝に終わりました。それもそのはず、清が帆船であるのに対して、イギリスは外輪蒸気船で砲弾をどんどん撃ちこんでくるのです。たいした抵抗もできぬまま清は敗北を認めざるを得なくなりました。

　結果、清はイギリスと散々な不平等条約（南京条約）を結ばされることになります。**このときに中国からイギリスに割譲されたのが香港です。**貿易についても、当然イギリスに言われるままに自由貿易の解禁を決められ、清は5つの港を開港し、2100万ドルという多額の賠償金の支払い義務も負わされました。

　さらに清の敗戦は、「あの大きな清朝でさえ、ヨーロッパにはかなわない」と印象付けることになり、アジア世界がヨーロッパ世界の食い物にされていく、一つのターニングポイントになったと言えます。

　このとき日本は鎖国中でしたが、「あの清がイギリスに負けたらしい」と聞き、戦々恐々とすることになりました。そしてその不安は、そこから10年あまりたった1853年、ペリー来航というかたちで現実のものとなるのでした。

太平天国の乱

1851〜64年

新宗教の拝上帝会が中心となり、打倒清王朝を掲げて起こした反乱。
死者2000万人の史上最大規模の反乱となった。

──┤ 主な交戦勢力 ├──

太平天国

清

清との対立を深めた拝上帝会が反乱を起こした

　アヘン戦争後に混乱に陥った清国内では、新宗教の拝上帝会（はいじょうていかい）が信者を集めました。彼らが、「太平天国（たいへいてんごく）」という独立国家を樹立し、打倒清王朝を掲げて起こしたのが太平天国の乱です。

　反乱の中心人物となったのは、洪秀全（こうしゅうぜん）という人物でした。中国には科挙（かきょ）といわれる、隋の時代から続く官僚選抜試験があります。この試験の合格倍率は最盛期で約3000倍にも達したとされ、洪秀全もまた科挙合格を目指し、必死に勉強していた一人でした。

　しかし、3度も不合格となり、失意の中、病気で寝込んでいたところ、夢の中である老人に出会い、現世の悪魔を滅ぼすように命令を受けます。

　その後、4度目の科挙にも失敗した彼は、たまたま見つけたパンフレットでキリスト教について知ることになり、夢に現れた老人は神であり、自分はイエスの弟で、神からの言葉を授かった「預言者」だという謎の結論に至りました。

　こうして洪秀全は、キリスト教の影響を受けた宗教団体、拝上帝会を組織します。ここで言う「上帝」とは「ヤハウェ（キリスト教における創造主）」のことであり、洪秀全は自らをイエスの弟と称しました。

　当時、アヘン戦争の影響で清国内の情勢が不安定だったことや、男女平等を説く思想などが低階層の人々に支持され、拝上帝会は、数万人規模の信者を抱える宗教団体に成長しました。そして、次第に清朝との間に軋轢（あつれき）が生じ始め、**ついに拝上帝会は「太平天国」という独立国家を樹立し、「滅満興漢（まんこうかん）（満州族の清を倒し、漢民族の王朝を立ち上げよう）」を掲げて清王朝に**

反乱を起こしました。これが太平天国の乱です。この反乱は、死者2000万人といわれる史上最大規模の反乱となりました。

 清が国力を大きく落として弱体化した

　太平天国軍の士気は非常に高く、南京を攻め落として天京と名を改め、新たな拠点とするなど、破竹の勢いで連勝を重ねていきました。

　しかし、太平天国のナンバー2であった楊秀清が「自分もヤハウェとイエスの声を聞くことができる」と主張し始めたことなどで状況は一変しました。洪秀全は楊の粛清を決意し、楊の親族や配下など、数万人を虐殺しました。それをきっかけに、太平天国は弱体化していくことになりました。

　また、「清が滅亡すると賠償金を得られなくなる」と考えたイギリス、そしてアメリカも清に加勢しました。両国は常勝軍という名の軍隊を組織し、反乱の鎮圧に乗り出しました。さらには、清の命令を受けて曾国藩や李鴻章が組織した軍隊も太平天国を苦しめました。

　その結果、太平天国は天京以外の領地をすべて失い、孤立してしまいます。食料事情はひっ迫し、洪秀全は「神がお与えになった」雑草を食べることを推進しました。しかし、その雑草を食べた洪秀全は食中毒になって亡くなったそうです。そして天京も陥落し、太平天国の乱は終結しました。

　なんとか反乱を鎮圧した清でしたが、この反乱による死者は2000万人に及ぶといわれ、国力が大きく低下してしまいます。第一次世界大戦の死者が1600万人ほどだと考えると、その規模の大きさがわかるでしょう。

アロー戦争
（第二次アヘン戦争）

1856〜60年

清との不平等条約を拡大したいイギリスが、
無茶苦茶な言いがかりをつけてフランスとともに清を攻めた。

──┤ 主な交戦勢力 ├──

清　　　　　　イギリス・フランス

**アヘン戦争で結んだ清との不平等条約に、
イギリスが満足できなかった**

なぜ争った

　先に行われたアヘン戦争の結果は火を見るよりも明らかでした。清が旧型の装備で防戦する一方、イギリス海軍は最新装備で攻め、あっという間に清の惨敗に終わりました。戦後には南京条約が結ばれ、清はイギリスに香港の割譲や多額の賠償金、5港の開港などを約束しました。

　イギリスの目的は南京条約を踏み台にして、さらに清との貿易を拡大することにありました。 香港は清との貿易の拠点であり、5港の開港は貿易場所の増設を狙ったものです。清は、同様の条約をアメリカやフランスとも結ばされてしまいました。

　ところが、ここが大事なのですが、**南京条約後も思ったほど欧米諸国の利益は上がらなかった** のです。焦った、というか不満を抱いたイギリスは、南京条約よりももっと利益が上がる不平等な条約を結ぶべく、じっと機会を待つことにしました。

　再び条約を結ぶには、もう一度戦争をして勝てばいいわけですが、なんの理由もなく和解したばかりの相手に戦争を仕掛けるわけにはいきません。

　そんなとき、イギリスにとって最高の口実となる出来事が起こりました。清がイギリス船籍を主張する船（アロー号）を検査した際に、乗組員を拘束し、そのうち数人を海賊容疑で逮捕したのです。逮捕のとき、船に掲げられたイギリス国旗を清の役人が引きずり降ろしたという情報を口実として、イギリスは清への開戦を告げました。なんとも無茶苦茶な言いがかりですが、イギリスにとってはどんなに些細なことでも、清と戦争できればそれでよかったので

す。同じ頃、フランスも自国の宣教師（キリスト教を広める人）が清で殺されていたため、これを口実にイギリスと共同出兵を決めました。こうしてアロー戦争が勃発したのです。発端となった「アロー号」の名前をとってアロー戦争、またはアヘン戦争の続きととらえて第二次アヘン戦争と呼ばれます。

 清滅亡へのカウントダウンが始まった

アヘン戦争に続き、このアロー戦争も清の惨敗に終わりました。英仏軍は海路から北上して広州・天津に迫り、**天津条約**の締結にこぎつけました。

ところが、この条約が結ばれた後、批准（条約を実行に移すこと）の段階になって清が急に拒否し始めます。イギリス、フランスは、この条約のために戦争を始めたようなものですから、「それならもう一度戦争をして思い知らせてやる！」となるのは当然の流れでした。

2度目の戦闘で、清は北京まで占領され、改めて**北京条約**が結ばれました。この戦闘では、清の離宮であった**円明園**が徹底的に破壊され、その跡が今も残っています。

北京条約の内容は天津条約よりひどいものでした。一度逆らってしまった分の罰が上乗せされたということでしょう。**清は、外国公使の北京駐在、天津など11港の開港、キリスト教布教の自由の承認、九竜半島の一部割譲などの不平等な内容を認めさせられ、国内からの銀流出に拍車がかかる結果となってしまいました。**

こうして、かつて大国として栄えた清は、アヘン戦争、アロー戦争をきっかけに欧米諸国の食い物にされ、衰退の一途をたどっていったのでした。

台湾出兵

1874年

台湾に漂着した琉球王国の人々が先住民に殺害された事件を受け、
明治政府が台湾に3000人もの大軍を送り込んだ。

―| 主な交戦勢力 |―

日本　　　　　　　　　　　台湾

なぜ争った

清の支配下にあった琉球王国を、
日本の国土だと主張するため

　台湾出兵とは、日本の明治政府が、"ある事件"の報復のために清の領土であった台湾に向かった出来事です。その背景には、**「琉球王国を日本の領土だと国際的に認めさせたい」**という思惑がありました。

　1871年10月、台湾で漂流民の殺害事件が起きました。琉球王国に属する宮古島の船が暴風雨に襲われて台湾に漂着したところ、現地の先住民に拉致され、54人が殺害されてしまったのです。

　明治政府はこの事件を政治に利用しようと考えました。**台湾に報復することで、当時所属があいまいだった琉球王国を日本の一部だと知らしめようと考えたわけです**。また、清に強硬な姿勢を示すことで、日本が東アジアにおいて群を抜いて発展していることを西欧諸国にアピールし、不平等条約の改正につなげたいという意図も背景にありました。

　当時、琉球王国は国際的には日本の一部と認められていませんでした。その理由は、琉球と中国との古くから続く関係にあります。

　中国が明の時代であった14世紀、明は近くの国々に使者を送って自国に従わせようとしました。琉球王国も明の要求を受け入れ、朝貢（中国皇帝に挨拶文・貢ぎ物を捧げ忠誠を誓うこと）、冊封（中国皇帝より国の王であることを認めてもらうこと）の関係を結び、以降は中国の支配下に置かれることになります。

　ところが、**17世紀初めに薩摩藩が琉球へ出兵し、首里城を占拠して琉球国王を捕まえて服属させたのです**。貿易での利益を狙ってのことでしたが、普通であればこの暴挙に明も黙ってはいないところです。しかし、明はちょう

どこの頃、各地で暴動が頻発していて国力が低下していました。そのため、遠い小さな国の琉球王国にまで手を回せなかったのです。こうして琉球王国は、表面的には中国が、事実上は薩摩藩が支配するという「日中両属体制」が260年以上にわたって続いていたのでした。

　さて、台湾での漂流民殺害事件を受けた日本は、清に渡り、責任を追及しました。加害側の台湾は清の領土だったからです。すると、清は「琉球王国はそもそも日本ではないし、台湾の先住民のことに関しては何も関与していない」と責任を回避し、賠償金の支払いを拒否しました。清のこの回答を受けた日本は、これ幸いと考えます。「関与していないのなら台湾に攻め込んでも大丈夫」と解釈したわけです。

　当時の日本は、政府の分裂や地方での反乱を受け、政府への不信感が高まっていました。その不安を外に向けるためにも、明治政府は台湾出兵を決断しました。陸軍中将の西郷従道の指揮のもと、3000人の兵を台湾に送ったのです。こんなに大人数で出兵した理由も「日本のため、国民の安全を守るために、我々政府はここまでやる」という姿勢を国内に見せる必要があったからでしょう。

 ## イギリスの仲介で和解するも、日本が一方的に琉球を併合

　この出兵で日本は、事件が発生した周辺地域を占領し、頭領であった親子を殺害して報復を完了しました。

　そして日本は、琉球支配を国際的に承認させようとするも、その強引な行動で諸外国との関係を悪化させてしまいます。この台湾出兵は、事前に清に通達せず、言質を取ったと解釈した日本の独断的行動だったからです。

　日本側からすれば「台湾の先住民には関与していないと言ったじゃないか」という言い分ですが、清からすれば「そもそも台湾は清の領土で、勝手に攻め入るなんてあり得ない」と当然のごとく激怒します。

　加えて日本は、清と利害関係のある諸外国にも事前の通達、根回しをしていませんでした。特にイギリスからは激しい抗議を受けてしまいます。イギリスとしては、日本と清が戦争をしてアジアでの経済活動のあてが外れてしまえば、せっかくアロー戦争で整えた清との貿易の利益が上がらなくなる可

能性があったからです。

　結局、イギリスの仲介で清との交渉が行われ、両国は和解にこぎつけました。清は日本軍の出兵を義挙（正義のために起こした行動）であったと認めました。

　しかし、日本はそれを逆手に取ってさらなる暴挙に出ます。そこで交わされた書面には「台湾の生蕃かつて、日本国臣民らに対して妄りに害を加え」という内容が書かれていました。**これを明治政府は「清が琉球を日本の一部として認めた」と勝手に解釈し、琉球の併合を進めたのです。**台湾出兵の翌年には、琉球藩に王国制度の廃止を通達し、1879年には沖縄県を設置して強制的に併合しました。これにより、琉球王国は終わりを告げます。この対応により、日本は清やイギリスなどの諸外国との関係をさらに悪化させてしまいました。

清仏戦争

しん ふつ

1884～85年

東南アジア進出を進めたいフランスと清が
ベトナムの宗主権をめぐって争った。

─┤ 主な交戦勢力 ├─

清 フランス

東南アジアへの進出を急ぐフランスが、清が宗主国を主張するベトナムに手を出した

東南アジアの植民地化を進めようとベトナムを保護国化したフランスに対し、清が待ったをかけたのが清仏戦争です。

18 ～ 19世紀、イギリス、フランスが中心となり、西欧列強は植民地獲得競争に明け暮れました。そこで英仏が目をつけた地域の一つが東南アジアでした。両国は我先にと東南アジア各地に進出していきました。

中国への出口を確保したかったフランスがターゲットとしたのがベトナムやメコン川流域です。積極的な対外政策で知られる当時のフランス王ナポレオン３世は、ベトナムによるフランス人宣教師の処刑を口実に、インドシナ出兵を行います。こうしてフランスはサイゴンを占領し、さらにはカンボジアを保護国化しました。

さらにフランスが第三共和政の時代には、ベトナムを保護国化しました。これに対し、清はベトナムへの宗主権（従属国に自治を認めつつ、外交や内政などに干渉する権利）を主張しました。つまり、ベトナムは「うちのシマ」なのだから、よそ者のフランスは入ってくるなということです。

アヘン・アロー戦争で西欧列強に敗れた清は、好き勝手に土地を荒らして回る列強への不満を相当ため込んでいたことでしょう。負けたばかりとはいえ、これを黙って見過ごすわけにはいかず、「ベトナムを治めているのは清であり、フランスによる保護国化など認めない」とフランスと戦争を始めたのです。

清は善戦するも、ベトナムの宗主権を手放した

開戦当初、清は予想以上に善戦しました。劉永福という人物によって私的に組織された黒旗軍という軍隊が清軍の味方をしたからです。劉永福は、先の太平天国の乱にも参加していた人物で、彼はフランスを含む列強の侵略を防ぎたいと考えていました。そのため、清と利害関係が一致したわけです。両軍が協力した結果、フランス軍はたびたび敗北を喫することになりました。

しかし、**戦争が始まった翌年には、清側に不利な条件で講和条約を結ぶことになりました**。善戦していた清は、なぜこのような結末になってしまったのでしょうか。

実は、清仏戦争の最中、清が宗主権を持つ朝鮮で甲申政変という反乱が起きたのです。これは、清がフランスと戦っているすきをつき、日本の支援を受けた朝鮮の開化派（親日派）が起こしたクーデタでした。この反乱は、袁世凱の率いる清軍によって鎮圧されますが、清の首脳陣は、「このまま朝鮮を放っておけば、日本に朝鮮を取られてしまう」と考えました。

また、清は陸戦では善戦したものの、海戦では劣勢を強いられていました。フランスとの交渉に当たっていた清の李鴻章は、今の戦力ではフランス海軍とはまともにやり合えないと考え、一刻も早くフランスとの戦争を終わらせようと決めたのです。

清は善戦こそしていたものの、各地で圧勝続きだったわけではありません。その状況で終戦を持ちかけたわけですから、当然相手に花を持たせる必要があります。結局、清がベトナムの宗主権を放棄することなどを決めた天津条約を結ぶはめになりました。

甲午農民戦争
（東学の乱）

1894年

日清戦争のきっかけとなった反乱。
開国させられた朝鮮で不満をため込んだ人民たちが蜂起した。

┤ 主な交戦勢力 ├

東学陣営　　　　　　　　朝鮮、清、日本

 なぜ争った　**開国させられた朝鮮で、民衆の不満が爆発した**

　この戦争は、朝鮮での内乱に、清と日本が介入したものです。きっかけは
朝鮮の開国と、それに伴う朝鮮の人民たちの不満でした。

　朝鮮は伝統的に、歴代の中国皇帝に朝貢（自国の統治を認めてもらうために
使節や貢ぎ物を送ること）をしながら鎖国政策をとっていました。

　しかし、日本の明治政府が朝鮮への進出をもくろんで起こした江華島事
件により、朝鮮は自国に不利な不平等条約を結ばされ、開国させられてし
まいます。

　これは当然、朝鮮を属国と考えてきた清にとっては面白くありません。また、
**朝鮮国内でも、以前のように清と近づきたいと考える「親清派」と、清から
の独立と近代化を目指して日本に近づきたい「親日派（開化派）」に分かれ
て対立が起こるようになりました。**

　こうして起こったのが、壬午軍乱でした。開化を目指す閔氏政権に対して、
親清派の大院君がクーデタを起こすも、清が出兵して鎮圧しました。ここで
清に助けられた閔氏政権はのちに親清派となりました。

　その後、今度は開化派の金玉均らが親清派を一掃しようとクーデタを起
こします（甲申政変）。日本の援助を受けた開化派は王宮を奪い、新政権を
樹立しましたが、これも清の介入によって三日天下に終わります。その後、
天津条約にて、日清両国の撤兵、今後朝鮮に出兵することがあればお互い
に通告することが取り決められました。

この不安定な状況の朝鮮で支持を集めたのが、東学という新宗教でした。
崔済愚により開かれた、仏教、儒教、道教などが混ぜ合わされた宗教です。
東学は、西学＝キリスト教に対抗したもので、列強の排斥を主張し、開国
によって経済が不安定になったことや、それに対する日本や西欧列強に対す
る不満を背景に、農民を中心に多くの信者を集めました。

　崔済愚自身は、危ない思想の持ち主として処刑されてしまいますが、民衆
の不満はピークに達し、1894年、東学の新たな指導者、全琫準をリーダー
とした農民軍が、朝鮮政府に対して反乱を起こしました。これが甲午農民戦
争（東学の乱）です。

日清の両軍が介入し、
日清戦争開戦のきっかけとなった

　この反乱を鎮圧できないと判断した朝鮮政府は、清に援軍を要請します。
このとき、清は天津条約に基づいて日本に朝鮮への出兵を通告しました。す
ると、なんと負けじと日本も朝鮮に出兵してきたのです。

　思いがけず、日本と清の両軍が集まってしまい、「このままでは、清か日
本のどちらかに朝鮮が侵略されてしまう！」と焦った朝鮮政府は、慌てて反
乱軍と和解し、反乱を収めました。

　こうなれば、もはや清も日本も朝鮮に軍隊をとどめる大義名分はなく、撤
退するのが道理です。**しかし日本は、清に勝ってそのまま朝鮮を支配するこ
とを目指し、朝鮮からの撤退を拒否しました。**そして、これが朝鮮をめぐる
日清戦争へと発展したのでした。

日清戦争

1894〜95年

アジアの小国日本が清を破る！
朝鮮の支配をめぐり、日本と清が争った。

── 主な交戦勢力 ──

日本 清

 ## 日清の両国が朝鮮を支配したかった

なぜ争った

19世紀後半、西欧列強が世界中に植民地を広げる中、明治維新で近代化を成し遂げた日本も、同様に海外に植民地をつくろうともくろみました。

そこで目を向けたのが朝鮮でした。当時、開国したばかりの朝鮮は、清に近づくのか、それとも近代化を進める日本に近づくのかで揺れていました。この「親清派」と「親日派（開化派）」が対立する状況の中、1884年には、親清派の閔氏政権に対して、日本が支持する開化派がクーデタを起こします（甲申政変）。

しかし、この政変が失敗に終わると、朝鮮における日本の影響力は弱まってしまいました。これを危惧した日本は、山県有朋が朝鮮を「利益線」と表現し、朝鮮防衛の必要を説くなどして、軍事力の増強に努めました。

そんな中、1894年、朝鮮で甲午農民戦争が起こります。これを自力で抑えられなかった朝鮮政府が清へ援軍を要請すると、呼んでもいないのに日本軍までやってきて、そのまま朝鮮を支配するためにとどまった、というのは前述した通りです。その結果、朝鮮支配をめぐる日本と清の戦いが朝鮮で始まったのです。これが日清戦争です。

 ## 完敗した清は、列強の侵出を許すはめに

どうなった ❶

戦争の結果、日本は清に圧勝します。この勝敗には両国の近代化の進み

具合が大きく影響したと言えるでしょう。**日本は開国以降、明治維新で富国強兵を進めていました。一方で、清の近代化は中途半端なものにとどまっていたのです。**

清でも1860年代から近代化改革は始まっていたものの、**中体西用**（西洋の学問はその成果としての機器・技術を用いるにすぎず、あくまで中国の学術・伝統的思想を重視する）という理念を掲げていたせいで、表面的な改革に終わっていたのです。それが結局、日本との差を生み、日清戦争の敗北につながってしまいました。

清が日本に負けたという事実は、多くの国に衝撃を与えました。それまで清は「眠れる獅子」と呼ばれ、今はおとなしくしているけれど本気を出したら強い国だと思われていたからです。

しかし蓋を開けてみれば、少し前まで鎖国をしていたアジアの小国日本に完敗。清がもはや無力なことが明らかとなり、**日清戦争以降、西欧列強はこぞって中国を支配しようと進出を始めました。**

どうなった ② 三国干渉により、日本の反ロシア感情が高まった

戦後、日清の間では**下関条約**が締結されました。日本の代表は伊藤博文、清の代表は李鴻章です。ここでは、**①清国は朝鮮の独立を認めること、②遼東半島、台湾、澎湖諸島を日本に譲ること、③賠償金2億両（当時の日本の国家予算の3年分以上）など**が決められました。

しかし、この日本の中国進出は、極東進出を進めるロシアにとっては不都合でした。そこで、**ロシアはフランスとドイツを誘って、日本に対し、遼東半島の返還を勧告します。**これが**三国干渉**です。清を破ったとはいえ、3つの大国に迫られては勝ち目はなく、日本は泣く泣く要求をのむことになりました。

しかし、これによって**日本国内では反ロシア感情が高まりました。**日本は**臥薪嘗胆**をスローガンに、賠償金を使って軍備を増強し、ロシアと戦う準備を整えていきました。そして約10年後、ロシアと日本は朝鮮をめぐり、**日露戦争**で戦うことになるのです。

義和団事件
（義和団の乱）

1900〜01年

清を滅亡に導いた一大事件。義和団と清政府が起こした排外運動。

┤ 主な交戦勢力 ├

義和団、清

アメリカ、イギリス、イタリア、オーストリア、
ドイツ、日本、フランス、ロシア

なぜ争った

過激な排外運動を行う「義和団」を支持した清が、列強諸国に宣戦布告

　アヘン戦争、アロー戦争、さらには日清戦争の敗北によって、清は列強の侵略を許してしまいました。また、1860年の北京条約で中国でのキリスト教布教の自由が認められると、欧米各国の宣教師たちはこぞって中国で布教を始めました。こうした列強の取り組みは、伝統的な秩序や民族感情との摩擦を生み、多くの民衆に不満を与える結果となりました。

　そこで急速に勢力を伸ばしたのが義和団です。山東省で生まれた、義和拳と呼ばれる武術を中心とした排外主義の集団で、拳法を修練すれば不死身になって弾丸をも跳ね返せる、というとんでもない教えも持っていました。それでも当時は、清北部が災害で困窮していたこともあって、農民や下層労働者を中心に信者を増やしていきました。

　しかし、欧米諸国の要求で義和団は山東省での活動を取り締まられ、押し出されるように首都北京へと近づいていきました。その北京で、**義和団は失業者を吸収してどんどん膨張し、あげくの果てには、キリスト教会や外国の大使館を襲撃し始め、日本とドイツの外交官を殺害してしまいます。**

　清は、本来なら義和団を鎮圧すべきですが、「扶清滅洋」（清を助けて欧米諸国を追い出す）を掲げた義和団に対し、清の最高権力者であった西太后は、あろうことか義和団の支持を表明しました。さらには列強諸国に宣戦布告してしまったのです。これが義和団事件です。

敗戦した清は、半植民地状態に

　もちろん、列強が黙っているはずもなく、日本とロシアを中心とした8か国が共同出兵しました。義和団・清連合軍と列強連合軍との戦力差はあまりに大きく、結果は火を見るよりも明らかでした。

　北京が列強連合軍によって占拠されると、西太后は庶民に扮して北京を脱出し、その道中で「清（そして自分）の地位を守るためなら金に糸目をつけることなく列強と和議を結べ」と指示を出したため、義和団事件は終結に向かいました。

　その後、清は列強と北京議定書を取り交わしました。その内容には、天文学的な額の賠償金、責任者の処罰などが含まれました。

　何より清にとって痛手だったのは、首都北京への外国軍隊駐留が決まったことです。この内容をのんだおかげか、西太后は処分を受けずに済みましたが、**結果的に、清は半植民地状態と言わざるを得ない状況に陥りました。**

国民に見限られた清は革命で滅亡。新たに中華民国が誕生した

　さて、この多額の賠償金のしわ寄せは誰に行ったのでしょうか？　もちろん清の国民です。この過大な負担のために、民衆は清朝を見限るようになり、国内では革命の機運が高まりました。

　そして、孫文をリーダーとする革命勢力が台頭し、彼らは辛亥革命によって中華民国を建国します。これにより、中国最後の王朝となった清は滅亡してしまったのでした。

PART
1

中国・アジア

清の繁栄と列強の圧力　　**83**

清の繁栄と列強の圧力

広範な領土を獲得した 清 は、片貿易なども背景に繁栄

アヘン戦争によってイギリスに敗れた清は、不平等条約を結ばされる

太平天国の乱により、清は国力を大きく落とす

アロー戦争でイギリス・フランスに敗れた清は、
さらなる不平等条約を結ばされ、一層衰退することに

日本の台湾出兵が起こり、日本が琉球を併合

清仏戦争でフランスに敗れた清は、ベトナムを手放すことに

甲午農民戦争をきっかけに日清戦争が勃発。
ここで敗れた清へ、列強の進出が進む

義和団事件でも敗れてしまった清は、列強の半植民地状態に

ふがいない清に対し、国内で辛亥革命が発生。
中華民国 が建国され、清は滅亡

Chapter 5

日本の敗戦と
冷戦に巻き込まれた
東アジア

日露戦争

1904〜05年

日本が大金星をあげる！
反ロシア感情が高まる日本で、朝鮮半島をめぐって日本とロシアが戦った。

┤ 主な交戦勢力 ├

日本　　　　　　　　　　　　　　ロシア

 朝鮮を狙うロシアを日本はなんとしても叩きたかった

　明治維新によって近代化の道を歩み始めた日本は、**富国強兵**によって国力を高めました。そして、朝鮮支配をめぐる清との日清戦争に見事勝利します。勝利した日本は、清との間で**下関条約**を結びました。その内容には、渤海に面した中国の**遼東半島**を日本に割譲するという内容が含まれていました。

　実は当時、ロシアもこの遼東半島を狙っていました。そこでロシアは、ドイツとフランスを誘い、3国で圧力をかけて遼東半島返還を日本に迫りました（三国干渉）。日本はこの圧力に屈し、遼東半島を清に返還するはめになります。**この三国干渉を通じて、日本では反ロシア感情が高まっていきました。**

　さらにロシアは、先の義和団事件で満州に出兵した際にそのまま満州に軍をとどめ、隣接する朝鮮にも手を出そうとしました。日本はロシアに再三警告をするも、完全に無視されてしまいます。それも当然で、ロシアの兵力は日本の比ではなく、日本など相手にしていなかったわけです。

　そこで日本は、日清戦争の賠償金のほとんどを軍事費に回し、軍事力を強化して、来たるロシアとの戦いに向けて体制を整えていきました。さらに、対ロシア対策として、1902年にはイギリスと**日英同盟**を結びました。イギリス側も、中国の権益を狙うために、増強されていた日本の軍事力を利用しようと考えていたのです。

　こうして1904年、戦争体制を整えた日本は、ロシアに対して宣戦布告をし、日露戦争が始まることになりました。

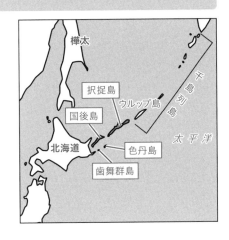

❶ 勝利した日本は、アジアの大国として名を上げた

　日本軍は、苦戦の末、1905年1月にはロシア軍の旅順要塞を陥落させ、3月の奉天会戦においても辛くも勝利を収めました。これが日本の限界で、これ以降、両軍は膠着状態となりました。

　転機となったのが、5月に行われた日本海海戦です。**ここで日本海軍がロシアのバルチック艦隊に大勝利を収めたことで、ロシア側は次第に追い込まれていきました。**

　この日本有利の情勢の中、アメリカの仲介のもとで講和会議が開かれ、ポーツマス条約が結ばれました。**ここで日本は、大韓帝国における指導権の承認、樺太の北緯50度以南の割譲などを得ました。**ただし、ここでは賠償金は得られず、それに不満を抱いた一部の日本国民が、ポーツマス条約に反対する暴動（日比谷焼打ち事件）を起こしています。

　ともあれ日本は、この戦争を通じて、アジアで唯一の世界規模の影響力を持つ国として、世界から認められたと言えます。

　また、この勝利を見たアジア諸国は、「立憲政をとる東洋の日本が、専制政治をとる西洋のロシアに勝った」と認識しました。これが、西アジアを中心とする独立運動の活性化にもつながりました。

❷ 日露の北方領土問題は根深く残る

　なお、日本とロシアの戦争ということで、ここで北方領土問題についても簡単に確認しておきましょう。北方領土（北方四島）とは、北海道の北東に浮かぶ、択捉島、国後島、色丹島、歯舞群島の4つの島を指します。

　18世紀末頃から、北方領土は江戸幕府の直轄地として開拓が進みました。そして1855年、日本と

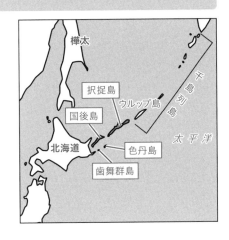

ロシアの間で、国境を定める**日露和親条約**が結ばれます。ここではウルップ島と択捉島の間に国境が定められ、樺太に関しては、国境を定めずにお互いの国民が居住できることが決まりました。

　そして、1875年には、**樺太・千島交換条約**が結ばれ、日本が樺太をロシアに渡し、日本は千島列島を得ました。

　その後、先ほど紹介した通り、ポーツマス条約にて樺太の北緯50度以南（南樺太）も日本の領土となります。

　こうした状況の中、**第二次世界大戦で日本が降伏した直後、ロシア（当時はソ連）は北方四島まで侵攻を進め、日本人を追い出して占拠してしまいました**。その後に結ばれた**サンフランシスコ平和条約**にて、日本は千島列島と南樺太を放棄することに同意しましたが、ここには北方四島は含まれていませんでした。しかし、ロシアはこの条約への署名を拒否し、以降、現代に至るまで北方四島はロシアによる不法占拠が続いている状況です。

日中戦争

1937〜45年

太平洋戦争を呼び起こした戦争。軍事政権となった日本が、
盧溝橋事件を機に中国と戦争を始めた。

┤ 主な交戦勢力 ├

日本　　　　　　　　　　　中華民国

日露戦争後、日本は中国への進出を進めた

　日露戦争に勝利し、ロシアが持つ中国での権益を奪うことに成功した日本
は、ついに念願の列強入りを果たしました。

　その後、第一次世界大戦（→271ページ）にてヨーロッパ諸国が軒並み国
力を消耗させる中、自国が戦場にならなかった日本は、疲弊したライバルを
尻目にさらに中国へと進出していきました。

　**他の列強がこの日本の中国進出をよく思うはずがなく、特にそれを嫌った
のがアメリカでした**。当時のアメリカは、19世紀のほとんどをアメリカ大陸
開拓に費やしていたため、中国進出に後れを取っていたのです。

　かくして日本と欧米列強の関係は急激に冷え込みました。ただし、このと
きの幣原喜重郎外務大臣が、欧米との関係を重視して中国進出を自制した
ため、それ以上対立が深まることはありませんでした。

　さて、第一次世界大戦によってヨーロッパ諸国は貧乏になり、国土も荒
廃しました。**そこで平和を求め、維持にもお金がかかる軍備を縮小する動
きが各国で起こります**。欧米諸国と仲良くしたい幣原外相もこれに賛同して
軍備を縮小し、日本にも平和ムードが訪れました。

　これで割を食ったのが日本の軍人たちでした。かつて国を守るヒーローと
して尊敬された軍人は、一転して平和を乱すものとして社会から白い目で見
られるようになってしまったのです。そもそも軍備縮小とは、軍人の失業を
意味します。軍人たちは、次第に社会や政治への不満を募らせていきました。

社会から軍人が再評価されたきっかけは、選挙権の拡大でした。1925年に制定された法律により、満25歳以上の日本人男性すべてに選挙権が与えられました。ここで各政党が選挙に勝つために多くの資金を求めた結果、汚職が横行しました。これに対し、若い軍人たちが政治の腐敗を非難し、議会政治の廃止など、過激でわかりやすい主張をして注目を集めたのです。軍人たちからすれば、政治への信頼が揺らいだ今こそが名誉挽回のチャンスであり、国民からしても、彼らが現状を打開する存在に見えたことでしょう。

列強を追い出したい中国に、関東軍が暴挙を働いた

　折しもこの頃の中国では、**「列強に奪われた中国の権利を漢民族の手に奪い返そう」という運動が進められていました。**その影響は日本とて例外ではなく、中国から得ていた利益は減少していきました。

　ここで問題が起こります。中国に駐屯していた日本の関東軍が、政府を無視して、勝手に中国の柳条湖付近にあった線路を爆破し、それを中国軍の仕業だとでっちあげて侵略を開始したのです。さらに関東軍は、満州国という傀儡国家をつくり、中国から独立させたうえで、日本の利益を守ろうとしました。この関東軍が起こした一連の事件を満州事変と呼びます。

　かねてから日本の中国進出に不満を持っていた欧米列強は、この行動を強く非難しました。日本政府は慌てて事を収めようとしますが、関東軍は言うことを聞きません。致命的だったのは、大手新聞が関東軍を賛美する記事を相次いで掲載し、世論もこれに同調したことでした。

　最終的には、関東軍の行動を認めない総理大臣の犬養毅が暗殺され（五・一五事件）、これにより政府の要職を軍人が占めるようになりました。さらに、**その後に起きた、軍部による二・二六事件が決定打となり、日本の政党政治は崩壊し、軍国主義体制が強化されていきました。**そして、国際的な孤立を深めた日本は、その後は戦争への道をひた走りました。

　また、列強排除を掲げる中国では、日本に対抗するべく、国内で一致協力して戦争の準備を進めていました。そして1937年、盧溝橋付近で日本軍が何者かに発砲される事件が起こり（盧溝橋事件）、これを契機として、日中戦争が始まったのです。

日中の争いは太平洋戦争へと拡大

　すぐに中国を制圧できると考えていた日本軍部でしたが、中国軍と民衆の粘り強い抵抗に苦戦することになりました。戦争の収拾に苦しむ日本政府は、中国の要人に裏切りを呼びかけて事態の打開を図るなどしましたが、結局、戦争は泥沼化していきます。

　なお、このときに起きたのが**南京事件**です。南京を占領した日本軍が一般市民の虐殺や略奪などを行いましたが、被害の規模など事件の真相をめぐる論争は今なお続いています。

　日中戦争では、日本の中国進出に不満を持つアメリカも中国を支援し、日本への石油輸出禁止など、厳しい制裁を加えました。日中戦争が始まった2年後の1939年には、ヨーロッパで先に第二次世界大戦が始まっていたため、日本を止められるのはアメリカだけだったのです。そのためアメリカは、日本に対する強気の姿勢を崩しませんでした。

　日米間の対立はその後も深まり、1941年12月8日、日本はアメリカとも戦争を始めました。これが**太平洋戦争**です。この太平洋戦争の終戦と同時に、長く続いた日中戦争も終わりを告げることになります。太平洋戦争での敗戦により、日本は中国で持つ権利のすべてを失いました。

　その後、日本は資本主義陣営のアメリカ側につき、中国は社会主義陣営のソ連側に分かれたため、日本と中国が国交を回復するのは、終戦から27年がたった1972年のことになります。

終戦後、中華人民共和国が誕生

　日中戦争の終結後、中国では**国民党**と**共産党**の争い（国共内戦）が再発します。もともと両者は争っていたのですが、日中戦争の間だけは、日本という共通の敵を倒すために協力していたわけです。

　ここで**蔣介石**率いる国民党は、**毛沢東**率いる共産党に敗れ、台湾に逃れることになりました。内戦に勝利した共産党は、北京を首都とする**中華人民共和国**を建国します。国家主席は毛沢東、首相は**周恩来**が務めました。

太平洋戦争

1941〜45年

日本に残された道は奇襲攻撃しかなかった——。
太平洋を主戦場として起きた、日本と連合軍との戦い。

┤ 主な交戦勢力 ├

日本　　　　　　　　　　　アメリカ、イギリス

追い込まれた日本が、
アメリカに奇襲攻撃を仕掛けた

　1940年代の日本は、泥沼の日中戦争のさなかにいました。当初1、2か月で終わると見込んでいた戦争は3年以上続き、物資に加え、人的資源もどんどん減っていきました。

　なんとか戦争を終結させたい日本に対して、蔣介石率いる中国の国民政府は、南京から武漢、そして重慶に移って抵抗を続けました。この重慶に日本は執拗に空爆を加えましたが、アメリカやイギリス、ソ連などの欧米諸国が武器や食料の支援をしたことで、中国政府は降伏せずに戦い続けることができたのです。

　そこで日本は、この欧米諸国が"蔣"介石に"援"助するための援蔣ルートを遮断しようと考えました。その重要ポイントの一つだったのが北ベトナムと中国南部を結ぶ鉄道でした。そこで日本は、第二次世界大戦でフランスがドイツに降伏したのに乗じて、1940年9月、フランス領インドシナ北部に進駐します（北部仏印進駐）。

　これを批判したのがアメリカです。アメリカは、**日本に対する兵器等の材料となるくず鉄の輸出を全面的に禁止しました。**

　日本は、この措置の持つ深刻な意味を十分理解できていませんでした。それどころか、インドシナ南部に日本の軍事基地をつくろうと考えます。そして、1941年7月28日、日本軍はフランス領インドシナ南部への上陸を開始しました（南部仏印進駐）。

　アメリカは、日本の南部仏印進駐に激怒しました。7月25日にはアメリカ

にある日本の資産を凍結し、さらに8月1日には、**日本に対する石油の輸出を全面的に禁止したのです**。こうした動きにイギリスも追随したことで、日本とアメリカ・イギリスとの対立は決定的となりました。

　そしてこの報復措置により、日本は絶体絶命の状況に追い込まれてしまいます。当時の日本は石油のほとんどをアメリカからの輸入に依存していたからです。中国との戦争を4年以上続けていたこともあり、このままいけばあと1年半で石油をはじめとするさまざまな物資が底を突き、自動的に敗戦が決まるという状況に陥ってしまいます。

　かといって、強大な英米と真っ向から戦ってもかなうはずがなく、**日本に残された道は、電光石火の奇襲攻撃を仕掛け、その勢いでできるだけ対等の条件で講和に持ち込むことだけでした。**

　こうして1941年12月8日、日本はアメリカの真珠湾に奇襲攻撃を仕掛けました（真珠湾攻撃）。真珠湾攻撃は大きな成果を挙げ、米軍は2300人以上の戦死者を出しました。そして、同日にはイギリスの植民地マレー半島にも奇襲上陸したのでした。

　アメリカ側も、この真珠湾攻撃をきっかけとして世論が戦争一色に傾きました。それまでのアメリカは、あくまでも第二次世界大戦には援助するのみのスタンスだったのですが、この攻撃によりそうも言っていられなくなったわけです。

　こうして日本の命運を賭けた、世紀のギャンブルともいえる太平洋戦争が始まったのです。

早期講和は実現せず、日本は悲惨な結末へ

　さて、日本にとっての大きなギャンブルはうまくいきませんでした。1942年のミッドウェー海戦での大敗をきっかけに、防戦一方になっていきます。そして1945年8月6日の広島、8月9日の長崎への原爆投下によって力の差を徹底的に見せつけられた日本は降伏し、8月15日の終戦を迎えました。

　この戦争におけるイギリス、アメリカの死者は合わせて約60万人でした。一方の日本は戦死者230万人、民間人死者80万人と合計約310万人の死者を出してしまいました。こうして日本は降伏し、GHQ監視のもと、焦土になった国の復興へ向けて動き出していくことになります。

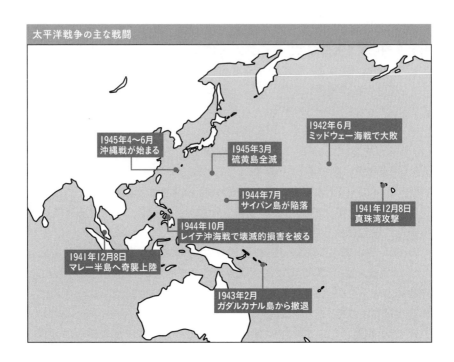

太平洋戦争の主な戦闘

1945年4〜6月
沖縄戦が始まる

1945年3月
硫黄島全滅

1942年6月
ミッドウェー海戦で大敗

1944年7月
サイパン島が陥落

1941年12月8日
真珠湾攻撃

1944年10月
レイテ沖海戦で壊滅的損害を被る

1941年12月8日
マレー半島へ奇襲上陸

1943年2月
ガダルカナル島から撤退

　なお、この太平洋戦争が終わると同時に第二次世界大戦が終了すると、世界は次なる対立のステージへと進むことになりました。アメリカとソ連を中心とした、世界の方向性をめぐる冷戦です。冷戦については、414ページで詳しく説明しているのでそちらも参考にしてください。

日清戦争後の三国干渉を受け、日本で反ロシア感情が高まる

日露戦争が始まる。勝利した日本はロシアが持つ中国の権益を奪い、
アジアの大国として名を上げる

五・一五事件、二・二六事件をきっかけに、
日本では軍国主義体制が強化される。
その後、日本は盧溝橋事件を契機に日中戦争に突入

日本の中国進出を嫌ったアメリカが
日本への鉄くず、石油の輸出禁止などを実施

日中戦争が長期化し、アメリカからの経済制裁で追い込まれた日本は、
アメリカに真珠湾攻撃を仕掛ける。
太平洋戦争が勃発し、日本は敗戦

太平洋戦争の敗戦とともに日中戦争も終結。
日本は中国で持つ権益のすべてを失う

日中戦争後、中国では国民党と共産党の対立が激化。
勝利した共産党が　中華人民共和国　を建国

朝鮮戦争

1950〜53年

今なお続く、朝鮮半島をめぐる南北の対立。
米ソの冷戦のもとで南北に分裂した朝鮮半島の2国が、覇権をめぐって争う。

┤ 主な交戦勢力 ├

大韓民国 朝鮮民主主義人民共和国

 ## 冷戦のもとで朝鮮半島が南北に分裂

　太平洋戦争後、米ソの冷戦のもとで南北に分断された朝鮮半島の覇権争いが朝鮮戦争です。1950年に始まったこの戦争は、**正確には現在も「休戦」中であり、いまだ最終的な講和には至っていません。**

　日清戦争で朝鮮への支配を強めた日本は、日露戦争での勝利で大韓帝国の指導権を獲得しました。そして1910年には大韓帝国を日本の領土として併合しました。しかし、太平洋戦争で日本が敗れると、朝鮮は日本の植民地支配から脱することになります。

　「これでやっと独立できる」と思った矢先、**朝鮮半島は北緯38度線を境界として北半分をソ連に、南半分をアメリカに占領されてしまいました。**アメリカとソ連は共同委員会で統一方法を模索しますが、両者の対立は深まり、交渉は決裂してしまいます。

　その結果、南側は**大韓民国**（以下韓国）、北側は**朝鮮民主主義人民共和国**（以下北朝鮮）として南北が分立し、それぞれが独立してしまいました。韓国の初代大統領は**李承晩**（イ スンマン）、北朝鮮の初代首相（のちに主席）は**金日成**（キムイルソン）が務めました。

　北朝鮮の金日成は、1950年に南北統一を目指して韓国に侵攻しました。これが現在まで続く、朝鮮戦争の始まりです。

休戦協定を結ぶも、両者はにらみ合いを続けている

　奇襲を仕掛けた北朝鮮軍は快進撃を続け、一時は朝鮮半島の南端プサン以外の韓国領土を占領するに至りました。これに焦ったのがアメリカです。このまま朝鮮半島が北朝鮮によって統一されれば、朝鮮半島が丸ごとソ連の影響下に入ってしまいます。

　そこで、アメリカは国連を利用しました。当時、国連の安全保障理事会をソ連がボイコットして欠席しており、実質的にアメリカに拒否権を行使する国はいなかったからです。

　アメリカは安全保障理事会で北朝鮮軍の行動を侵略と認めさせ、国連軍を編成して韓国の支援に向かわせました。おかげで韓国軍は攻勢を強め、あっという間に北朝鮮軍を後退させます。さらに韓国軍は、38度線に達してもなお攻撃を続け、今度は韓国が中国との国境付近にまで北朝鮮を押し返しました。

　それに対して、今度は中国が焦りました。中国はソ連側の陣営に属していたので、自国と国境を接する国がアメリカ陣営になるのは困ります。そこで、今度は中国が北朝鮮を支援して軍を投入した結果、**戦況は膠着し、もともと南北を区切っていた38度線を挟んでの攻防が続きました。**

　泥沼化してきた戦局を見かねて、1953年には両国の間で休戦協定が結ばれました。これは「講和」ではないので、実はいまだに戦争は継続しているのです。現在も韓国で徴兵制が敷かれているのはこのためです。

　この戦争をきっかけに、アメリカはソ連陣営の国がこれ以上拡大しないように、より積極的な政策をとることになります。また、当事者である朝鮮では、家族が韓国側と北朝鮮側に分かれてしまう離散家族問題などが生じました。地理的に朝鮮半島に近かった日本には、戦争中にアメリカ軍が使う物資などの発注が殺到し、戦後間もない日本の景気を支えました（朝鮮特需）。

　なお、北朝鮮では1994年に金日成が死亡し、その息子の金正日（キムジョンイル）が後を継ぎ、現在は3代目の金正恩（キムジョンウン）が権力を握っています。独立以降、北朝鮮では彼らの独裁が続いています。

　一方の韓国も、しばらくは軍事政権が続きましたが、1987年に民主化が宣言されました。1998年の金大中（キムデジュン）政権のときには、北朝鮮との融和が図られ、2000年には南北首脳会談も実現しています。

インドシナ戦争

1946〜54年

ベトナムにおける東西冷戦の代理戦争の序章。独立を果たしたベトナムに、
植民地支配を復活させたいフランスが戦争を仕掛けた。

┤ 主な交戦勢力 ├

フランス ベトナム民主共和国

独立を果たしたベトナムに、フランスが待ったをかけた

　もともとフランス領だったベトナムが、第二次世界大戦後に独立したところ、フランスがそれに待ったをかけたのがインドシナ戦争です。

　ベトナムは、長年、中国王朝の支配・影響を受けつつ、独自に文化を形成してきました。古来、約1000年も中国に支配されてきたベトナムは、1009年、李朝の成立によって独立を果たしました。1802年にはベトナム全土を統一した阮朝が生まれ、ここでは清が宗主国となりました。

　しかし、1884年の清仏戦争で清がフランスに敗北すると、ベトナムはフランスの支配下にくだります。フランスは、現在のベトナム、ラオス、カンボジアにあたる地域を**フランス領インドシナ連邦**として支配しました。

　その後、日中戦争時には、日本がフランスから一時的にベトナムを奪いますが、日本が太平洋戦争で敗れると、日本が擁立した皇帝のバオダイが退位させられ、独立運動を推進してきた革命家ホー＝チ＝ミンをトップとする臨時政府が誕生します。そして、**社会主義を掲げる「ベトナム民主共和国」として独立を果たしたのです。**

フランス領インドシナ連邦

清

ビルマ

タイ

フランス領
インドシナ連邦

南シナ海

これにフランスが反発します。再びベトナムを支配したかったフランスは軍事侵攻を開始し、インドシナ戦争が始まりました。

ソ連、中国の支援を受けたベトナムがフランスに勝利

序盤は主要都市を制圧したフランスが有利に戦いを進めていきました。しかし、ベトナムの拠点ランソンでフランスが完敗したのを機に、戦況は徐々にベトナムに傾いていきます。

さらに、ソ連や中華人民共和国といった社会主義陣営がベトナムへの支援を開始しました。一方のフランスにはアメリカが支援を表明し、**次第にこの戦争は、冷戦の代理戦争としての様相も帯びていきました。**

しかし、ベトナム優位の状況は変わらず、フランス国内では、徐々に停戦を求める声が大きくなっていきました。

停戦協定を結ぶも、アメリカが承認せず。ベトナムにおける「代理戦争」は第2ステージへ

こうして両国は、ジュネーヴ会議にて休戦協定を締結しました。協定により、**ベトナムの国土は北緯17度線で分割され、北ベトナムをベトナム民主共和国が、南ベトナムをベトナム国**（戦時中にフランスがサイゴンにつくった傀儡政権。バオダイが元首）**が統治す**ることになりました。

しかし、フランスを支援していたアメリカは休戦協定を承認せず、その1年後にベトナム国のバオダイを追い出し、**ゴ＝ディン＝ジエムを大統領とするベトナム共和国を南部に成立させます。**これにより今度は、「北の社会主義陣営」と「南のアメリカ陣営」という構図が出来上がり、のちのベトナム戦争へとつながっていくのでした。

ベトナム民主共和国とベトナム共和国

ベトナム民主共和国
ハノイ
ラオス
北緯17度線
タイ
カンボジア
ベトナム共和国
サイゴン
南シナ海

ベトナム戦争
（第二次インドシナ戦争）

1965〜75年

ベトナムの社会主義化を阻止するために、
南ベトナムを支配するアメリカが北ベトナムに侵攻した。

┤ 主な交戦勢力 ├

北ベトナム軍、
南ベトナム解放民族戦線

南ベトナム軍、アメリカ

 なぜ争った
社会主義の「ドミノ倒し」を防ぐために、
アメリカがベトナムに軍事介入した

　インドシナ戦争では、北緯17度線を境に、ベトナム北部に社会主義のベトナム民主共和国が、南部に資本主義のベトナム共和国が成立しました。これにより、**北ベトナムはソ連の庇護下で、南ベトナムはフランスに代わってアメリカの庇護下でにらみ合う状態となりました。**

　当時は、冷戦が激化の一途をたどっていた時代であり、アメリカの首脳陣の間ではある懸念が頭から離れませんでした。「ソビエト、モンゴル、中国、北朝鮮などの社会主義国家がどんどん南下に成功しており、もし北ベトナムが南ベトナムを併合すれば、さらにそこから東南アジア、オセアニアの国までもが社会主義化するのではないか」という懸念です。**この社会主義の「ドミノ倒し」を防ぐために、アメリカは南ベトナムを絶対に死守しなければなりませんでした。**

　しかしこのとき、南ベトナム内部では、反米や南ベトナム解放の声が上がり、南ベトナム解放民族戦線が結成されるなど、不安定な状況が続いていました。アメリカがつくったベトナム共和国の初代大統領ゴ＝ディン＝ジエムも暗殺されてしまいます。

　この状況に危機感を抱いたアメリカは、ベトナムへの本格的な軍事介入に踏み切りました。ベトナム沖のトンキン湾で、北ベトナム勢力によってアメリカ海軍の駆逐艦が攻撃されたという理由で、北ベトナムへの侵攻を開始したのです。

アメリカが初めての敗北。ベトナム南北は統一され、ベトナム社会主義共和国が誕生

　アメリカは早期に大勢は決すると考えていましたが、ゲリラ攻撃に手こずり、戦争は長期化することになりました。この頃にはAK-47という安価で性能に優れた銃が開発され、小国でも大国を相手に戦えるようになったことも戦争が長引いた一つの要因です。

　アメリカ軍はいつ、どこから攻撃が来るかわからないゲリラ攻撃で混乱に陥りました。その結果、敵と味方の区別がつかなくなり、南ベトナムの一般市民まで虐殺してしまう事件が多発してしまいます。また、ナパーム弾や枯葉剤といった、非人道的な殺戮兵器も使用され、戦争は泥沼の様相を呈しました。

ベトナム戦争でも使われたAK-47

　この戦争の行方に大きく関わったモノがあります。1960年代に世界中で流通した「テレビ」です。この戦争では、史上初めて民間のテレビクルーが戦地の映像を世界中に届けました。

　アメリカのテレビクルーが撮影した映像は、味方である南ベトナム市民の虐殺、非人道的な兵器の使用、黒人兵士ばかりが前線に送られている状況などを雄弁に語りました。

　テレビでこの戦争の実態を知った諸外国の人々からは戦争反対の声が上がり、モハメド・アリをはじめとするアメリカの若者たちも、それまで非愛国主義的と見なされていた反戦運動を展開しました。さらに、この動きは世界中に拡大し、各地でデモが頻発しました。

　その結果、戦争支持率は低迷し、ついに1973年にはアメリカはベトナム撤退を決定しました。史上初めて、アメリカは戦争に敗れることになったのです。その後、**北ベトナムによって南ベトナムの首都サイゴンが陥落し、南北のベトナムが統一されるかたちで**ベトナム社会主義共和国が**誕生しました**。

　この戦争の特徴は、「戦争」というものがいかに残酷で、非人道的なもの

であるかを一般市民がメディアを通して知ったことです。従来、戦争に関わる情報は政府からの発表が主で、しばしば虚偽が含まれていました。太平洋戦争における日本の大本営発表が適例でしょう。しかしベトナム戦争以降、民間メディアによって、市民は「真実」を知りやすくなったのでした。

　なお、同時期には、1953年に独立したラオスでも、アメリカが介入した内戦が起きていました。社会主義を掲げる独立派とアメリカに支援された王国政府が戦ったこの<u>ラオス内戦</u>は、ベトナム戦争と連動するかたちで激化していきました。最終的にはベトナム戦争で敗退したアメリカがラオス内戦からも離脱し、<u>**1975年には、社会主義国家の「ラオス人民民主共和国」が成立しています**</u>。

親中派のカンボジア政権を倒したベトナムと中国との間で新たな争いが発生

　ベトナム戦争の終結直前、カンボジアでは親中派の<u>ポル＝ポト</u>が政権を握りました。彼は極端な共産主義政策による虐殺や強制移住をおこない、多くの犠牲者を生みました。こうした恐怖政治は国民の支持を失い、1978年にはベトナム軍の侵攻によってポル＝ポト政権は倒されます。

　ここで中国は、親中派のポル＝ポト政権がベトナムに攻撃されたのを見過ごしませんでした。中国は、ベトナムへの「懲罰」と称してベトナムに侵入したのです（<u>中越戦争</u>）。この中越戦争は、当時中国がアメリカに、ベトナムがソ連にそれぞれ接近しつつあったとはいえ、アジアの社会主義国同士が戦ったということで、当時の世界に衝撃を与えました。両軍の戦いは、中国軍がアメリカとの戦争で鍛えられていたベトナムに撃退されるかたちで終結しています。

　なお、この後からカンボジアでは内戦が泥沼化しますが、1989年にベトナム軍がカンボジアから撤兵したのち、国連による暫定統治を経て内戦も終結しました。

Chapter 6

今なおくすぶる
アジアの紛争

ミャンマー紛争

1948年〜

ミャンマー独立以降、現在まで続いている長期間の内戦。
特に、民主化に対する軍事政権の弾圧に注目が集まっている。

──┤ 主 な 交 戦 勢 力 ├──

ミャンマー軍部　　　　　　　　　　民主化を求める勢力

 ## 独立したばかりのミャンマーで軍が政権を握り、少数民族や民主化を求める勢力を弾圧した

　この紛争は、非常に複雑な経緯をたどりながら現在まで続いています。要点をかいつまんで伝えるなら、**ミャンマーにおける「民主化を目指す勢力」と「それを弾圧する軍事政権」**がこの紛争の主なテーマです。

　まず、簡単にミャンマーの歴史を振り返りましょう。もともとミャンマーには現地民族ビルマ人の歴代王朝がありました。それがイギリス＝ビルマ戦争によって滅び、1886年にはインド帝国に併合されます。

　その後しばらくはイギリスの支配下に置かれますが、第一次世界大戦後、東南アジア各地で独立の流れが起こる中、ミャンマー（当時はビルマ）でも独立運動が起こりました。そこで中心的な役割を果たしたのが**アウン＝サン**でした。

　第二次世界大戦中には、日本が東南アジアのほぼ全域を占領し、ミャンマーも日本の占領下に置かれますが、ここでもアウン＝サンは、表面上は日本に協力する姿勢を示しつつ、実際には抗日運動を展開し、独立に向けた動きを進めていました。

　そしてアウン＝サンの死後、日本が敗戦し、再びイギリス領となった年の翌1948年には、共和国として独立を宣言しました。

　このミャンマー独立時から現在まで続くのがミャンマー紛争です。独立以降、ミャンマー内部ではさまざまな争いが起き、中でも国際社会の注目を集めたのが、「民主化を求める勢力」とそれを弾圧する「軍事政権」の構図です。

　独立後に建てられた政権が、ネ＝ウィン将軍の起こしたクーデタによって

倒れると、ミャンマーでは軍が政権を握りました。この軍事政権は、ミャンマー各地の少数民族に非常に厳しい姿勢で当たったことなどから、各地で軍事政権に対する激しい内戦が繰り広げられました。

2011年に民主化を果たすも、2021年のクーデタにより再び軍部が政権を握っている

1988年からは学生を主体とした民主化運動が全土で始まりました。この運動は、8月8日のデモが象徴的であったことから**8888民主化運動**とも呼ばれ（88年8月8日に由来）、軍事政権から総選挙の約束を取り付けるなど、一時的な民主化を勝ち取るに至りました。

ここで約束された選挙のために**国民民主連盟（NLD）**を結成した中心人物こそ、ビルマ建国の父アウン＝サンの実の娘である**アウン＝サン＝スー＝チー**です。しかし、彼女の言動が国家保護法に触れるとして、1989年からは軍部によって自宅軟禁されてしまいます。

それでも、NLDは1990年の総選挙で大勝しました。しかし、軍事政権は政権移譲を拒否し、むしろ弾圧を強化していきました。その後もNLDを含むさまざまな団体による反政府運動は続き、国際社会からも軍事政権への批判が集まる中、**ようやく2011年、ミャンマーは民政となりました。2010年にはスー＝チーも自由の身となっています。**

しかし、これでは終わらなかったのがミャンマー紛争の難しいところです。2021年2月には、**「NLDが大勝した2020年11月の選挙には不正があった」として、軍部がクーデタを起こしました。**これにより軍部が再び政治を動かすことになり、民間人を含むさまざまな人への弾圧も強化されました。

また、最近ではミャンマーの少数民族への弾圧に関する話題も国際社会の注目を集めています。ミャンマーには多数派のビルマ人のほか、各地に少数民族が存在し、彼らが厳しい状況に置かれ続けていたことが指摘されているのです。

特に最近話題となっているのが、主にバングラデシュ国境付近に居住している**ロヒンギャ**と呼ばれる民族です。彼らは軍部から弾圧され、多くの人が殺されました。また、スー＝チーを含む民主派からも十分に尊重されているとは言い難い状況です。実際、ロヒンギャをめぐるスー＝チーの発言には多

くの批判が集まり、ノーベル平和賞を取り消すべきだとの声が上がったほど
です。多様な問題が存在するこの紛争は、今なお混迷を極めている状況な
のです。

中印国境紛争

1959年〜

国境をめぐり緊張状態にあった中国とインドが、
チベット反乱を契機に戦争状態へ。

──┤ 主な交戦勢力 ├──

インド　　　　　　　　　　中華人民共和国

なぜ争った

中国に反乱を起こしたダライ＝ラマをインドが支持。
もともと対立していたインド・中国の関係が深刻化

　この紛争は、現代まで尾を引く、中国とインドによる国境をめぐる争いです。ヒマラヤ地方の国境をめぐって対立関係にあった両国が、**チベット反乱**をきっかけに戦争を始めました。

　チベット反乱とは、中国に対してチベットが起こした反乱です。もともと清の支配を受けていたチベットは、清の滅亡とともに独立を主張しました。しかし、中華人民共和国が再びチベットを軍事力によって支配すると、チベット仏教僧侶たちは**ダライ＝ラマ14世**を擁立し、反中国を掲げた反乱を起こしたのです。

　しかし、これを中国が鎮圧すると、ダライ＝ラマはインドに亡命しました。そして、亡命先のインドでダライ＝ラマはチベット亡命政権を立ち上げます。

　このとき、**インドがチベット独立を訴えるダライ＝ラマへの支持を表明したことで、国境をめぐって対立していた中国とインドの緊張は一気に高まりました。**

　そして1962年10月、ついに中印国境にて、中国の軍事行動にインドが応戦するかたちで戦争状態に陥ったのです。

どうなった

インド、中国の国境問題は解決せず、
今なお緊張状態が続いている

　この紛争は、終始、中国優位で進んでいきました。中国とインドの国境は

非常に長く、その距離は日本列島に匹敵するといわれています。その大部分は標高が高く、4000メートルを超えるところもありますが、中国軍は高地での戦闘に慣れており、インド軍に対して優位に立ち回ることができたのです。戦闘は1か月ほどで終了し、中国は当初から領有権を主張していた**アクサイチン**を実効支配するに至りました。

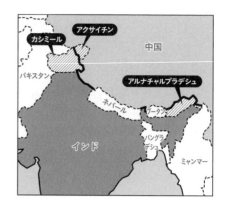

　紛争に伴って両国が外交関係を断絶させたこともあり、戦闘終了後も中印関係は険悪になりました。**1976年に中国とインドは外交関係を再開させましたが、国境問題は依然として棚上げ状態にあります**。インド西部では、アクサイチンに加え、パキスタンとも国境を争っている**カシミール地方**の一部を中国が実効支配しています。東部では、**アルナチャルプラデシュ州**を巡る争いがあります。

　現在でも、両国の対立関係は続いており、2020年には45年ぶりに死傷者を出す武力衝突が発生しています。中国は一帯一路政策（「シルクロード経済ベルト〈一帯〉」と、中国沿岸部から東南アジア・南アジア・アラビア半島・アフリカ東岸を結ぶ海路「21世紀海上シルクロード〈一路〉」を結ぶ計画）を通じて、パキスタンやスリランカとの友好関係を築き、対インド包囲網を築いています。

　一方のインドは、ロシアとの友好関係を維持し、さらに最近では日本、アメリカ、オーストラリアとの間のクアッド構想（4つの国で安全保障において足並みをそろえる構想。クアッド＝「4つ」の意）に関心を寄せるなど、多方面と協調することで中国をけん制しています。国境をめぐる両国の緊張関係は、今なお解決に至っていない状況です。

フィリピン紛争

1970年頃～

かつての支配国アメリカが残した問題により、
フィリピン国内でイスラーム教勢力が政府と対立し始めた。

┤ 主な交戦勢力 ├

フィリピン政府

モロ民族解放戦線（MNLF）
モロ・イスラーム解放戦線（MILF）

 アメリカの支配下で生まれた宗教的な摩擦が深刻化

　かつての欧米列強の植民地で起こる紛争は、その「過去の支配」が原因となっていることがよくあります。フィリピン紛争はその最たる例と言っていいでしょう。

　フィリピンは、19世紀までスペインに支配されていました。しかし、アメリカ＝スペイン戦争（→396ページ）でアメリカがスペインに勝つと、フィリピンはアメリカの植民地となりました。

　フィリピンを獲得したアメリカは、植民地政策の一環として、ミンダナオ島にキリスト教徒を移住させていきました。フィリピンはもともとカトリックのスペインに支配されていたため、キリスト教がそれなりに浸透していましたが、ミンダナオ島は違いました。この島では、スペインが来る以前からイスラーム教が広まっており、イスラーム教徒が多かったのです。

　そこにいきなりキリスト教徒が押し寄せてきたら、当然いい気持ちはしません。こうして、「先祖伝来の土地を異教徒が荒らすなど許せん」という対立感情が現地のイスラーム教徒の間で芽生えていったのです。

　そして、第二次世界大戦中にフィリピンを占領していた日本が敗戦すると、1946年のマニラ条約にてフィリピンは独立を果たします。

　しかし、独立後もこの2つの宗教同士の対立は根深く、**ついに1970年頃には、イスラーム教徒たちがモロ民族解放戦線（MNLF）を組織し、フィリピン政府（大まかに言えばキリスト教側）と衝突を始めたのです。**

　さらに、1970年代後半以降、MNLFは分派し、1984年には新しくモロ・

イスラーム解放戦線（MILF）が生まれます。彼らはより急進的なグループで、イスラーム国家の建設を目指し、1998年には政府側と「全面戦争」という状況に陥りました。

なんとか和平交渉にこぎつけ、状況改善のきざしが見えている

2001年には、マレーシアに仲介されるかたちでフィリピンのアロヨ大統領が、MILFとの和平交渉を開始しました。そして2014年、次のベニグノ・アキノ大統領の治政下で、一応の和平合意が成立します。ここでは、**ミンダナオ地域内に新たにバンサモロ自治政府を設けることで合意しました**。これによって混乱した状況を整理し、イスラーム側が安定した自治をできるようにしようと考えたのです。

しかし、この合意内容がすぐに実現したわけではなく、2017年には**マラウィの戦い**（南ラオナ州マラウィ市におけるIS〈イスラーム国〉関連組織とフィリピン軍の争い）が起きたように、過激派による抗争は収まりませんでした。合意をしたといっても、一部の人にはやはり互いのことを許せない感情が残ってしまっているわけです。

2019年には、ついにバンサモロ暫定自治政府が発足しました。もともとは2022年中に「暫定」が外れる予定でしたが、コロナ禍などの影響で延期になっています。いずれにせよ、長かった紛争の歴史を考えれば大きな前進です。日本は、JICA（国際協力機構）などを中心として、この自治政府が自立できるように支援するプロジェクトを実施しています。

タイ・カンボジア国境紛争

2008～12年

プレアヴィヒア寺院の世界遺産登録をきっかけに、
タイとカンボジアの国境問題が再燃。約4年間、武力衝突が続いた。

├ 主な交戦勢力 ┤

タイ カンボジア

 **フランスが決めたタイとカンボジアの国境が
あいまいだった**

　19世紀に入るとフランスが東南アジア進出を進め、カンボジアを保護国化しました。その後フランスは、タイとフランス領カンボジアとの国境をダンレックという山地の分水嶺に定めるも、**この国境の認識がタイとフランス側で一致せず、周辺地域の所属があいまいなままとなっていました**。これが、後々まで尾を引いてくるのです。

　そこからしばらくたった第二次世界大戦後、カンボジアはフランスから独立を果たします。なお、タイは大戦中も植民地にはならず、独立を維持していました。

　両国がそれぞれに発展を進めていく中で、国境付近の地域をあいまいなままにしておくことはできません。しばらくは、タイ側がこの地域に兵士を配置して実効支配していましたが、カンボジアがこの状況を国際司法裁判所に提訴し、1962年にカンボジアの主権を認めてもらいます。こうして、カンボジアがこの地域を治めることが決まりました。

　しかし、ある出来事がこの国境問題を再燃させてしまいます。この地域にあった**プレアヴィヒア寺院の世界遺産登録**です。2008年、カンボジアの申請によってプレアヴィヒア寺院は世界遺産に登録されましたが、これにタイが猛反発したのです。

　実は、この寺院は断崖絶壁に位置しており、寺院に入るためにはタイ側の山の麓を通っていくしかありませんでした。タイからすれば、「そもそもこの地域がカンボジアのものであること自体あまり納得していないのに、カンボジ

ア側からは入れない寺院を自国の世界遺産として登録するとは何事だ!」というわけです。こうして、国境をめぐる問題が再燃し、両者は紛争状態に陥りました。

武力衝突が約4年続くも、結局、カンボジアの地域と決まる

両国の間の武力衝突は、結局、2012年頃まで続くことになりました。もともと裁判所で争うほど難しい地域だったため、お互いになかなか譲ることができなかったのです。

この戦いがようやく落ち着くのは、2011年にタイ初の女性首相、インラックが登場してからです。彼女はカンボジアを訪問し、カンボジアの首相や国王と会談して関係改善を図りました。

こうして両国はようやく雪解けを迎え、2013年には再び国際司法裁判所の判断を仰ぐことになりました。その結果、やはりこの地域はカンボジアのものであるということになりました。

しかし、国境付近に配置された両国の治安部隊は、戦後もしばらくにらみ合いを続けていました。今のところ軍事的緊張はありませんが、いつ状況が変わるかはわかりません。国境をめぐる紛争は、得てして複雑な問題をはらんでいるものです。

PART 2

ヨーロッパ

Europe

Chapter 1

古代ギリシアと
ローマの覇権

ペルシア戦争

前500〜前449年

帝国内の反乱に加担してきたアテネにペルシア帝国が報復。
ここでアテネが大出世！

┤ 主な交戦勢力 ├

ペルシア帝国 アテネを中心とするギリシアポリス

 国内の反乱に介入してきたアテネにペルシアが報復

　紀元前の時代、地中海の東部に位置する**バルカン半島**では、南下してきた**ギリシア人**が文明を築きました。

　前8世紀には、この地で**ポリス（都市国家）**が発展します。有力者のもとで、城と広場を中心に人々が集まって生活するのがポリスの大まかな仕組みです。各ポリスは別の国であるかのように対立し、さながら古代中国の諸侯たちのようでした。

　数あるギリシアポリスの中で頭角を現したのがアテネでした。**そのアテネを中心としたギリシアポリスに、中東オリエント世界を統一していたペルシア帝国が侵攻してきた**のがペルシア戦争です。

　この戦争は、ペルシア帝国内で起きた**イオニアの反乱**がきっかけとなりました。ペルシアの支配下にあったイオニア地方のギリシア人たちが起こしたこの反乱で、**アテネはイオニアを支援しました**。ギリシアの都市国家同士は常に対立こそしていたものの、同じギリシア語を話し、同じイベントを共有していました。自分たちギリシア人を「ヘレネス」、つまりかつての偉大なギリシアの英雄ヘレンの子孫だと称し、その他の民族を「バルバロイ」、つまり聞き苦しい言葉を話す連中と呼んで明確に区別していたのです。彼らの根底には、ギリシア人の誇りと連帯感がありました。

　イオニアの反乱にアテネは援軍を送り、これに激怒したペルシア帝国は、その報復として、アテネなどのギリシア各地のポリスへと侵攻を開始しました。

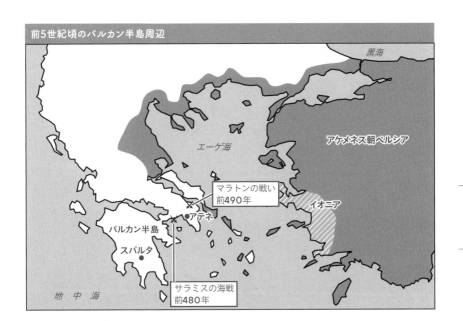

前5世紀頃のバルカン半島周辺

黒海

エーゲ海

アケメネス朝ペルシア

マラトンの戦い
前490年

イオニア

アテネ

バルカン半島

スパルタ

地中海

サラミスの海戦
前480年

どうなった
1

陸・海でアテネが圧勝。
ペルシアを衰退に追い込んだ

　ペルシア軍のギリシア遠征は4回にわたって行われました。最初の侵攻は、暴風雨でペルシアが引き返し、戦闘には至っていません。

　続く2回目の遠征では、有名な**マラトンの戦い**が起こりました。ここでは、大きな盾と鎧で武装し、横一列に長く延びた陣形をとって戦う**重装歩兵**が活躍したアテネ軍が勝利します。ちなみに、このマラトンでの勝利の一報を約40キロ離れた本拠地アテネに届けるべく走った兵士がいたとされ、これが現代の「マラソン」の語源になったといわれています。

　3回目の遠征では、**サラミスの海戦**が起こりました。これは海を舞台にした戦いで、ここでもアテネの戦術が光りました。アテネの名将**テミストクレス**の指揮のもと、三段櫂船（さんだんかいせん）と呼ばれる船を駆使し、ペルシア軍を見事破ったのです。三段櫂船は、漕

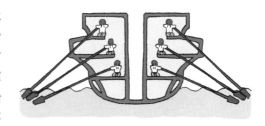

サラミスの海戦で活躍した三段櫂船

ぎ手が上下3段に並んで船を漕ぐもので、当時としてはかなりのスピードを出すことができました。このスピードと硬い青銅の船首で突進し、次々とペルシア船を沈めていったのです。

その翌年には、ペルシア軍がアテネへの侵攻を試みますが、ここでアテネはライバル関係にあったポリスの**スパルタ**と手を組んでペルシア軍を撃退しました。こうしてギリシアは、大国からの侵略を阻止することに成功したのです。

この戦いで敗れたペルシア帝国は、急速に勢いを失っていきました。帝国領内では、各地を治めていた総督やエジプトなどによる反乱が起こるようになり、この戦争から約120年後にはアレクサンドロス大王によって滅ぼされてしまいます（ペルシア帝国については、PART3で詳細に触れていきます）。

ギリシアにおけるアテネの存在感が増した

一方、戦争に勝ったギリシアでは、「ペルシア帝国がまた攻めてくるかもしれない」ということで、アテネを盟主とした、各地のポリスからなる軍事同盟である**デロス同盟**が結成されました。多いときは200以上のポリスが参加したといわれるこの同盟には、戦争などの費用を集める目的がありました。

しかし、結局ペルシアは攻めてこず、**次第にアテネはデロス同盟のお金を私物化し、さらには同盟を利用して他のポリスを間接的に支配するようになりました。**

また、**戦後、アテネでは民主政治が完成しました。**重装歩兵や三段櫂船の漕ぎ手として活躍した下層市民たちの発言権が増していった結果、これに応えるべく当時の指導者ペリクレスが**直接民主政**を導入しました。これにより、18歳以上の男性市民が集まって議会（民会）を開き、民主的な決定を行うという政治手法がとられるようになりました。

ペロポネソス戦争

前431〜前404年

ギリシア国内が大混乱！
ギリシアの二大ポリス「アテネ」と「スパルタ」が激突。

┤ 主 な 交 戦 勢 力 ├

アテネ（デロス同盟）　　　　スパルタ（ペロポネソス同盟）

　勢力を拡大するアテネをスパルタが嫌った

　ペルシア戦争で中心的な役割を果たしたアテネは、ギリシア国内での影響力をどんどん強めていきました。そのアテネに対し、危機感を抱いたのが**スパルタ**です。

　当時のスパルタは、アテネと並ぶギリシアの二大ポリスの一つでした。現在のギリシア南東部に位置したスパルタでは、**少数精鋭の超エリート戦士たちが、それをはるかに上回る数の商工業者や農民たちを支配していました**。

　その超エリート戦士たちの名が知れ渡ったのは、ペルシア戦争における**テルモピレーの戦い**でした。スパルタ王レオニダス率いる約300人の守備隊が、数十万のペルシア軍に善戦したことで、ギリシア国内中の尊敬を集めるに至りました（『300〈スリーハンドレッド〉』という映画にもなっています）。

　そんな超エリート戦士を生み出したのが、その名の通り"スパルタ"な教育です。極めて厳しい教育のことをスパルタ教育と言いますが、これはこのポリスの名から来ています。スパルタの戦士たちは、幼少期から厳しい軍事訓練を課されました。

　アテネの民主政とは対象的に、スパルタは寡頭制、つまり少数の有力者による統治が行われました。また、商業と交易によって栄えたアテネとは異なり、スパルタは市民に対して貨幣の使用や商業、外国への出入りを禁止するなど、閉鎖的な統制を進めました。こうした厳しい制約のもと、スパルタは常にアテネを意識しながら勢力を拡大していったのです。

ペルシア戦争では協力しあった両国でしたが、共通の敵を失ったことで対立を深めていきました。ペルシア戦争後には、アテネを中心とするギリシアポリス間の軍事同盟「**デロス同盟**」が生まれ、アテネの影響力は増していきました。一方、**それを危惧したスパルタは「ペロポネソス同盟」という別のポリスグループを結成します**。2つの同盟は対立を深め、ペロポネソス同盟軍がアテネの領土に侵攻したことで、ペロポネソス戦争が始まりました。

 籠城作戦が裏目に出たアテネが、スパルタに敗北

ペロポネソス同盟に攻め入られたアテネでは、当時の指導者**ペリクレス**が市民に向けて「非民主的な政治体制のスパルタに勝利し、アテネの民主政を守ろう」と演説し、市内での籠城作戦を展開しました。

しかし、この籠城作戦が裏目に出てしまいます。ただでさえ栄えていたアテネにいつも以上の人が集中したことで疫病が流行し、アテネの人口の約3分の1が失われてしまったのです。リーダーのペリクレスもここで亡くなってしまいました。

ペリクレスに代わってアテネの政界をリードしたのが、クレオンという政治家でした。ペリクレスのような名門貴族ではなく、皮革産業の経営者出身だった彼は、民会での巧みな演説で人々を魅了し、民衆を戦争へとあおり立てました。こうしたペリクレス以後の新興政治家たちを、ギリシア語でデマゴーゴスと呼びます。彼らは政治的能力に欠けていたため、長期的なビジョンを示すことができず、人々を混乱に陥れました。

途中、ペロポネソス同盟側との講和の機会もありましたが、デマゴーゴスは民衆を扇動し、あくまで戦争によってアテネの覇権を守ろうとします。しかし、**スパルタがペルシア帝国と同盟を結ぶなどして軍事力の強化に努めたこともあり、アテネは全面降伏するに至りました**。

 この戦争をきっかけにギリシアは衰退

戦争に勝ち、ギリシア世界の覇権を握ったスパルタでしたが、ペルシア帝国と同盟を結んだことが裏目となりました。目先の戦争にこそ勝利したもの

の、ギリシア世界に対するペルシアの干渉を許すことになってしまったのです。**ペロポネソス戦争後、ペルシアは巧みに干渉を続け、ギリシアのポリス同士を内部で争わせるなど、ギリシア世界を混乱に陥れました。**

　こうしてギリシアのポリス社会は崩壊の道をたどり、前338年には**カイロネイアの戦い**にて、フィリッポス2世率いるマケドニアに制圧されてしまうのでした。

ポエニ戦争

前264〜前146年

地中海の覇権を狙うローマが、西地中海の覇者カルタゴと争った。
スキピオとハンニバルの激闘が有名。

─┤ 主な交戦勢力 ├─

共和政ローマ カルタゴ

 ## イタリア半島を支配したローマが、西地中海に目をつけた

なぜ争った

　紀元前2世紀から紀元後にかけてイタリア半島で一大勢力となったのが**ローマ**です。

　建国当初は王政（王が統治する政治体制）を採用していたローマでしたが（**王政ローマ**）、平民たちの度重なる反発の末、前509年以降には**共和政**に移行しました（**共和政ローマ**）。これは、特定の王や君主ではなく、国民の選んだ代表が国家を統治する体制です。また、ローマでは早くから法律が発展し、現代のヨーロッパ各国の法律はこのローマ法に大きな影響を受けています。

　身分闘争が盛んだったローマでは、<u>平民と貴族の不満のはけ口として周辺地域への侵攻を進めていきました</u>。その結果、初めは小さな都市国家に過ぎなかったローマは、次第に勢力を拡大し、ついにはイタリア半島全域を支配するまでになったのです。

　陸の覇者となったローマが、次に目をつけたのが地中海でした。地中海西部には、当時すでに一大勢力であった**カルタゴ**が存在しました。カルタゴでは、西アジアにルーツを持つフェニキア人が北アフリカを拠点として交易活動を行い、西地中海で圧倒的な存在となっていました。

この西地中海の覇権を手に入れるために、ローマとカルタゴが3度にわたって争ったのがポエニ戦争です。ローマの人々が、カルタゴの人を「ポエニ」と呼んでいたことからその名がついたといわれています。

ローマが圧勝し、初めて属州を獲得。地中海の覇権を握った

　第一次ポエニ戦争は、イタリア南端のシチリア島をめぐる戦いとなりました。ここでローマは勝利を収め、シチリアを属州（植民地のようなもの）として支配します。

　続く第二次では、後世まで語り継がれるローマの名将**スキピオ**と、カルタゴの名将**ハンニバル**の激闘が繰り広げられました。ハンニバルは象の部隊を率いて冬のピレネー山脈を越え、イタリア半島北側から意表をついて攻撃を仕掛けました。大ピンチに陥ったローマでしたが、スキピオはローマの防衛に終始せず、カルタゴの本拠地を襲撃します。防戦一方に見えたローマがまさか本拠地を攻撃してくるとは想像もしなかったハンニバルは慌てて引き返し、両者はカルタゴで激突しました（ザマの戦い）。この戦いは、スキピオの巧みな戦術も功を奏し、ローマの勝利に終わりました。

　なお、この戦いと並行して、ローマは**アンティゴノス朝マケドニア**とも戦っています（**マケドニア戦争**）。当時の地中海東部にあったのが、アレクサンドロス大王亡き後に分裂したマケドニアの国の一つ、アンティゴノス朝マケドニアでした（→299ページ）。ローマの勢力拡大をよく思わなかったこの国の王フィリッポス5世は、カルタゴのハンニバルと同盟を結びますが、**ローマはこのマケドニア戦争にも勝利し、ギリシア方面にも勢力を拡大しています。**

　そして、第三次ポエニ戦争では、ローマ軍が北アフリカに上陸し、カルタゴの本拠地をついに破壊しました。こうしてローマの完全勝利でポエニ戦争は幕を閉じます。当時、二度とカルタゴが再興しないように土地に塩をまいたといわれるほど、ローマは徹底的にカルタゴを叩いたようです。

　この戦争でローマは、初めてイタリア半島以外の属州を獲得しました。**シチリア島、イベリア半島などをカルタゴから奪い、西地中海の覇権も手に入れたローマは、地中海に名だたる大国となったのです。**

どうなった ② 属州の獲得により、ローマ国内で貧富の差が拡大

　この戦争でローマが獲得した属州を管理したのは貴族や騎士、一言で言えば上流階級の人々でした。彼らは**ラティフンディア**（奴隷制大農場経営）という属州経営によって、多額の富を獲得できるようになりました。

　一方、**戦争によって農地が荒れ、属州からも安価な農作物が流入してくるようになった結果、ローマでは中小農民の没落が進みました**。彼らは、無産市民や遊民、つまり現代でいうニートやホームレスのような状態になってしまったのです。

　しかし、彼ら農民は、戦争では重装歩兵として活躍していました。農民の没落によってローマの軍事力が低下することを危惧した政治家の**グラックス兄弟**は、個人で広大な土地を持つことを制限し、職を失った人たちに再び土地を与えて農業を再開してもらおうとしました。

　しかしこれは、**元老院**の大きな反発を受けます。元老院とは、**貴族によって構成されるローマの最高決定機関**です。この決定がローマの動向を決めるという重要な機関でした。

　彼らからすれば、なかば強引に改革を進めようとするグラックス兄弟は目の上のたんこぶのような存在です。また、元老院らも貴族であり、すでに広大な土地を所有している金持ちを縛る改革を喜ぶはずがありません。結果、グラックス兄は殺され、弟も自殺に追い込まれてしまいました。改革は道半ばにして挫折してしまったのでした。

同盟市戦争

前91〜前88年

イタリア半島の同盟市が、ローマ市民権獲得を目指して蜂起した。

—| 主な交戦勢力 |—

共和政ローマ　　　　イタリア半島の同盟市

ローマの待遇の悪さに、イタリア半島の「同盟市」の不満が爆発

　同盟市とは、ローマと同盟を結んでいたイタリア半島の諸都市を指します。ローマはイタリア半島の諸都市を、**植民市**、**自治市**、**同盟市**の3つに分けて分割統治していました。それぞれに課される義務や権利に差をつけ、それぞれが結託しないようにしていたのです。

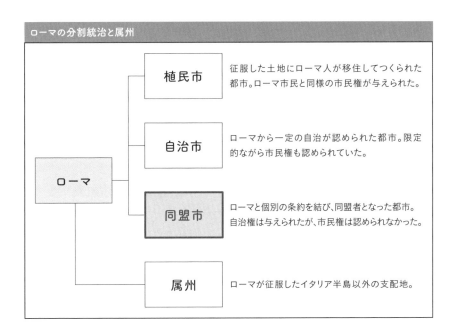

ローマの分割統治と属州

ローマ		
	植民市	征服した土地にローマ人が移住してつくられた都市。ローマ市民と同様の市民権が与えられた。
	自治市	ローマから一定の自治が認められた都市。限定的ながら市民権も認められていた。
	同盟市	ローマと個別の条約を結び、同盟者となった都市。自治権は与えられたが、市民権は認められなかった。
	属州	ローマが征服したイタリア半島以外の支配地。

その中でも、もっとも待遇が悪かったのが同盟市でした。**同盟市の市民には、政治参加や免税などの特権（ローマ市民権）が認められず、兵役の義務も負わされていました**。

これに不満を抱いた同盟市の市民たちはローマに対して市民権を要求するようになります。そこで、前91年にはローマの政治家ドルススが彼らにも市民権を与えようとしますが、上流階級に反対されたうえ、暗殺されてしまいました。この事件を発端として同盟市は結託し、ローマを相手に武装蜂起します。こうして同盟市戦争が勃発したのです。

 ## 権力闘争に利用されるかたちで、反乱は鎮圧された

ここで立ち上がったのが**マリウスとスラ**でした。マリウスは**平民派**の代表、一方のスラは**閥族派**の代表です。

当時、ローマでは貧富の差が拡大していました。ポエニ戦争による属州獲得は上流階級を潤しましたが、農民や市民にはうまみがなかったのです。このような状況において、**「民衆の力を利用して元老院に対抗しよう」と考える平民派と、「元老院中心の政治を守ろう」という閥族派の対立が活発化していました**。

対立の真っただ中にあったマリウスとスラは、「もしこの反乱を収めれば、名声を高められる」と考えました。彼らは没落した農民たちを私兵として雇い、自ら用意した軍隊を率いて、次々と各地で反乱を鎮圧していきました。こうして同盟市戦争は、派閥闘争に利用されるかたちで鎮圧されることになったのです。

 ## イタリア半島全体にローマ市民権が認められた

とはいえ、同盟市たちの反乱は、単に派閥闘争の餌になったわけではありません。この戦争により、同盟市民の待遇は改善されました。ローマも、「同盟市をぞんざいに扱っていると、また不満が爆発して暴れるかもしれない」と気づいたのです。

こうして、**イタリア半島のすべての自由民（奴隷と女性以外の人）は市民権**

を獲得しました。同盟市民も、ローマ市民と同じ権利を得たということです。これは、イタリア半島に住む人々が共通の権利を持つようになったことを意味します。これによりローマは一都市国家から、イタリア半島の複数都市からなる領域国家となりました。

スパルタクスの反乱

前73〜前71年

見世物にされるのはもう御免！
ローマ史上に残る奴隷剣闘士の反乱。

──┤ 主な交戦勢力 ├──

ローマ スパルタクス率いる奴隷軍

 なぜ争った
見世物にされていた剣闘士たちが
我慢の限界を迎えた

　当時のローマでは、戦争で得た属州の捕虜を奴隷として労働力にあてていました。スパルタクスの反乱は、その奴隷たちによるローマ史上に残る大反乱です。当時、奴隷による反乱はイタリア半島の各地で起きていましたが、中でもこの反乱はかなり大規模なものになりました。

　スパルタクスとは、この反乱を率いた訓練中の剣闘士（剣奴、グラディエーター）の名です。**剣闘士たちは奴隷であり、当時ローマの各地にあった闘技場にて、猛獣や同じ剣闘士と戦わされ、見世物として働かされていました。**今でもローマに残っているコロッセウムは、こうした闘技場の一つです。

　この見世物は、貧しい人たちの不満を和らげるために、金持ちの貴族たちによって無料で提供されていました。食事や娯楽を提供して不満を紛らわそうとするこの慣習は**パンとサーカス**と呼ばれます。

　剣闘士は、普段から貧しい生活を強いられ、また闘技場で戦うとなれば当然命がけです。人々の娯楽として消費され、あげくの果てに命を落とす危険性まであるとなれば、そのストレスは計り知れません。

剣闘士が戦っていたコロッセウム　©Diliff

その状況を変えようと立ち上がった人物こそ、スパルタクスでした。彼は養成所から脱走し、仲間の奴隷たちを焚き付けて反乱を起こしました。普段から養成所でビシビシと鍛えられている立派な戦士たちがまとまって立ち上がったとなればかなり強大であり、加えてスパルタクスはイタリア各地の奴隷たちも蜂起させ、ローマに大きな脅威を与えました。

反乱を鎮圧したポンペイウス、クラッススの名声が高まった

　この大反乱を鎮圧すべく立ち上がったのは、閥族派スラの後継者で軍人としても優れていた**ポンペイウス**と、大富豪として名を馳せていた**クラッスス**でした。彼らはいずれも優秀な軍隊を引き連れてスパルタクスたちと激突しました。

　反乱軍は最初こそ善戦しましたが、長期戦の末に次第に疲弊していきました。そして直接対決の結果、スパルタクスは戦死し、残る奴隷たちも一掃されてしまいます。

　こうして**ローマを震撼させた大反乱を見事鎮圧したポンペイウスとクラッススの株は急上昇しました。これを機に2人は、一気に政治家として取り立てられることになったのです。**

カエサルの台頭により、「第1回三頭政治」が始まる

　さらに同じ頃、ローマにもう一人の有力者が登場します。それが、あらゆる面で後世まで名を残すことになる**カエサル**です。

　ポンペイウス、クラッスス、カエサルの3人は、互いに無用な争いは避けたいと考えていました。当時の政治の中心は元老院であり、一人や二人の有力者が物申したところで状況は変わらなかったからです。そこで3人は密約を結び、協力関係を形成します。これは**第1回三頭政治**と呼ばれ、まとまった3人は元老院と十分対抗しうる勢力となったのです。しかし結局、3人は権力を争ってぶつかることになるのでした。

ガリア戦争

前58〜前51年

カエサルが自らの名声を高めるために行った遠征。
カエサルの独裁体制が始まるきっかけとなった。

─┤ 主な交戦勢力 ├─

ローマ（カエサル）　　　　ガリア

 なぜ争った ## カエサルが自身の名声を高めようとした

　スパルタクスの反乱で紹介したように、当時まだ影響力が十分でなかった
カエサル、ポンペイウス、クラッススの3人が密約を結び、元老院と対抗し
ようとしたのが第1回三頭政治でした。

　しかし、次第に3人はそれぞれが自分の力を誇示しようと、さまざまな動き
を進めていきます。

　特に目立った動きをしたのがカエサルでした。彼は、名声を高めるべく、
自らの軍隊を連れて**ガリア**へ遠征に向かいました。ガリアとは、現在の北イ
タリアやスイス・フランス・ベルギーなどを含む地域のことです。ここには主に
ケルト人が住んでおり、ローマ人は彼らのことをガリア人と呼びました。当時、
ガリア南部はすでにローマの属州となっていましたが、北部はまだ平定でき
ていませんでした。

　そんな中、ガリアの地方長官に
任命されたカエサルは、まだロー
マの影響力を及ぼせていなかった
ガリアへと遠征し、**ローマの勢力
拡大、ひいては自らの名声の向上
を図りました**。しかし、この遠征
は元老院からの承認を経ておら
ず、事実上権限外の行為でした。
そこでカエサルは、「ガリアの地を

平定してガリア人と手を組み、さらに北方に住む勇猛なゲルマン人の侵攻に備える」などと弁明して、自らの行為を正当化したのです。

 **ガリア北部を支配し、
ライバルも倒したカエサルの独裁体制が始まる**

　ガリア北部の反ローマ勢力とカエサル率いるローマ軍との戦いは数年にわたりました。この戦争の様子は、カエサル自身によって『**ガリア戦記**』という著作にまとめられています。文学作品としても評価されているこの作品は、カエサルが元老院を含む有力者へ戦況を報告し、自らの功績を顕示する意図もあったとされます。

　この戦争では、カエサルの知略が光った**アレシア包囲戦**が有名です。ガリア軍に対し、兵力で劣っていたローマ軍は、アレシアの地に全長15キロにわたって櫓・壕による包囲網を形成して戦い、ガリア軍を降伏にまで追い込みました。

　ガリア遠征を見事に成功に導いたカエサルは、狙い通りに名声を高め、ライバル2人を出し抜くことに成功しました。

　一方、残る2人のうち、クラッススはパルティア（古代イランの王朝）へ遠征しました。カエサルへの対抗心を燃やしたのでしょうが、パルティアはかなりの強国で、たやすく倒せる相手ではなく、遠征に失敗したクラッススはここで戦死してしまいました。こうして第1回三頭政治は終了します。

　もう一人のポンペイウスは、カエサルによってローマを追いやられてしまいます。ガリア遠征からの帰路、カエサルはそのままローマのポンペイウスのもとへ進軍しました。このとき、ルビコン川を渡る際にカエサルが言ったとされる「**賽は投げられた**」というセリフはあまりに有名です。ポンペイウスは慌ててローマからエジプトに逃げて次のチャンスをうかがいますが、そこで暗殺されてしまいました。

　こうしてローマには、**カエサル一強の時代が訪れました。**事実上の独裁者となった彼は、さまざまな改革を実施していきます。その一つが**ユリウス暦**の導入です。当時、エジプトで使われていた暦を参考にしたもので、一日を24時間、一年を365日とし、4年に一度の2月に閏年を設けるという暦です。現代で使われているのはグレゴリウス暦ですが、これはユリウス暦を16世紀

に改善したものなのです。

「ブルートゥス、お前もか」
カエサルは暗殺され、「第2回三頭政治」が始まる

　しかし、カエサルの時代もそう長くは続きませんでした。彼は決して横暴で悪い独裁者ではありませんでしたが、前44年、独裁ではなく共和政を優先すべきだと考える人物によって暗殺されてしまいます。ここでカエサルが最期に放ったとされるのが、「**ブルートゥス、お前もか**」という名言です。

　カエサルが亡くなった後のローマは、再び元老院と有力者が対立しながら政治を動かすようになります。ここで思い出してほしいのが、カエサルは「第1回」三頭政治の一員だったということ。その後、再びローマに3人の有力者たちが現れ、第2回三頭政治が始まるのでした。

アクティウムの海戦

前31年

恋が引き起こした戦争!?
クレオパトラに恋したアントニウスがエジプト軍と結託し、ローマ軍と争った。

──┤ 主 な 交 戦 勢 力 ├──

オクタウィアヌス率いるローマ

アントニウス、
プトレマイオス朝エジプト

なぜ争った ## 「恋の病」にかかったアントニウスに義弟が激怒

　カエサル、ポンペイウス、クラッススによる第1回三頭政治では、結局、3者の協力関係は崩れ、カエサルが権力を握りました。しかし、そのカエサルも暗殺され、再び有力者たちがしのぎを削り合うことになります。その結果、再び3人の有力者、**オクタウィアヌス**、**アントニウス**、**レピドゥス**が台頭しました。

　オクタウィアヌスはカエサルの養子で、カエサルが後継者として指名したことで名を上げました。アントニウスとレピドゥスはカエサルに仕えていた軍人で、確かな実力を備えていました。

　この3人も、まずは小競り合いをせずにまとまって力を蓄えようと協力関係を形成します。これが**第2回三頭政治**です。

　しかし、残念ながら今回も協力関係は長続きしませんでした。そもそもの問題は、オクタウィアヌスとアントニウスの関係が悪かったことにあります。レピドゥスがなんとか2人を収めてまとめていた、というのが内実でした。

　そんな中、ある事件が起こります。いうなれば、アントニウスの恋の病です。**彼は、当時絶世の美女として名を馳せていたエジプト女王のクレオパトラに惚れ込んでしまいました。**クレオパトラに夢中になったアントニウスは、なんとローマからエジプトに行き、そのままエジプトにとどまってしまいます。

　これに怒ったのがオクタウィアヌスでした。**実はアントニウスは妻帯者であり、その妻はオクタウィアヌスの姉だったのです。**「私の姉を侮辱するのか」ということで、2人の関係はさらに険悪となりました。

こうして、レピドゥスが苦労してまとめていた三頭政治は崩壊し、アントニウスとオクタウィアヌスは来たる戦いの日に向けて準備を進めました。そして、ついにローマとエジプトの間に位置する地中海沿岸、アクティウムの地で直接対決が始まったのです。

 **オクタウィアヌスの勝利で、
ローマが地中海支配を決定づけた**

オクタウィアヌス率いるローマ海軍と、アントニウス軍とクレオパトラが率いるエジプト軍からなる連合軍との戦いは、オクタウィアヌスの腹心にして優秀な指揮官であるアグリッパの活躍により、ローマ海軍の勝利に終わりました。

この戦いの途中、大将のアントニウスは急に戦場から離脱してしまいました。先にエジプトのアレクサンドリアへと逃げ込んだクレオパトラを追いかけるためです。

しかし、クレオパトラは「負けた男に興味なし」ということで、アントニウスは愛想を尽かされてしまいます。こうして戦いにも恋路にも敗れたアントニウスは絶望して自殺し、オクタウィアヌスの完全勝利となったのです。

また、この戦いに敗れたプトレマイオス朝エジプトは翌年には滅亡し、これで地中海にローマのライバルはいなくなりました。**この戦いの勝利により、ローマが地中海を「われらの海」と呼んで支配する時代が到来した**のです。

 事実上の「皇帝」が誕生し、ローマ帝国の時代へ

エジプトを倒して凱旋したオクタウィアヌスは、元老院から**アウグストゥス**という称号を贈られます。これは「尊厳なる者」という意味です。**アウグストゥスは、重要な官職の権限を死ぬまで独占するとともに、全軍隊への指揮命**

令も担当するなど、国家運営に欠かせない権力の多くを掌握し、元首（事実上の皇帝）となりました。

　このアウグストゥスが元首となった前27年以降のローマを、**帝政ローマ**と呼びます。これにより、**ローマ帝国**の時代がやってきたわけです。これ以降、ローマ帝国では、約200年にわたり繁栄と平和が続きました。この時期を**パクス＝ロマーナ**（ローマの平和）と呼びます。

ユダヤ戦争

66〜70年（第一次）、132〜135年（第二次）

ローマ帝国の支配に対してユダヤ人が起こした2度の反乱。
敗北したユダヤ人はイェルサレムから追い出され、世界各地へ離散した。

———————————| 主 な 交 戦 勢 力 |———————————

ローマ ユダヤ

 ## ローマ帝国の支配に不満を募らせた
ユダヤ人が反乱を起こした

　ユダヤ戦争について考える前に、**ユダヤ人**という民族について押さえてお
きましょう。ユダヤ人とは、主に**ユダヤ教**を信仰する民族のことを言い、ヘ
ブライ人とも呼ばれます。『**旧約聖書**』は、彼らユダヤ人の民族史などを含む、
ユダヤ教とキリスト教の聖典です。

　ユダヤ教は、当時のオリエント世界で唯一の一神教でした。つまり、神は
複数存在しないと信じる宗教です。前11世紀末には、パレスチナの**イェルサ
レム**を都とした王国を築いて最盛期を迎えますが、前10世紀の終わり頃に
は南北（南の**ユダ王国**と北の**イスラエル王国**）に分裂します。

　そして、前722年にはイスラエル王国がアッシリアに、前586年にはユダ
王国が新バビロニア王国に、それぞれ滅ぼされてしまいました。このとき多
くのユダヤ人が強制的にバビロニアに移住させられますが、新バビロニア王
国を滅ぼしたキュロス2世によって解放され、再びイェルサレムに戻り、自
分たちの神殿・王国を再建することが許されます（これが『旧約聖書』に描かれ
ている「バビロン捕囚」です）。

　その後、**ローマの時代に入ると、パレスチナ周辺のユダヤ人居住地は、
属州ユダヤとしてローマ帝国に支配されることになりました。**属州となって
以降も、彼らは引き続きユダヤ教の信仰を守り続けていました。当時のロー
マ帝国は宗教に寛容であり、ミトラ教、イシス教といった密儀宗教や、ユダ
ヤ人のイエスをきっかけに始まったキリスト教など、さまざまな宗教が信仰さ

れていたのです。

　しかし、ローマ帝国の属州として支配されていたユダヤ人たちは、ローマへの不満をため込んでいました。近隣に住んでいたギリシア系住民と比べて十分な権利を与えられず、ギリシア人からも嫌がらせや侮辱を受けていたからです。ついに不満が爆発したユダヤ人たちは、ローマへの反乱を起こします。こうしてユダヤ戦争が始まりました。

決死の抵抗も実らず、
ユダヤ教の都イェルサレムは破壊されてしまう

　開戦当初、ユダヤ人たちは、兵力が大きく上回るローマ軍をイェルサレムから追い返すという大金星を挙げました。しかしその勢いは続かず、その後はローマ軍がイェルサレム周辺の街までじわじわと追い詰め、ついにイェルサレムを奪います。

　イェルサレムを攻め落としたローマ軍は、ユダヤ神殿の城壁を破壊し、火をかけるなど、徹底的にイェルサレムを破壊しました。ローマのフォロ＝ロマーノにあるティトゥス凱旋門には、この様子を記念として描いたレリーフが残されています。

ティトゥス凱旋門に描かれたレリーフ。
イェルサレムを破壊し、宝物を略奪する
ローマ軍の姿が描かれている。

再びローマ帝国に逆らったユダヤ人は、
イェルサレムから追い出されてしまった

　ここで敗北を喫したユダヤ人は、2世紀に再び反乱を起こします。当時のローマ皇帝で「五賢帝」の一人でもあるハドリアヌス帝が、晩年にユダヤ教の神殿を破壊し、ローマの神ユピテルを祀る神殿を建てようとしたことがきっかけでした。

　この第二次ユダヤ戦争でも、ユダヤ人は敗北してしまいます。**この敗北に**

よって、再び都を破壊され、さらにユダヤ人たちはイェルサレムから追い出されてしまいました。そして、二度とこの地に入ることを許されなくなってしまったのです。

　行き場を失ったユダヤ人は、仕方なく各地に**離散**（ディアスポラ）しました。これ以降、バラバラに散らばったユダヤ人たちは、彼らが少数派であることや金持ちが多かったこと、ユダヤ教の教義の特殊性などを理由として、各地で迫害を受けることになるのでした。

アドリアノープルの戦い

378年

ローマ帝国が、ゲルマン系民族の西ゴート人に敗北。

┤ 主な交戦勢力 ├

ローマ 西ゴート人

混乱するローマ帝国に、ゲルマン系民族が侵入してきた

なぜ争った

パクス＝ロマーナ（ローマの平和）が絶頂期となったのは、**五賢帝時代**（96〜180年）と呼ばれる5人のローマ皇帝が相次いで即位した時代でした。しかし、五賢帝の最後を飾った**マルクス＝アウレリウス＝アントニヌス帝**が亡くなると、ローマは100年ほどの間、混乱の中に置かれます。

特に、230年頃から50年ほどにわたって続いた**軍人皇帝の時代**には、各地の軍人たちがあちこちで皇帝を擁立し、短期間に多くの皇帝が即位しては廃位されました。この時代は、帝国内で反乱が頻発し、周辺の勢力との争いも増えたことから**3世紀の危機**と呼ばれます。

そこで、284年に即位した**ディオクレティアヌス帝**は、「広大なローマ帝国を一人の皇帝で治めるのには無理がある」と考え、帝国を4つに分割し、2人の正帝と2人の副帝、計4人で分担して統治することにしました。これを**四帝分治制**と言います。

また、ディオクレティアヌス帝はもう一つ大きな変革を実行に移しました。それが、**専制君主政**（ドミナトゥス）の開始です。今までのローマでは、皇帝がいるとはいえ、あくまで政治は元老院の決定で動く共和政のスタイルをとっていました。一方、彼は皇帝崇拝を要求し、これに従わないキリスト教徒への大迫害を行うなどしました。

しかし、続く**コンスタンティヌス帝**の時代には、迫害を続けてもキリスト教信者が減らなかったことを受け、ミラノ勅令によってキリスト教が公認されました。また、この頃には農場経営が行き詰まりつつあり、市民の不満もたまっ

ていました。

　こうしてローマ帝国の雲行きが次第に怪しくなる中、東方から新たな懸念が湧いてきました。それが、**ゲルマン人の大移動**です。

　きっかけは、4世紀後半にフン人という勢力が西へ移動を始めたことでした。フン人はアジア系の遊牧民であり、黒海周辺に住んでいました。彼らが西へと移動を始めたことで、現在のロシア南方や東ヨーロッパ付近に住んでいたゲルマン人が押し出されたのです。

　もともといた場所にとどまれなくなったゲルマン人は、逃れるように西へ西へと移動を始めます。そして、その行く先にあったのがローマ帝国だったわけです。

　最初にローマ帝国と衝突したのは、ゲルマン系民族の一派である**西ゴート人**でした。彼らは375年から移動を始め、翌年には、ローマ帝国領内に侵入します。当然、ローマ帝国が黙っているはずもなく、侵入者を迎え撃つべく、ローマ軍と西ゴート人はアドリアノープルの地で激突しました。

ローマ帝国は侵入者を追い返せず、衰退の一途をたどる

　当時、東西の分裂が始まりつつあったローマ帝国は、軍隊の整備も十分ではなく、勢いに乗って侵入してきた西ゴート人に敗北を喫してしまいます。それどころか、当時のローマ皇帝ウァレンスまで殺されてしまいました。西ゴート人は、その後も現在のイタリアやフランス南西部の地域へと進出し、衰退するローマ帝国に脅威を与え続けました。

　こうしてローマ帝国は終焉か……と思いきや、首の皮一枚つなぎとめたのが、この戦いの翌年に即位した**テオドシウス帝**です。

　戦死したウァレンスに代わって即位したテオドシウスは、西ゴート人に対して反撃や外交を行い、ローマの完全な崩壊を防ぎました。また、**キリスト教を国教化**することによって、キリスト教徒の支持も取り付けます。

　そして、「これ以上、広大な帝国を支配するのは無理だ」と考えた彼は、最後に大きな仕事をやってのけました。**ローマ帝国を東西に分裂させた**のです。彼は死に際して、2人の息子を東西それぞれの帝国の皇帝に指名し、別々の国として統治するように指示しました。

　こうしてローマ帝国は、**西ローマ帝国**と**東ローマ帝国**（ビザンツ帝国）に分

裂し、その後二度と統一されることはありませんでした。長きにわたって続いたローマ帝国の繁栄は、ここで一度終焉を迎えたのでした。

ローマ帝国の主な出来事	
前27年	アウグストゥス(オクタウィアヌス)が元首となり、ローマ帝国の時代へ
66年	第一次ユダヤ戦争が起き、ユダヤ人が敗北
96年	五賢帝時代が始まる。パクス゠ロマーナ(ローマの平和)が絶頂期を迎える
117年	トラヤヌス帝が最大版図を実現
132年	第二次ユダヤ戦争が起き、負けたユダヤ人が世界中へ離散
235年	軍人皇帝の時代が始まる。各地で皇帝が乱立し、帝国内では反乱が頻発。3世紀の危機とも呼ばれる状況に
284年	ディオクレティアヌス帝が即位。広大なローマの地を一人で治めるのは無理があると考え、4人の皇帝による分割統治を導入(四帝分治制)。またドミナトゥス(専制君主政)も開始。
313年	コンスタンティヌス帝によるミラノ勅令で、キリスト教の信仰の自由が認められる
375年	ゲルマン人の大移動が始まる
378年	アドリアノープルの戦いで、ローマ軍と西ゴート人が激突。ローマが敗北
379年	テオドシウス帝が即位。392年にはキリスト教を国教化
395年	ローマ帝国が東西に分裂

ペルシア戦争で活躍した アテネ がギリシア世界のトップに立つ

ペロポネソス戦争でスパルタがアテネに勝利。
その後、ギリシアは混乱に陥り、 マケドニア に制圧されてしまう

イタリア半島で勢力を拡大する 共和政ローマ が、ポエニ戦争で西地中
海の覇権を握る。マケドニア戦争でアンティゴノス朝マケドニアにも勝利し、
ギリシア方面にも勢力を拡大

同盟市戦争を経て、イタリア半島全域にローマ市民権が付与される

スパルタクスの反乱でポンペイウス、クラッススが台頭。
カエサルを含めた3人で第1回三頭政治が始まる

ガリア戦争で名声を高めたカエサルの独裁が始まる。
しかし、カエサルは暗殺されてしまう

オクタウィアヌス、アントニウス、レピドゥスによる
第2回三頭政治が始まる

アクティウムの海戦でエジプトを破ったローマが、地中海を完全に掌握。
また、ここで活躍したオクタウィアヌスが元首となり、
帝政ローマ（ローマ帝国） の時代が始まる

ユダヤ戦争に敗北したユダヤ人が各地に離散

五賢帝時代にローマ帝国は最大版図を実現。
パクス＝ローマ（ローマの平和）が絶頂期を迎える

次第に混乱に包まれたローマ帝国に、ゲルマン人が侵入。
西ゴート人とのアドリアノープルの戦いでローマは敗北

テオドシウス帝により、ローマ帝国は東西に分裂。
西ローマ帝国 と 東ローマ帝国（ビザンツ帝国） に分かれた

Chapter 2

ヨーロッパ世界の成立と変容

レコンキスタ

711〜1492年

イスラーム教勢力に奪われたイベリア半島を取り戻すべく、
700年以上もキリスト教国が戦い続けた。

┤ 主な交戦勢力 ├

イスラーム教勢力 キリスト教勢力

キリスト教国があったイベリア半島を
イスラーム教勢力が支配した

なぜ争った

　レコンキスタとは、「国土回復運動」のことを指します。「レ＝re（もう一度）」「コンキスタ＝conquest（征服）」、つまり、「奪われた国土を奪い返そう」という戦いです。

　では、誰の国土が誰に奪われたのか？　それは、**キリスト教国が支配していたイベリア半島（現在のスペイン、ポルトガルがある場所）がイスラーム勢力によって奪われてしまった**ということにほかなりません。

　アドリアノープルの戦いでローマ帝国に勝利した西ゴート人は、5世紀初めにイベリア半島を中心に**西ゴート王国**を建国します。西ゴート王国は、586年に当時の王がカトリックに改宗して以降、キリスト教国家として発展してきました。

　しかし711年、イスラーム王朝である**ウマイヤ朝**がイベリア半島に侵入し、西ゴート王国は滅ぼされてしまいます。その後、**後ウマイヤ朝**が成立し、長くイベリア半島を支配することになりました。

　こうしてイスラーム教徒に奪われたイベリア半島を、もう一度キリスト教徒のもとに取り戻そうと、その後キリスト教勢力は何度もイスラーム教勢力に戦いを挑みました。

　とはいえ、イベリア半島のキリスト教徒たちが屈辱的な扱いを受けていたわけではありません。むしろイスラーム教は異教徒に寛大で、**啓典の民**として「一定の税金を納めればキリスト教も信仰してよい」というスタンスでした。

　そのため、常に戦争状態だったというよりは、イスラーム王朝が危機的状

況に陥ったタイミングで、「今なら奪還できるかもしれない」と考えてキリスト教側が攻める、ということが何世紀にもわたって繰り返されたのです。

700年以上に及ぶ攻防の末、 キリスト教国がイベリア半島を奪還

　事態が大きく動いたのは、1031年のことでした。この年、後ウマイヤ朝が内乱で滅亡したのを機に、キリスト教勢力は奪われた土地の回復を進めていきました。しかし、北アフリカに建国されたイスラーム王朝の**ムラービト朝**が、支援要請に応えるかたちでイベリア半島に上陸。キリスト教勢力を後退させ、その後は一進一退の攻防が続きました。

　13世紀に入ると、キリスト教国であった**カスティリャ王国**、**アラゴン王国**、そして**ポルトガル王国**がイスラーム教勢力を排除し、国土の拡大を実現します。これにより、イベリア半島におけるイスラーム教勢力はナスル朝だけとなり、そのナスル朝もどんどん衰退していきました。

　その後、この地にはカスティリャ王国とアラゴン王国が融合するかたちで**スペイン王国**ができ、1492年には、ナスル朝の都グラナダを

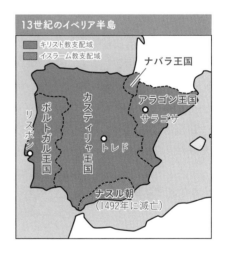

陥落させます。こうして、キリスト教の悲願であったレコンキスタは、700年以上の時を経て果たされたのでした。

トゥール・
ポワティエ間の戦い

732年

フランク王国がイスラーム教勢力のウマイヤ朝の侵入から国を守った。

┤ 主 な 交 戦 勢 力 ├

フランク王国　　　　　　ウマイヤ朝

 西ゴート王国を滅ぼしたウマイヤ朝が、
フランク王国にも侵入

　東西に分裂したローマ帝国では、476年、西ローマ帝国がゲルマン人の
傭兵隊長オケアドルのクーデタによって滅亡してしまいました。その後、ゲ
ルマン民族のフランク人が現在のフランスとドイツあたりに建国したのが**フラ
ンク王国**です。

　建国後、国王**クローヴィス**はカトリックに改宗し、ローマ教会と結びつき
を深めることで勢力を維持しました。他のゲルマン民族王朝が次々と滅びて
いく中、**フランク王国が長く生き残ったのは、ローマ教会との関係を深めた
ことが大きな要因だとされています。**

　クローヴィスの死後、分裂と統合を繰り返すことになったフランク王国が
最初の試練を迎えたのが、イスラーム教勢力のウマイヤ朝の侵入でした。**イ
ベリア半島で西ゴート王国を滅ぼしたウマイヤ朝が、その勢いのままヨー
ロッパへの侵攻を進め、フランク王国にも侵入してきたのです。**

　こうして、現在のフランス西部に位置するトゥールとポワティエの間で両国
の争いが勃発しました。これがトゥール・ポワティエ間の戦いです。

 カール・マルテルの活躍でウマイヤ朝を撃退。
フランク王国は全盛期を迎える

　勢いに乗るウマイヤ朝を撃退したのが、当時のフランク王国の宮宰**カール**
＝マルテルでした。イスラーム教勢力から国と信仰を守った彼の名声は高ま

り、その後、彼の子である**ピピン**がローマ教皇の後ろ盾を得て即位しました。これにより、フランク王国はメロヴィング朝から**カロリング朝**へと移行し、その後、ピピンの子である**カール大帝（シャルルマーニュ）のもとでフランク王国は全盛期を迎えます**。

 ## カール大帝とローマ教皇が急接近

　カール大帝が行った大仕事の一つが**ザクセン戦争**です。フランク王国に従わないザクセン人を、30年以上をかけ、20回の出兵によって征服しました。その後、カール大帝はザクセン人をキリスト教に改宗させています。

　さらに、カール大帝は北イタリアを支配していたランゴバルド王国も征服し、その領土の一部をローマ教皇に寄進します。これにより、ピピンの時代から始まった、中部イタリアでローマ教皇が所有する土地（**教皇領**）はさらに拡大しました。

　ローマ教皇との関係を深めたカール大帝は、800年にローマのサン＝ピエトロ大聖堂にて、当時の教皇レオ3世からローマ皇帝の冠を授かりました（**カールの戴冠**）。

　ビザンツ皇帝が保護するライバルのコンスタンティノープル教会に対抗できる保護者を探していたローマ教皇は、西ヨーロッパのほとんどを統一したフランク王国に目をつけたのです。

　これにより、ローマの古典的文化、ゲルマン人、キリスト教の3つの要素が合わさった西ヨーロッパ世界が成立しました。

 ## カール大帝の死後、フランク王国は分裂

　カール大帝の死後、843年の**ヴェルダン条約**により、フランク王国は、**東フランク王国**、**中部フランク**、**西フランク王国**に分割されました。東フランク王国は、のちの神聖ローマ帝国（ドイツ）に、西フランク王国はフランスの基盤となります。

　また、870年の**メルセン条約**では、中部フランクの北部が分割・併合され、のちのイタリア、フランス、ドイツの基本となる境界が形成されました。それ

ぞれの条約以降の状況は下記の通りです。

　この3つの王国に加え、のちに誕生するイングランド王国がこれ以降の西ヨーロッパ社会の主役となっていくのでした。

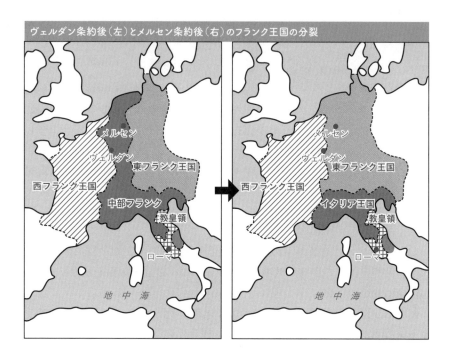

ヴェルダン条約後（左）とメルセン条約後（右）のフランク王国の分裂

ノルマン＝コンクェスト

1066年

ノルマンディー公ウィリアムによるイングランド征服。

──┤ 主な交戦勢力 ├──

イングランド（アングロサクソン朝） ノルマンディー公国

ノルマン人がヨーロッパ各地に侵攻。 イングランドにもその手が忍び寄った

　ノルマン＝コンクェストとは、**ノルマン人によるイングランド征服**のことを言います。

　前６世紀頃にケルト人がこの地に移住して以来、イングランドをめぐる攻防は長きにわたって続いていました。

　紀元後43年にはローマの支配を受け、その後５世紀頃にゲルマン系民族のアングロ＝サクソン人により征服されて以降、この地はイングランドと呼ばれるようになりました。彼らは、９世紀までの間に７つの小王国を築き、そのうちの一つ、ウェセックス国の王エグバートがそれらを統一し、829年には**アングロ＝サクソン王国**が建国されます。

　これにより、イングランドには安定が訪れるかと思いきや、ここで新たな問題が生じました。この頃に始まった**ノルマン人の大移動**（第二次民族移動）です。

　ノルマン人は、スカンディナヴィア半島やユトランド半島のあたり（現在のデンマーク、スウェーデン、ノルウェーの近く）が原住地といわれる民族であり、底が浅い特徴的な船を使い、商業や交易を行いながら、襲撃や略奪などの海賊行為も行っていました。**ヴァイキング**と呼ばれて恐れられていた彼らは、**８世紀後半からヨーロッパ各地への侵入を始めていきました。**

　イングランドのすぐ近く、西フランク王国もノルマン人の侵略に苦しんでいた国の一つです。10世紀初めには、海賊のロロがヴァイキングを引き連れてやってきて国土を荒らし始めたため、**西フランク王国は、ロロを国王の家臣ということにして、ノルマン人にセーヌ川河口の領有を認めてしまいます。**

ロロはそこに**ノルマンディー公国**を
建国し、初代ノルマンディー公と
なりました。

　11世紀になると、ノルマン人の
一派であるデーン人がイングラン
ドを征服し、デーン朝が成立しま
す。**デーン朝**は、デンマークとノ
ルウェーも支配し、北海全体を支
配していたことから**北海帝国**とも
呼ばれました。

　しかし、国王クヌートが亡くなる

とデーン朝は崩壊。次のイングランド国王には、ノルマンディー公国の支援
を受けるかたちで再びアングロ＝サクソン人のエドワードが即位しました。

　そのエドワードが亡くなると、アングロ＝サクソン人の大貴族ハロルドが国
王を自称し、**ノルマンディー公ウィリアム**とのイングランド王位をめぐる争い
が勃発しました。こうして、ウィリアム率いるノルマンディー公国軍とハロル
ド率いるイングランド軍が激突することになったのです。

どうなった
英仏の複雑な関係を引き起こし、百年戦争の引き金となった

　この戦いに勝利したのはノルマンディー公ウィリアムでした。彼はイングラ
ンドを征服して**ノルマン朝**を樹立し、イングランド国王**ウィリアム1世**を名乗
りました。これをノルマンディー公国がイングランドを征服したことから「ノル
マン人による征服（conquest）＝ノルマン＝コンクェスト」と呼ぶのです。

　ノルマン＝コンクェストは、イングランドとフランス（987年にカロリング朝が
途絶えて以降、西フランク王国はフランスと呼ばれるようになります）に特殊な状況
をもたらしました。**ノルマン＝コンクェストを行ったウィリアムは、イングラ
ンドでは国王ウィリアム1世、フランスでは国王の臣下としてのノルマン
ディー公ウィリアムという2つの顔をあわせ持つことになったのです。**

　フランス王の臣下がイングランドを治めるというこの複雑な状況は、両国
の関係を悪化させ、後の**百年戦争**（→156ページ）へとつながっていくのでし
た。

十字軍の遠征

1096〜1270年

ローマ教皇が犯した最大の失敗。イスラームに奪われた聖地イェルサレム奪還を
目標に、ローマ＝カトリック教会が十字軍を結成して遠征した。

─────┤ 主な交戦勢力 ├─────

十字軍 イスラーム軍

なぜ争った **イスラーム勢力の侵略に困ったギリシア正教会が、
ローマ＝カトリック教会に支援を要請した**

　十字軍の遠征とは、キリスト教がイスラーム教に奪われた**イェルサレム**を
取り戻すために行った遠征のことです。前述のレコンキスタ（→146ページ）と
少し状況が似ていますが、レコンキスタはイベリア半島の国土回復運動である
一方、十字軍の遠征の目的はイェルサレム奪還です。

　この遠征は、中世ヨーロッパ商業・経済を活性化するとともに、ローマ教
皇の権威を落としたことでも重要な出来事です。

　十字軍の遠征のきっかけは、**ビザンツ帝国**（東ローマ帝国）がイスラーム
勢力に侵攻され、ローマ＝カトリック教会に救援要請をしたことにありました。

**11世紀の後半、キリスト教国であったビザンツ帝国の領土イェルサレム
がイスラームのセルジューク朝によって占領されてしまいます。**セルジュー
ク朝は、シリアやアナトリア（小アジア）を占領したうえで、ビザンツ帝国の首
都コンスタンティノープルに迫りました。そこでビザンツ帝国は、同じキリス
ト教国家に救援を要請したわけです。

　しかし、**この頃のキリスト教社会は、ちょうど東西教会の対立の真っただ
中でした。**東西教会とは、**西方教会**（ローマ＝カトリック教会）と**東方教会**（ギ
リシア正教会）のことです。ローマ帝国の東西分裂にあわせてローマを拠点に
西ヨーロッパで広がったのが西方教会、東ローマ帝国のコンスタンティノー
プルを拠点に東ヨーロッパで広がったのが東方教会です。

　両者は8世紀頃から聖像崇拝の是非をめぐって対立を深め、1054年には、
布教をめぐるいざこざなどから互いが互いを破門し、袂を分かちました。

こうして対立関係にあったギリシア正教会のビザンツ帝国の要請を、ローマ＝カトリック教会のローマ教皇は受け入れることを宣言します。「ギリシア正教会に恩を売れば、キリスト教社会において彼らよりも優位に立てる」と考えたわけです。こうして西ヨーロッパのカトリック諸国は十字軍を結成し、イェルサレム奪還へ向けて出発したのでした。

 **虐殺、略奪、国王の事故死……。
遠征のたびに数々の問題が発生**

十字軍の遠征は7回にも及びましたが、成功したのは第1回と第5回のみでした。しかも第4回にいたっては商人の野望によって目的から大きく逸脱してしまい、それが東西教会の対立を深める結果となってしまいます。

まず第1～3回を見てみましょう。第1回では、十字軍は見事にイェルサレムを奪還しました。しかし、十字軍は非戦闘員であるイスラーム教徒の虐殺や、略奪という暴挙に出てしまいます。また、この頃のヨーロッパではユダヤ人の迫害が起きており、この遠征でも多くのユダヤ人が殺されたといいます。

その後、イスラーム勢力が復活して再領有したために第2回の遠征が行われました。しかし、これは十字軍の内部争いにより失敗に終わります。

第3回は、イギリスのリチャード1世、ドイツのフリードリヒ1世、フランスのフィリップ2世の3人の君主が参加するという気合いの入れぶりでしたが、まさかのフリードリヒ1世の事故死でドイツ軍の大半が撤退。残された英仏のうち、フランスと対立していたイギリスも早々に撤退してしまいました。

残ったフランスが、イスラームの英雄**サラディン**（サラーフ＝アッディーン）と戦いますが、結局、休戦協定を結ぶにとどまります。ちなみに、大虐殺をしてしまった十字軍とは対照的に、サラディンは無用な殺生をしない武勇と篤実さのある者として、十字軍からも「真の勇者」と讃えられました。

 第4回の遠征によって東西教会の分裂が深刻化

そして問題となったのが第4回の遠征です。ここで派遣されたメンバーの中心は、ヴェネツィアの商人でした。彼らは、あろうことかビザンツ帝国の

首都コンスタンティノープルを占領し、ラテン帝国という国を建ててしまいます。コンスタンティノープルは貿易で栄えており、ヴェネツィア商人にとってはライバルだったからです。「ライバルをつぶして、自分たちの貿易圏を広げたい」という思いで、本来の目的から大きく逸脱してしまったのです。

　さらに彼らは、**コンスタンティノープルを占領したばかりか、市民への虐殺・略奪などの横暴を働き、これにより東西教会の対立はさらに深まる結果となってしまいました。**

　その後も、遠征が行われますが、第5回で一時的に聖地を回復した以外はすべて失敗に終わり、最終的には1291年に十字軍最後の拠点アッコンが陥落し、遠征は終了しました。

遠征の失敗により、西ヨーロッパでのローマ教皇の権威は失墜

　この十字軍遠征は、西ヨーロッパ世界に大きな影響を残しました。十字軍の遠征以前の西ヨーロッパでは、ローマ＝カトリック教会とそのトップであるローマ教皇の権力が絶頂期を迎えていました。

　しかし、**遠征の失敗を受け、十字軍の遠征を決めたローマ教皇の権威が揺らぎ始めてしまいます。加えて、十字軍に参加していた諸侯たちも、遠征失敗を受けて没落し、結果的に西ヨーロッパ社会では国王の権威が強まる結果となりました。**

西ヨーロッパ社会の視野が大きく広がった

　また、十字軍の遠征は、人やモノ、文化の東西交流も活発化させました。十字軍が輸送を担ってくれたためにイタリアの諸都市は繁栄し、地中海貿易による東方との交流や遠隔地貿易も活発になりました。また、ビザンツ帝国やイスラーム世界の文物が西ヨーロッパ世界に流入したことで、西ヨーロッパ社会の人々の視野は大きく広がったとされています。

百年戦争

1339〜1453年

英仏による100年以上に及ぶ争い。
イギリスがフランスでの領地拡大をもくろんで侵略した。

─────┤ 主な交戦勢力 ├─────

イギリス フランス

 イギリス王がフランス王位継承を主張した

　ノルマン゠コンクェストによって、フランス王臣下のノルマンディー公ウィリアムがイングランド王を兼ねたことで、イギリスがフランス国内に領地を持つという複雑な状況が生まれました。

　その後、ウィリアム1世以降のイギリス王たちもフランスでの領地拡大を目指し、一方のフランスは、イギリスに奪われた領地を取り返したいと考えました。こうして**11 〜 12世紀にはフランス国内の領地をめぐる英仏の対立が生まれていった**のです。この争いは、次第にイギリスが優勢となり、フランスの国土のおよそ半分を勢力下に収めるに至りました。

　ところが13世紀初め、イギリスの**ジョン王**がフランス王フィリップ2世に敗れ、フランス国内のほとんどの領地を失ってしまいます。"the Lackland（失地王）"と揶揄されたジョン王は、課税の濫発で貴族との対立を深めてイギリスの王権を弱めるなど、多くの失態を犯したことで有名です。

　フランスの領地の大半を失ったイギリスは、その後、領地奪還を目指すようになります。一方のフランスは、残るイギリス領を取り戻して、フランス全土を統一したいと考えました。

　そのような中、14世紀半ばにフランスでカペー朝が断絶し、代わってヴァロワ朝が成立して、初代国王フィリップ6世が即位しました。これにイギリス王**エドワード3世**が異議を唱えます。エドワード3世の母はフランス・カペー朝出身だったため、自分にこそフランス王位継承権があると主張したのです。その背景には、**毛織物産業で栄えていたフランドル地方や、ぶどう酒の生**

産地のギエンヌ地方を獲得したいという思惑がありました。フランス王位を獲得し、それらお金になる地域を手中に収めたいと考えたのです。

　そして、エドワード3世がフランスに侵攻したことで、百年戦争が勃発したのでした。

100年以上かけて、フランスがイギリスを追い払った

　百年戦争は、実際は100年で終わったわけではありません。「とにかく長かった」ということを表し、実際は、100年以上続いています。その長い争いの流れを簡単に見ていきましょう。

　1339年に始まった百年戦争は、開戦当初はエドワード3世の子・**エドワード黒太子**の活躍によりイギリス優勢で進みました。「黒太子」という名は黒い鎧を身につけていたことから来ています。

　エドワード黒太子率いるイギリス軍は、連射が可能な長弓を巧みに使い、1346年の**クレシーの戦い**でフランス軍を圧倒しました。その後、1356年の**ポワティエの戦い**ではフランス王を捕虜にし、さらに1422年に即位したフランス王**シャルル7世**の拠点、オルレアンを包囲するなどイギリスの快進撃は続きます。

　しかし、かの有名な**ジャンヌ＝ダルク**の登場で、状況は一変しました。農家に生まれたジャンヌは、神のお告げを聞いたと言ってフランス軍に従軍しました。

　彼女の話を信じたのか、シャルル7世は、イギリス軍に包囲されて陥落寸前だったオルレアンにジャンヌを派遣します。そしてなんと、ジャンヌによって士気を高めたフランス軍は、敗戦濃厚の状態からオルレアン奪回に成功したのです。そこからフランス軍は次々にイギリス軍を破り、最終的にカレーという町以外からイギリス軍を追い出すことに成功しました。こうして百年戦争は終わりを迎えました。

英仏で貴族が没落し、王権の強化が始まる

フランスでは、この長期の戦争で消耗した諸侯や騎士が没落した一方、

国王は大商人たちと手を結んで財政を再建し、王権が強化されました。 国王は常備軍の設置も行い、以降は、フランスにおいて中央集権化が急速に進んでいきます。

　一方、戦後のイギリスでは、国内で王位継承をめぐる貴族による内乱、**バラ戦争**が起きました。1455年に起きたこの内乱は、イギリス国内の名家ランカスター家とヨーク家によって引き起こされ、それぞれが赤バラと白バラを記章にしていたことからバラ戦争と呼ばれています。

　貴族たちはランカスター派とヨーク派に分かれて争い、最終的にはランカスター派のテューダー家がヨーク家を倒し、イギリスでは新たに**テューダー朝**が成立しました。初代国王には**ヘンリ7世**が即位しています。この30年に及ぶ戦争で疲弊した貴族たちはその後に没落し、フランス同様、イギリスでも王権が強化されていきました。

　こうして百年戦争後のイギリス・フランスでは、これまで力を握っていた貴族が力を失い、王権が強化されました。それはのちの絶対王政の時代へとつながっていくのです。

ジャックリーの乱
ワット＝タイラーの乱

1358年、1381年

荘園経営の行き詰まりによる待遇悪化に不満を抱いた
農民たちが反乱を起こした。

─┤ 主な交戦勢力 ├─

農民　　　　　　　　　領主・諸侯などの権力者

荘園制の行き詰まりから、農民への搾取を強化しようとした領主に、農民が激怒

　ジャックリーの乱とワット＝タイラーの乱は、百年戦争のさなかにフランスとイギリスで起きた農民の反乱です。どちらも、**中世ヨーロッパの荘園制が崩壊するきっかけとなった出来事**です。

　ヨーロッパにおける荘園では、もともとは領主が土地を開拓し、そこで支配下の農奴や近隣農民を働かせるという形態が主流でした。しかし、次第に貨幣経済が浸透すると、領主が土地を農民に貸し与え、生産物や貨幣で地代を取る形態に変化していきます。農民の中には、地代を支払った残りの貨幣を蓄えて力をつけ、自由農民となる人も現れました。

　こうして少しずつ基盤が揺らいできた荘園制をさらに追い詰めたのが、14世紀半ばのヨーロッパで起きた**黒死病（ペスト）**の流行です。コロナ禍を経験した私たちにとって、新たな病の流行がどれほど生活に影響を及ぼすかはよくわかるはずです。それが医療の発達していない当時であれば、なおさら多くの死者と混乱を生み出したであろうことは想像に難くありません。

　特に当時のヨーロッパ社会は、ゴミを川に垂れ流したり、人々があちこちで用を足したりと、とても不衛生な環境でした。さらにこの時期に起きた寒冷化による農業生産の停滞も重なり、ヨーロッパの人口の3分の1が失われたといわれています。

　これは、農民の立場に大きな変化をもたらしました。人口が減るということはつまり農業人口の減少を意味します。そこで困ってしまうのは、荘園を経営していた領主たちです。

少なくなった農民が自分の土地から去ってしまえば、領主の地代収入は激減してしまいます。そのため、領主は農民の待遇改善を迫られました。地代や税金の免除など、さまざまな引き留め策を講じざるを得なくなったのです。

　こうして、**従来行われてきた荘園制は危機的な状況に陥り、領主たちは収入が減って困窮していきました**。さらに、この頃のイギリス、フランスは百年戦争の真っただ中であり、農地は荒れ、戦費のための課税も彼らを苦しめました。

　困った領主は、農民への搾取や支配強化を図りますが、これに農民たちは不満を持たずにはいられませんでした。この領主の締め付けに対して、各地で大規模な農民の反乱が起こったのです。

 荘園制が崩壊し、中央集権国家の時代へ

　数多く起こった反乱の中でも有名なのが、**ジャックリーの乱とワット＝タイラーの乱**です。ジャックリーの乱はフランスで、ワット＝タイラーの乱はイギリスで発生しました。

　ジャックリーの乱は、貴族が農民のことを「ジャック」という蔑称で呼んでいたからだといわれ、ワット＝タイラーの乱は、この反乱を率いた農民ワット＝タイラーの名前から来ています。

　ワット＝タイラーの乱には思想的な指導者もいました。ジョン＝ボールという人物です。彼は「アダムが耕しイヴが紡いだとき、だれが貴族であったか」という言葉を残しています。アダムとイヴとは、『旧約聖書』に記された最初の人類のこと。これは、「もともと人類が登場したときには貴族なんておらず、元来、人は平等である」という意味です。この考えに共鳴した多くの農民が立ち上がりました。

　結果的には、どちらの反乱も鎮圧されてしまいますが、領主たちが勢いを盛り返すことはなく、彼らはかえって困窮していきました。中小領主の騎士たちの中には、国王や大諸侯によって土地を没収されてしまう人もいたほどです。

　こうして、**イギリスやフランスでは、領主が力を失い、国王や大諸侯へ権力が集中することになりました**。この荘園制の崩壊に加え、百年戦争や

バラ戦争での貴族の没落により、英仏では王権が強化され、中央集権国家
の時代に入っていくのです。

イスラーム勢力のウマイヤ朝がイベリア半島に侵入。
イベリア半島に後ウマイヤ朝が成立

フランク王国にもウマイヤ朝が侵入。
トゥール・ポワティエ間の戦いで撃退に成功したフランク王国は、
その後、ローマ教皇とのつながりを深める

ノルマン゠コンクェストによって、フランスのノルマンディー公国の王
がイギリスも治めるという複雑な事情が生まれる

ノルマン゠コンクェストによって、フランスのノルマンディー公国の王

十字軍の遠征によって、ヨーロッパ世界の商業・経済が活性化。
また、遠征失敗によりローマ教皇の権威が失墜

ノルマン゠コンクェスト以降、イギリス王はフランスでの領地拡大を
目指すようになる。こうして英仏の対立が深まり、百年戦争が勃発

百年戦争中には、荘園制の行き詰まりから英仏で農民反乱が頻発。
領主が弱体化。百年戦争、バラ戦争における貴族の没落もあいまって、
英仏では国王に権力が集中し始める

神聖ローマ帝国とハプスブルク家

カールの戴冠で西ローマ帝国が復活

　次のChapter以降に頻繁に登場する「**神聖ローマ帝国**」について、ここで簡単に押さえておきましょう。神聖ローマ帝国とは、現在のドイツ周辺の地域を中心に成立した国家です。

　その起源は、**カールの戴冠**にあります。ローマ帝国の東西分裂後、繁栄した東ローマ帝国と対照的に、西ローマ帝国は衰退の一途をたどり、476年には滅亡してしまいました。

　こうしてローマ教会を保護していた西ローマ皇帝がいなくなった状況の中、存立の危機を回避すべく新たな保護者を求めていたローマ教皇と、急速に拡大した領土の統治を正当化するために宗教的権威を借りたいフランク王国のカール大帝との利害が一致します。カール大帝は800年のクリスマスに戴冠され、ここに西ローマ帝国が「復活」しました。当時の人々にとって、古代ローマは一種の理想郷であり、その復活は大きな意味をもっていました。

オットーの戴冠により、ローマ帝国が生まれる

　しかし、カール大帝によって一度復活した帝国は、すぐに衰退を始めます。これを再びよみがえらせる立役者となったのが、東フランク王国の**オットー1世**です。

　9〜10世紀にかけてのヨーロッパは、さまざまな困難を抱えていました。9世紀にはフランク王国が分裂し、ノルマン人などの侵入もありました。侵入

してきた外敵に修道院などを破壊されたローマ教会は、同時期にイスラーム教やギリシア正教会が勢力を拡大していたこともあり、苦境に立たされていたのです。

　この状況で、10世紀半ばからローマ教皇となったヨハネス12世が注目したのが東フランク王国のオットー1世でした。彼は、東からやってきたマジャール人や、北イタリアの教皇領（ローマ教皇の保持する領土）を脅かす勢力を撃退します。

　ローマ教皇にとって、政治的・軍事的パワーを持つオットー1世の助けを借りられるのは好都合でした。一方のオットー1世も、当時のヨーロッパ世界で権威を保持しているローマ教皇・教会の後ろ盾を欲していたのです。

　こうして962年、オットー1世は、侵入者撃退の功績をたたえられるかたちでローマ教皇から戴冠されます（オットーの戴冠）。これが神聖ローマ帝国の始まりです。

　ただし、当初は単に「（ローマ）帝国」と呼ばれました。「神聖ローマ帝国」と呼ばれるのは、13世紀頃になってからのことです。この帝国は、オットー1世の戴冠後、1648年に事実上解体され、1806年に正式に消滅するまで続きます。

　神聖ローマ帝国は、伝統的にドイツ地域の王によって支配されました。それでも「ローマ帝国」と呼ばれるのは、オットー1世以降のドイツ王が、ローマ・カトリック教会を保護し、ローマで皇帝として戴冠されたからです。

10〜11世紀頃の神聖ローマ帝国（ローマ帝国）

神聖ローマ帝国

帝国教会政策とイタリア政策

　オットー1世以降の皇帝が実施した特徴的な政策の一つが、「**帝国教会**

政策」です。そもそも、オットー1世が教会と組んだのは、自身の周りのライバルたちが自立し、自らの地位を脅かすのを防ぐためでもありました。当時、教会で働く聖職者は生涯独身と定められていたため、世襲によって勢力を継続・拡大していくことはありません。彼らを国家の要職に置くことで、要職についた部族が世襲によって強大化するのを防ぎ、中央の支配を安定させようとしたのです。

　この帝国教会政策は、のちの王たちにも引き継がれていきました。ただし、のちに世俗の権威である皇帝が聖職者を任命することに対して反発が起こり、**叙任権闘争**と呼ばれる教会との対立の末、12世紀には、皇帝が帝国教会政策を破棄することで決着しています。

　また、オットー1世以降のローマ皇帝たちは、イタリアへの介入・支配を目指すようになりました。この時代のローマ皇帝は基本的にドイツ王であり、その主な領地はドイツです。しかし彼らは、「ローマ帝国」の理念的な都であるローマ、ひいてはイタリアの支配を通して自分たちの権威を保持しようとしました。こうした歴代皇帝によるイタリア進出を目指す動きは**「イタリア政策」**と呼ばれます。

　しかし、イタリアばかりに目を向けていたため、帝国内の統治がおざなりとなり、神聖ローマ帝国では13世紀あたりから各地の諸侯が力を蓄えるようになりました。彼らのつくった**領邦**は、それぞれが独自の通貨発行や外交が自由にできる状況で、事実上の独立国のような体裁を持っていました。

ハプスブルク家とは？

　1438年以降は、実質的に**ハプスブルク家**が神聖ローマ皇帝を世襲するようになりました。そのため、以降は、神聖ローマ帝国のことを**ハプスブルク帝国**とも呼びます。ここからは、西欧の歴史に強いインパクトを与えたハプスブルク家について解説しましょう。

　ハプスブルク一族の起源は、現在のスイス北部にあるハプスブルク城にあるといわれています。この城の周辺で小さいながらも力を蓄えていたのが、ハプスブルク家の先祖でした。

　彼らが歴史の表舞台に立ち始めるのは、13世紀後半のことです。当時の神聖ローマ帝国では、ドイツ王以外の人物が皇帝となる時期が17年ほど続

きました。この時代は、ドイツから見れば実質的な皇帝がいなかったため「**大空位時代**」と呼ばれます。

これを終わらせたのが、ハプスブルク家の**ルドルフ1世**でした。彼は当時、まだ小国の主に過ぎませんでしたが、混乱に乗じて皇帝に選出されます。これが、ハプスブルク家繁栄のきっかけとなりました。

その後約100年間の空白を経て、1438年、ハプスブルク家のアルブレヒト2世が神聖ローマ皇帝の座につくと、これ以降、神聖ローマ帝国の滅亡まで、ハプスブルク家は皇帝位をほぼ独占しました。

その後、ハプスブルク家は、結婚政策やさまざまな偶然がうまく重なったこともあり、オーストリアやドイツのみならず、ハンガリーなどの東欧やスペインに至るまで、広大な領土を確保する一大勢力になっていきます。

イタリア戦争で生まれた因縁の対立 「ハプスブルク家 vs. フランスのブルボン家」

このハプスブルク家のライバルとして、その後長きにわたって争い続けることになるのがフランスの**ブルボン家**です。

そのきっかけとなったのが、1494年から始まった**イタリア戦争**でした。イタリア戦争と言うと、イタリアが起こした戦争のように見えますが、そうではありません。この戦争は、イタリア権益をめぐるフランスと神聖ローマ帝国との争いです。

当時ハプスブルク家は、神聖ローマ皇帝となったマクシミリアン1世が実施した婚姻政策などによって領土を拡大していました。これに危機感を覚え、ハプスブルク家に対抗したいと考えたフランスがイタリアに侵入し、イタリア戦争が始まりました。

1494年、フランス国王シャルル8世は、ナポリ王国の継承を主張してイタリアに兵を進めます。フランスは一時ナポリを占領しますが、その支配は長く続きませんでした。時の教皇アレクサンデル6世が、ヴェネツィア、ミラノ、スペイン、そして神聖ローマ帝国と団結してこれを撃退したからです。

しかしその後、フランス国王が教皇らと手を結んでミラノを占領したかと思えば、今度は教皇がフランスや神聖ローマ帝国と手を結んでヴェネツィアと戦うなど、「昨日の敵は今日の友」状態が続きました。

こうした断続的な戦争状態をさらに激化させたのが、1515年からフランス

を治めた**フランソワ1世**と、1519年に神聖ローマ皇帝になった**カール5世**の2人です。両者は神聖ローマ皇帝を選ぶための選挙でも争った犬猿の仲であり、このイタリアをめぐる戦争でも激しく火花を散らしました。

　結局、1559年にカトー＝カンブレジ条約によって和議が成立しますが、これを機にフランス王家とハプスブルク家は、その後18世紀中頃まで対立を続けることとなります。

　また、60年以上にわたって続いたこのイタリア戦争は、のちのヨーロッパ世界にも大きな影響を残しています。一つが**イタリア＝ルネサンスの荒廃**です。ダヴィンチやミケランジェロなどでも知られるルネサンスは、14世紀から15世紀にかけて、イタリアを中心に隆盛しました。しかし、イタリア戦争中にカール5世率いる皇帝軍がローマを占拠して破壊行動を行ったこと（ローマの劫略）などにより、イタリアの街は荒廃し、ルネサンスの中心地もアルプスの北側に移っていきました。

　もう一つが、**主権国家体制の芽生え**です。そもそも主権国家とは、明確な領域と主権としての王などを有する国家のことです。イタリア戦争では、強力な王がトップに立って国をまとめ、近代的な軍隊を率いる事例が各地で見られるようになりました。

　さらに、長期間の戦争によって疲弊した神聖ローマ帝国が、全ヨーロッパをまとめる権威であり続けることが難しくなり、普遍的な権威が衰退したヨーロッパでは、各地域が主権国家として自立するための準備が整っていきました。

宗教改革とキリスト教
新旧派の争い

フス戦争

1419〜36年

元祖プロテスタントのフス派による宗教改革。
世俗化し、権力に溺れるローマ教会を相手にフス派が立ち上がった。

──────┤ 主な交戦勢力 ├──────

フス派 カトリック

① ローマ教会への信頼が揺らぎ始めた

　それまで西ヨーロッパのキリスト教社会にて絶対的な権力を持っていた
ローマ教皇は、自らが主導した十字軍の遠征の失敗が大きく響き、その権
威を失うこととなりました。

　それに伴い、**教皇クレメンス5世がフランス王フィリップ4世に脅されて、
教皇庁（教皇がさまざまな任務を執り行う場所）をローマからフランスのアヴィ
ニョンに移してしまう出来事が起こります**。ローマ教皇がローマ以外の場所
に半ば強引に移されてしまったこの事件は、紀元前に起きた「バビロン捕囚」
になぞらえて**教皇のバビロン捕囚**と呼ばれました。これは結局、ローマ市民
などの求めもあり、教皇がローマへと帰ったことで一旦解決します。

　その翌年、当時の教皇が亡くなると、次は後継者をめぐる問題が発生しま
した。ローマ市民たちは、「新しい教皇はローマ人、最低でもイタリア人を
選ぶべきだ」と強力に要請します。

　それに怯えた枢機卿（教皇に次ぐ高級聖職者）たちは、イタリア人の**ウルバ
ヌス6世**を選出しました。しかし、彼は不用意な発言を重ね、枢機卿の権力
を制限しようとしたため、「なぜ彼が選ばれたんだ」という声が次第に高まり、
再選挙が行われることになりました。

　その結果、新たに選ばれたのがフランス人の**クレメンス7世**でした。しかし、
ウルバヌス6世はそれを認めず、ローマに教皇として居座り続けます。対す
るクレメンス7世は、あろうことか「教皇のバビロン捕囚」の地であるフラン
スのアヴィニョンに移ってしまったのです。

こうして、**最高権力者たるローマ教皇が同時に２人も存在するという前代未聞の事態となりました**。これを教会大分裂（大シスマ）と呼びます。

このような状態では、教皇に対する信頼が再び高まるはずもなく、教皇に対する疑問や批判がさらに湧き出てきました。こうして、宗教改革の萌芽（ほうが）とも言える運動が各地で少しずつ始まっていったのです。

 ## ローマ教会の迫害にフス派が立ち上がった

宗教改革といえば、多くの人が思い浮かべるのは**マルティン＝ルター**でしょう。しかし、ローマ教会への批判を行ったのは、何もルターが最初ではありません。このような運動を目立つかたちで最初に行ったのが、当時、神聖ローマ帝国に支配されていたベーメン（現在のチェコあたり）で活動していた**フス**です。

彼は、すでにイギリスで教会批判を行っていたウィクリフの教えに影響を受け、ローマ教会がどんどん世俗化している、つまり神聖さを失って権力に溺れていると指摘し、批判しました。

当然、ローマ教会からすれば、フスのような存在は面白くありません。そこで教会は、ウィクリフやフスの思想を異端とみなし、フスを火あぶりの刑に処します。

これにフスの支持者たちは黙っていませんでした。彼らはローマ教会を相手に立ち上がり、フス戦争が始まったのです。

 ## フス派が信仰を認められる

フス派は、開戦当初から快進撃を続けました。この鎮圧に当たったのが、当時の神聖ローマ皇帝ジギスムントです。彼はベーメン王を兼任していたため、ローマ教皇の要請もあってベーメンのフス派を抑えるために何度も軍を派遣しました。

しかし、フス派は簡単には倒れませんでした。それはこれが単なる宗教反乱ではなかったからです。フス派がいたベーメンでは民族的・階級的な対立が存在し、チェック人（今のチェコ人に近い）は神聖ローマ帝国の支配に対し

て、農民は領主に対してそれぞれ不満を抱いていました。これらの不満も原動力となり、反乱軍は簡単には倒れなかったのです。

　しかし、戦争が長期化したことによって、次第に農民たちは疲弊し、フス派内の内輪もめも始まりました。フス派は急進派と穏健派に分かれてしまい、これをチャンスと見た皇帝ジギスムントは、穏健派との交渉を進め、急進派を抑え込んで戦争を終結させます。

　戦後、フス派は信仰を認められ、チェック人としてもチェコ語を公用語として認めさせるなど、一定の成果を挙げています。

　それでも、フス派が教会に抱いていた不信感や、チェック人がもともと持っていた不満が根本的に解消されたわけではありません。彼らの不満はその後もくすぶり続け、17世紀や19世紀にも反乱が起こっています。

ドイツ農民戦争

1524～25年

ルターも困惑！
ルターの宗教改革に刺激されたドイツの農民が反乱を起こした。

─┤ 主な交戦勢力 ├─

農民軍　　　　　　　　　　神聖ローマ帝国

宗教改革を背景に、苦しむ農民たちが社会変革を目指した

なぜ争った

フス戦争が起こったことからもわかるように、当時はカトリック教会内部への批判が渦を巻いていた時代でした。16世紀のローマ教皇**レオ10世**も、とんでもないことをして批判を集めた一人です。

その頃、レオ10世がサン＝ピエトロ大聖堂の建て直しに莫大（ばくだい）な費用をかけたため、教皇庁は財政難に陥っていました。そこで彼は、この危機を乗り切るために、罪の償（つぐな）いのために必要な巡礼・断食・祈りなどを免除する証明書として**贖宥状**（しょくゆう）（免罪符）を発行し、ドイツ（神聖ローマ帝国）を中心に販売を始めます。庶民である信徒たちは、この贖宥状に群がりました。

これは聖書にも書かれていない、まったく根拠のない代物でしたが、当時はまだ『新約聖書』のドイツ語訳は存在せず、ドイツの一般庶民はその内容をまったく知らなかったのです。

ここで、この贖宥状販売を批判する人物が現れます。それが、ドイツのヴィッテンベルク大学の教授であり、聖書を研究していた**マルティン＝ルター**です。

彼は、「人は信仰によってのみ義とされる」、つまり人は行動ではなく信仰によって罪を赦（ゆる）され救われるとする考え（信仰義認説）に基づいて、教会を批判する「**九十五か条の論題**」を発表しました。また、神の前では聖職者と一般の信者に差はなく、皆等しく司祭であるとする**万人司祭主義**などをまとめた『キリスト者の自由』を著しました。これにより、ルターは教皇レオ10世に破門され、さらに神聖ローマ皇帝のカール5世からも帝国追放処分を受けてしまいます。

このときルターを保護したのが**ザクセン選帝侯フリードリヒ**でした。「選帝侯」とは、神聖ローマ皇帝を選ぶ権利をもつ7人の有力な諸侯のことです。**反皇帝派だった彼による保護のもと、ルターは『新約聖書』のドイツ語訳を完成させました。**

こうして、ドイツ国民は新約聖書の内容を深く知ると同時に、教会の腐敗を理解します。そして、聖書を信仰上の唯一の権威とすることなどを掲げた**ルター派**が生まれ、ドイツで**宗教改革**が始まるのです。

この宗教改革を背景に起きたのがドイツ農民戦争でした。この農民反乱を指導したのが、ルターの思想に影響を受けた

マルティン゠ルター

トマス゠ミュンツァーです。**ミュンツァーは、宗教改革を農民解放などの社会改革に結びつけて反乱を起こし、反乱はドイツ全土へと拡大していきました。**当時の農民たちは、農奴制、領主制、十分の一税といった厳しい支配を受けており、それらの廃止を要求して、諸侯たちを相手に次々と反乱を起こしていったのです。

どうなった

反乱はルターの支持を得られず、鎮圧へ

自らの思想により、意図せず農民たちの反乱を拡大させてしまったルターは、最初こそ農民に同情したものの、反乱の激化を見て「これはまずい」と思い始めます。

というのも、そもそもルターは、宗教上の改革を目指していたに過ぎず、社会改革を目指す反乱を引き起こすつもりはなかったからです。また、ルターは諸侯に保護されて助けられた身であり、諸侯に対して反乱を起こす農民を支持することはできませんでした。ルターは、ついに反乱の鎮圧側に回ります。

こうしたルターの態度も要因の一つとなり、反乱は終結しました。指導者のトマス゠ミュンツァーは処刑され、農民たちへの懲罰もとても厳しいものであったようです。

シュマルカルデン戦争

1546〜47年

神聖ローマ帝国におけるカトリックとプロテスタント（ルター派が中心）の争い。

──┤ 主な交戦勢力 ├──

シュマルカルデン同盟（新教）　　神聖ローマ帝国、スペイン（旧教）

　宗教改革で生まれたプロテスタントを
なぜ争った　カトリックが排除しようとした

　ドイツ（神聖ローマ帝国）にて、**キリスト教の旧教（カトリック）と新教（プロテスタント）が争った**のがシュマルカルデン戦争です。

　当時のドイツでは、レオ10世の贖宥状販売へのマルティン＝ルターの批判をきっかけに、腐敗したカトリック教会を立て直すべく宗教改革が始まっていました。ルター派などの改革派を新教と呼び、昔ながらのカトリックを旧教と呼びます。

　これまで権力を握ってきた旧教カトリックが、新教をよく思うはずがなく、カトリックである神聖ローマ皇帝のカール5世も、新教派の諸侯や都市を弾圧するようになりました。こうした弾圧に対して抗議を行ったことから、新教徒は**プロテスタント**（抗議するもの）と呼ばれるようになりました。

　こうして信仰を否定された新教派の諸侯や都市は、カール5世の弾圧に対抗するために**シュマルカルデン同盟**を結成します。一方の旧教もまた、新教反対のもとに結束を強めていきました。カトリックには「公会議」という教会の教義を決定する会議がありますが、1545年のトリエント公会議では「新教プロテスタントを排除して、カトリックの権威を取り戻そう」という結論に至ります。

　こうしてカール5世がシュマルカルデン同盟に宣戦布告し、旧教カトリックと新教プロテスタントとの戦争が始まったのです。

カトリックが勝利するも争いは収まらず、ルター派が条件付きで信仰を認められる

　カール5世は、カルロス1世としてスペイン王も兼ねていました。そこで彼は、この戦争にスペイン軍も投入し、攻勢を強めました。一方のシュマルカルデン同盟は、開戦前の1546年2月にルターという精神的支柱を亡くしていたこともあり、次第に内部分裂を起こしてしまいます。その結果、この戦争は旧教カトリックの勝利で終わりました。

　しかし、ここで勝利したカール5世が勢い余ってドイツ支配を強めようとすると、これには各地の諸侯が宗派を超えて反発しました。カールはこの反撃に屈し、プロテスタントとの和議を結ぶことになります。この決定を**アウクスブルクの和議**と言います。

　ここで各地の諸侯や都市は、ルター派かカトリックかを選ぶ権利を得ました。領民もその決定に従うことになります。つまり、ルター派の信仰が認められたとはいえ、個人の信仰の自由は認められなかったということです。また、カルヴァン派などの、ルター派以外の新教の信仰も認められませんでした。

　そのため、その後も旧教と新教の対立はさまざまな国で起こります。信仰の自由が認められなかったカルヴァン派も、その後、各地で宗教戦争を起こしていきます。

ユグノー戦争

1562〜98年

フランスにおけるカトリックとプロテスタント（カルヴァン派中心）の宗教戦争。

┤ 主 な 交 戦 勢 力 ├

カルヴァン派（ユグノー）　　　　カトリック

 フランスでもキリスト新旧派の対立が深刻化した

　神聖ローマ帝国で起きた新旧キリスト教の争いはフランスにも飛び火し、新教とカトリックによるユグノー戦争に発展しました。

　宗教改革によって生まれた新教（プロテスタント）には、ルター派のほか、**カルヴァン派**と呼ばれる宗派がありました。フランス出身の宗教改革者であるカルヴァンは、「人の魂が救われるか否かは神があらかじめ決めていることであり、善行や努力とは無関係である」とする**予定説**を唱えました。このカルヴァンの教説を信じる宗派がカルヴァン派です。

　カルヴァン派は地域によって呼称が異なります。フランスでは「ユグノー」と呼ばれ、オランダでは「ゴイセン（物乞いの意）」と呼ばれました。これらは弾圧側からの蔑称です。ほかにも、スコットランドでは「プレスビテリアン」、イングランドでは「ピューリタン」と呼ばれていました。

　カルヴァン派は、禁欲・倹約を重んじ、娯楽や賭け事を禁じました。また、勤労による蓄財をよしとしたことが、従来のキリスト教との違いでした。この「蓄財の肯定」という考えが、新興市民層や知識人、商人たちの心をわしづかみにしたのです。

　さて、シュマルカルデン戦争後に取り決められた**アウクスブルクの和議**では、ルター派の信仰は認められましたが、カルヴァン派は認められませんでした。そのため、カトリック教国であったフランスでも、カルヴァン派は厳しく弾圧されました。

しかし、フランスでのカルヴァン派信者の拡大はとまらず、次第に貴族の間にもカルヴァン派は広がっていきました。そしてついには、**フランスの貴族たちが新教派と旧教派に分かれて争いを繰り広げるようになったのです。**

その中で政治の実権を握ったのが、当時10歳で即位したシャルル9世の母、**カトリーヌ＝ド＝メディシス**でした。国内が大混乱に陥いる中、彼女がユグノーへの寛容令を出すと、旧教徒がこれに大反発し、新教徒を70人以上虐殺するという事件が起きてしまいます。これにより両者の対立は深刻化し、フランス国内における新教と旧教の戦争に発展していったのです。

 新教派の国王がカトリックに改宗し、「ナントの王令」によってカルヴァン派の信教の自由を認めて収拾

戦争の引き金を引いてしまったカトリーヌ＝ド＝メディシスは、新旧の融和を図ろうと、旧教派である自身の娘と、新教派のブルボン家アンリの結婚を画策し、婚儀が行われました。中世ヨーロッパにおいては、争いの解決と関係改善の手段として、婚姻がよく使われていたのです。

しかし、これがさらに事態を悪化させました。なんと2人の祝賀の場で、旧教徒が新教徒を虐殺したのです。これにより、フランス全土に新教徒虐殺が広がりました。これは**サンバルテルミの虐殺**と呼ばれ、犠牲者は数千から数万人に上るともいわれています。

この虐殺によって新旧の対立はさらに激化し、その上、カトリック側をスペインが、ユグノー側をイギリスが支援するなど、他国の干渉によって事態はさらに複雑になりました。

長期化したこの争いは、新教派であるブルボン家アンリ4世のフランス王即位により転機を迎えます。**アンリ4世はカトリックへ改宗し、さらにナントの王令によってユグノーにも幅広い信教の自由や公職就任の権利を認めました。**これにより、双方は妥協に至り、30年以上続いたユグノー戦争は終結を迎えたのでした。

三十年戦争

1618〜48年

神聖ローマ帝国を舞台に、
ヨーロッパ諸国が参戦した国際的な宗教戦争。

─┤ 主な交戦勢力 ├─

プロテスタント勢力 カトリック勢力

なぜ争った

神聖ローマ帝国の領邦内で
カトリックとルター派の対立が深刻化した

　三十年戦争とは、神聖ローマ帝国で起きたキリスト教の新旧派の対立です。その名の通り、30年にわたり争いが続きました。

　ルターのカトリック批判に始まった宗教改革は、ルター派が結果的に信仰を認められたシュマルカルデン戦争、ここで信仰を認められなかったカルヴァン派がフランスで戦ったユグノー戦争など、ヨーロッパ各国に広がりました。そして次第に、**ヨーロッパ世界全体が、従来の旧教派とそれに反発する新教派に二分されてしまったのです。**

　どこの国でも、やれカトリックだ、やれルター派だと大騒ぎ。その中で解決案として出されたのがシュマルカルデン戦争後に結ばれた「アウクスブルクの和議」でしたが、これは「神聖ローマ帝国の各領邦（有力諸侯が管理する領地）で、信仰する宗教をそこの支配者が決めていい」というものでした。つまり、あくまで「その地域で信仰していい宗教が決まった」という程度であり、個人の信仰の自由は認められなかったのです。本当はカトリックを信じたいのに、領主がルター派を選んだら嫌でもルター派を信じないといけないという状況です。

　これで万事解決となるはずもなく、禁止された宗派を信仰したい人にとっては大きなストレスとなりました。結果、**神聖ローマ帝国の各領邦内ではカトリックとルター派の対立が深刻化していきます。**

　そして、旧教を強制されたベーメンで反乱が起こると、次第にそれは、神聖ローマ帝国中を巻き込んだ新旧派の諸侯の争いに発展してしまいました。

こうして三十年戦争は勃発したのです。

 宗教戦争だったはずがヨーロッパの覇権争いに

　この戦争では、各国がそれぞれの思惑で参戦してきました。たとえば、スウェーデンとデンマークは、建前としては新教側の応援で乗り込んできましたが、本音は「この機会にヨーロッパ中央に影響力を伸ばしたい」という非常に政治的な思惑がありました。

　また、フランスも新教側に味方しました。フランスは当時カトリック国だったのに、です。これも、神聖ローマ帝国の皇帝を代々世襲し、犬猿の仲であったハプスブルク家を叩いて弱体化させたいという思惑がありました。

　こうして、宗教的な対立に関係なく、政治的な駆け引きによってさまざまな国が参戦してくる状況だったのです。

三十年戦争の対立構図

新教		旧教
神聖ローマ帝国の 新教派諸侯、 スウェーデン、デンマーク、 フランス		神聖ローマ帝国の 旧教派諸侯、 スペイン

 **新たにカルヴァン派が公認される。
また、ヨーロッパは主権国家体制の時代へ**

　結局、この戦争は1648年に終結し、その際に結ばれた**ウェストファリア条約では、アウクスブルクの和議の原則を再確認するとともに、カルヴァン派も公認されることになりました。**

　さらにこの条約では、**ドイツに300ほどあった領邦の一つひとつに主権が認められました。これはつまり、神聖ローマ帝国が実質的に無力化したことを意味します。**

神聖ローマ帝国は、帝国と名乗っていながらも、その実態はドイツ国内にたくさん散らばった領邦からなる同盟のようなものでした。その領邦一つひとつに主権が認められたことで、神聖ローマ帝国は事実上解体されてしまったのです。

　またこれは、キリスト教が西ヨーロッパをまとめていた時代が終わりを告げ、**それぞれの国が主権を持って世界と関わっていく主権国家体制へとステージが変わった**ということでもあります。

　主権国家体制とは、簡単に言えば「国家より上位の権力を認めない」ということです。この条約が結ばれる前は、カトリック教会の宗教的支配など、国家より上位の権力がありました。そこから各国がそれぞれ主権を持ち、国家同士が対等な関係を認め合う時代がやってきたのです。ウェストファリア条約も、国際会議に参加した多くのヨーロッパ諸国が、それぞれ主権を持つものとして意見を出しあった結果まとめられたものでした。

宗教改革と
キリスト教新旧派の争い

十字軍の遠征失敗により、ローマ教皇の権威が失墜

≫

ローマ教会への不信感が高まる中、教会を批判したフスが処刑され、
ローマ教会とフス派によるフス戦争が起こる

≫

ローマ教皇レオ10世が行った贖宥状の販売を受け、
マルティン=ルターが中心となり、宗教改革が起こる

≫

宗教改革を社会改革に結びつけた
ドイツ農民戦争が起こるも鎮圧される

≫

神聖ローマ帝国において、新教プロテスタントと旧教カトリックの争いが
激化。シュマルカルデン戦争を経て、ルター派のみ信仰が認められる

≫

フランスでも新教カルヴァン派と旧教の争いが激化。
ユグノー戦争が起きる

≫

三十年戦争を経て、カルヴァン派も公認される

Chapter 4

スペイン黄金期の戦争

コルテスのメキシコ征服

1519〜21年

スペインのコルテスが、アステカ王国に侵略して征服した。

──┤ 主な交戦勢力 ├──

スペイン アステカ王国

 **アメリカ大陸に到達したスペインが
アステカ王国を即侵略**

　16世紀のヨーロッパでは、14世紀頃から肉食が普及したことで、アジアの特産品である香辛料の需要が高まっていました。また、中国を訪れたイタリア出身の**マルコ＝ポーロ**が『世界の記述』（『東方見聞録』）という著書で東方について紹介したこともあり、海外、特にアジアに注目が集まっていました。

　一方で、当時、香辛料などの貿易はイタリアの都市の商人に独占されており、各国は参入のチャンスをうかがっていました。**そこに技術の進歩で羅針盤が登場し、航海術や造船技術も発達したことで、ヨーロッパ各国は新航路の開拓を模索し始めました。**ここに、ヨーロッパの**大航海時代**が始まったのです。

　中でも積極的に航路を開拓したのが、レコンキスタ（→146ページ）によって、イスラーム勢力から国土を勝ち取ったスペインとポルトガルでした。

　この2国にとって海外進出は、国を挙げた一大プロジェクトでした。**トスカネリ**という学者が主張した「地球は球体である」という理論を信じて、スペインは西回りで、ポルトガルは東回りで、競い合うかのように航海・探検を進めていったのです。

　ヨーロッパを出発して西へ進むと、アメリカ大陸に到達します。アメリカ大陸は、ヨーロッパではそれまで存在すら知られていませんでした。

　「新大陸」アメリカに到達したスペインは、ライバルのポルトガルに先を越される前に、一刻も早く支配下に置いてしまおうと考えます。もちろん、ここでスペインが用いる手段は一択、武力行使です。「メキシコのアステカ王国

を征服してこい」という指令を受け
たスペイン人のコルテスは、兵士
を引き連れてアステカ王国へと侵
入しました。最初に征服した都市
を植民都市とし、そこを拠点に内
陸へ、首都へと侵略を進めていっ
たのです。

アステカ王国

 どうなった 侵略されたメキシコは、その後300年間、
スペインの植民地になった

　アステカ王国は、テノチティトランを首都としました。海抜2200メートル
の湖の上にあったこの地では、王国各地から集まった商品が市場で取引さ
れ、繁栄を続けてきました。

　また、アステカでは独自の文化も発展していました。260日を1年とする祭
祀暦や、神殿に生贄を捧げることで世界の安泰を守ることができるという思
想などです。

　しかしアステカは、戦争における重要なものをいくつか欠いていました。そ
れが、鉄器と車輪です。**当時のラテンアメリカのどの国にも、鉄器と馬車、
車輪は存在しませんでした**。この時点で、ヨーロッパとの差は歴然としてお
り、抵抗もむなしく、侵略してきたコルテスによりアステカは滅亡に至りまし
た。

　**その後、メキシコではスペイン式の都市が各地に建設されるなど、スペ
インの支配が始まりました。約300年後にメキシコ独立戦争が起こるまで、
長きにわたってスペインに支配されることになるのです。**

　アメリカ大陸にて征服活動や植民地経営を行ったスペイン人は**征服者**と
呼ばれました。彼らは、スペイン王から先住民の統治を委託され、キリスト
教に改宗させることを条件に、労働力としての先住民の利用を認められまし
た。征服者たちは宣教師を引き連れ、言葉巧みに先住民をキリスト教信者
に変え、同時に労働力へと変えていったのです。先住民は銀山の開発やサ

トウキビの大農場で酷使され、残虐な経営のもと、多くの先住民が亡くなったとされています。

　また、新たな病の流行も先住民を苦しめました。ヨーロッパ人とラテンアメリカ人は、それまでまったく関わりがなかったので、お互いが持っている免疫も違えば、それぞれの土地に存在するウイルスも違います。ヨーロッパからアメリカ大陸に天然痘やインフルエンザウイルスなどが持ち込まれた結果、免疫のない先住民の多くが亡くなってしまいました。反対に、アメリカ大陸からは梅毒が持ち込まれ、ヨーロッパで一気に広がりました。

　さらに、現地の人種も多様化しました。アメリカ大陸にとどまったヨーロッパ人が現地の人と結婚したことで、多様な人種が入り混じる状況となったのです。これはその後、アフリカ大陸からの奴隷がラテンアメリカに連れて来られると、さらに多様化することになります。

ピサロの
インカ帝国征服

1532〜33年

南米進出を進めるスペインが、インカ帝国に侵略して征服した。

─┤ 主な交戦勢力 ├─

スペイン インカ帝国

 なぜ争った
「黄金」を求めて、
スペインのピサロがインカ帝国に侵攻した

　15 〜 16世紀、南米のアンデス山脈高地にインカ人が築いたのがインカ帝国です。現在のコロンビア南部からチリに至る広範囲を支配し、首都は標高3400メートルに位置するクスコでした。世界遺産として有名な**マチュ＝ピチュ**はインカ皇帝の離宮の遺跡です。インカ皇帝は神と見なされ、絶対的な権力で民衆を支配し、民衆は労役の義務を負いました。

　インカ帝国は4つの領土に分けられ、巡察使（地方官の監督や人民の視察をする役人）が各地に派遣されていました。道路網や駅伝制も整備され、首都クスコからエクアドルまでを飛脚がおよそ20日で往復したといわれています。また、独自の文明が発展し、高度な切石技術、太陽の神殿などに代表される石造建築、縄の色や結び方で統計や数量を記録するキープ（結縄(けつじょう)）という伝達手段などが有名です。

　このインカ帝国に、「黄金があるらしい」という噂を聞いたスペインのピサロは、それを得るべくインカ帝国に侵攻しました。

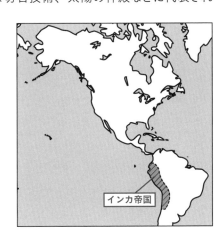

インカ帝国

どうなった

鉄器をもたないインカ帝国はなすすべもなく敗戦。スペインの植民地経営が始まる

　ピサロは、メキシコ征服に成功していたコルテスの話を事前に聞き、「先住民であるインディオは皇帝を殺すと抵抗しなくなる」という助言を得ていました。独自の文化を持ち、ヨーロッパでの常識が通じないラテンアメリカの征服には、前例が非常に活きたのです。

　メキシコのアステカ同様、インカ帝国にも鉄器は存在せず、ヨーロッパ諸国との文明の差は歴然でした。ピサロが率いるスペイン軍は先住民のインディオを大量虐殺し、首都クスコを破壊してインカ帝国を征服しました。

　征服後、ピサロもまた、スペイン王から委託されて先住民を統治し、キリスト教への改宗を条件に労働力として先住民を利用しました。

　インカ帝国滅亡から約10年後には、ポトシ銀山というアメリカ大陸最大の銀山が発見され、先住民たちは鉱山労働で酷使されました。採掘された大量の銀はスペイン本国の発展のために持ち帰られ、フェリペ2世が起こした戦争の莫大な戦費に使われたといいます。

レパントの海戦

1571年

オスマン帝国に奪われた地中海の覇権を取り戻すべく、
スペイン、ヴェネツィアなどの連合艦隊が戦った。

┤ 主な交戦勢力 ├

スペイン オスマン帝国

なぜ争った

プレヴェザの海戦でオスマン帝国に奪われた地中海の覇権を取り戻すため

　スペインが、アステカ王国、インカ帝国などの中南米地域を支配したのは、**カルロス1世**の時代のことでした。彼は名家ハプスブルク家の出身で、ブルゴーニュ公国を親から受け継ぎ、その後スペイン王に即位してカルロス1世となりました。さらに神聖ローマ皇帝にも選ばれ、カール5世という名も得ています。

　このカルロス1世の時代、ハプスブルク家はオーストリア、神聖ローマ帝国、スペイン、ネーデルラント、ナポリ、シチリアなどを支配し、ヨーロッパを牛耳るようになっていました。

　これを危惧したのが、当時イスラーム世界のトップにあった**オスマン帝国**でした。ハプスブルク家、ひいてはカトリック勢力をこれ以上のさばらせるわけにはいかないと、オスマン帝国はスペインなどの連合艦隊に勝負を挑みました。この**プレヴェザの海戦**ではオスマン帝国が勝利し、カトリック世界は地中海の覇権を譲り渡すことになってしまいます。

　しかし、カルロス1世の後を継いだ息子の**フェリペ2世**が、この状況を打開します。彼は、ローマ教皇やヴェネツィアなどとともにオスマン帝国に再戦を挑みました。それが**レパントの海戦**です。オスマン帝国軍とカトリック教国による連合艦隊が地中海で再び激突しました。

この戦いでは、カトリック側の連合艦隊が見事にリベンジを果たしました。プレヴェザの海戦の屈辱は晴れ、**カトリック世界は、オスマン帝国の地中海における影響力を和らげることに成功した**のです。

その中心的な役割を果たしたスペインのフェリペ2世は、この戦いの後も着実に領土を拡大していきました。代表的なのが、**ポルトガルの併合**です。ポルトガルの王家が途絶えたのをチャンスと見たフェリペ2世は、「自分の母親がポルトガル王女だったから」という絶妙な理由を持ち出し、ポルトガル王家を言いくるめることに成功します。その結果、**フェリペ2世はポルトガル王も兼ねることとなり、ポルトガルが持っていたアフリカなどの植民地ごと受け継ぐことになりました。**

これにより、スペインは文字通り「**太陽のしずまぬ国**」となりました。つまり、地球上の各地に領土を得たことで、「24時間を通して、太陽が昇っている時間帯にある領土がどこかに存在する」という状況を実現させたのです。

しかし、盛者必衰が歴史の常であり、フェリペ2世の絶頂期も間もなく終焉を迎えます。

特に決定打となったのが、**オランダ独立戦争**（→次ページ）と**アルマダの海戦**（→193ページ）での敗戦です。華々しい16世紀を歩んだスペインは、フェリペ2世の治世で最盛期を迎え、彼の晩年のこの2つの戦争の敗戦によって没落を始めることになるのです。それぞれの戦争については、この後、詳しく紹介していきます。

フェリペ2世

オランダ独立戦争
（八十年戦争）

1568～1609年

オランダとベルギーの起源はここにあり！
スペインからの独立を目指して、ネーデルラントが立ち上がった。

─┤ 主な交戦勢力 ├─

スペイン ネーデルラント

本国スペインの課した重税とカトリック改宗に反発したネーデルラントが独立を求めた

なぜ争った

スペイン王のフェリペ2世による重税とカトリック改宗に対し、ネーデルラントが独立を求めて起こしたのが、このオランダ独立戦争です。

オランダは、英語で「(the) Netherlands」と言います。ネーデルラント（ネザーランド）とは「低地」を表し、このあたりは大変海抜が低く、低地にあるためにそう呼ばれました。ちなみに「オランダ」という日本独特の呼び名は、オランダ独立の中心となったHolland（ホラント）という地名に由来しています。

16世紀半ば、今のオランダやベルギーは存在せず、そこにはスペイン領ネーデルラントという地域がありました。つまり、昔はスペインの一部だったのです。

ネーデルラントには、2つの特徴がありました。一つは、**商工業が発展していた**ことです。特に、ネーデルラント南部にあるフランドル地域では毛織物が発達し、大変儲かっていました。しかし、この利益の多くは本国スペインに搾取されていました。

また、もう一つの特徴は、**ネーデルラントにはカルヴァン派の信仰者（オランダでは「ゴイセン」と呼ばれた）が多かった**ことです。ここまで何度も出てきたように、カルヴァン派とは新教の一派です。

そしてあろうことか、**本国スペイン王のフェリペ2世は、ネーデルラントに対して重税を課すと同時に、カトリックへの信仰も強要し始めました。**この動きに反発したネーデルラントの民衆は、スペインからの独立を目指し、戦争を起こしたのです。

降伏した南部10州はのちのベルギーに。
北部7州はユトレヒト同盟を結成し、独立

どうなった

　この戦争では、開戦から10年ほどでネーデルラント南部の10州が降伏してしまいます。**もともと南部はカトリックが優勢の地域であり、この戦争に対してそこまで積極的ではなかった**のです。

　残った北部の7つの州はゴイセン（カルヴァン派）が優勢の地域であり、各州が団結して**ユトレヒト同盟**を結び、スペインと戦い続けることを決心します。その中心となったのが、日本語の「オランダ」の由来としても紹介した**ホラント州**でした。

　ちなみに、**ここで降伏した南部10州が今のベルギーの母体となりました。**オランダとベルギーは、ここで2つの勢力としてはっきり分かれたわけです。

　北部ネーデルラント7州は、ユトレヒト同盟の指導者であったオラニエ公ウィレムのもと、**ネーデルラント連邦共和国**を設立し、独立を宣言しました。そして、休戦条約にて事実上の独立を勝ち取ったのです。

　ただし、戦争が正式に終結するのは、三十年戦争（→179ページ）が終わってからのことです。

　この三十年戦争には、独立したてのネーデルラント連邦共和国もスペインと戦うために参戦しました。そして、この戦争の講和条約であるウェストファリア条約にて、ネーデルラント連邦共和国は正式に独立を認められたのです。戦争開始から、ウェストファリア条約の締結（1648年）までに80年かかったため、この戦争は「八十年戦争」とも呼ばれます。これにて、オランダは独立を達成しました。

アルマダの海戦

1588年

イギリス海軍とスペインの無敵艦隊アルマダが激突！
オランダ独立戦争への介入で手薄のイギリスに、スペインが攻め入った。

―――| 主な交戦勢力 |―――

スペイン イギリス

 **イギリスに手を焼いていたスペインが、
手薄のイギリスに攻め込んだ**

かねてから貿易上の商売敵であったイギリスとスペインは仲が悪く、またイギリスの私拿捕船（国家から特許を与えられた海賊船）にもスペインは手を焼いていました。スペインが貿易のために船を出すと、すかさずイギリスの私拿捕船がそれを襲って略奪行為を働くという状況だったのです。

さらにイギリスは、オランダ独立戦争においてオランダを公然と支援し、援軍を送りました。スペインからすれば、いくらオランダを陸戦で制圧しようとしても、海から来るイギリスの支援が止まなければ切りがありません。スペインは、なんとかしてイギリスを抑える必要がありました。

こうした状況の中、イギリスの私拿捕船が、ついにスペイン本国の港町にまで襲撃してきます。さらにイギリスのエリザベス1世が、カトリックのスコットランド女王メアリを処刑したことなどもあり、スペインはいよいよ黙っていられなくなりました。そこでスペインは、「無敵艦隊（アルマダ）」を編成してイギリスに出撃したのです。なお、「無敵艦隊」とは、戦後、イギリス人によって広められたもので、スペイン側の呼称ではありません。

 無敵艦隊がまさかの敗走。さらに嵐で壊滅状態に

スペインの誇る無敵艦隊の圧勝かと思われたこの戦いは、なんとイギリスの勝利に終わりました。その理由は、イギリス軍がとった戦術にあります。

スペインの無敵艦隊がとった戦法は、大きな船を敵の船へぶつけ、乗組員を敵船内へ侵入させて戦うというものでした。これに対し、イギリス軍は比較的小型の船を生かし、距離を保っての砲撃、すなわち今でいうところのヒットアンドアウェイ戦法で対抗しました。

　もちろん、スペインの艦隊は大きく、頑丈なのでそう簡単には沈みません。しかし、上陸を諦めざるを得なくなったスペインは引き返すしかなかったのです。

　さらにこの後、スペインにとって不運なことが起こります。この戦いから自国へ帰る途中、恐ろしい嵐に巻き込まれてしまったのです。これにより、スペインの無敵艦隊は次々と沈没し、半分以上の兵士が命を落とすことになりました。

　アルマダの海戦がイギリスの勝利とされることが多いのは、イギリスが不利な装備状況下でも引き分け以上に持ち込んだこと、そして帰路についたスペイン海軍が半数以上の戦力を失ってしまったことが理由なのです。

　こうして、**フェリペ2世のもとで全盛期を迎えたスペインは、オランダ独立戦争でオランダの独立を許し、アルマダの海戦で兵力を大きく削がれたことで、次第に影を潜めるようになってしまうのでした。**

16世紀、ヨーロッパ各国が新航路を求め、大航海時代が始まる

スペインのコルテスが、アステカ王国を発見し、征服

スペインのピサロが、インカ帝国を征服

オスマン帝国が、プレヴェザの海戦でスペインを破り、
一時的に地中海の覇権を握る

フェリペ2世率いるスペインらが、
レパントの海戦でオスマン帝国にリベンジを果たす

ポルトガルの併合などにより、スペインは「太陽のしずまぬ国」として、
フェリペ2世のもとで全盛期を迎える

オランダ独立戦争で、
スペインはネーデルラント北部7州の独立を許す

アルマダの海戦で、スペインが誇る無敵艦隊が壊滅状態に。
以降、スペインは影を潜めた

Chapter 5

絶対王政と
ルイ14世の侵略戦争

ピューリタン革命
（三王国戦争）

1640〜60年

イギリスが脱・絶対王政を果たす！
チャールズ1世の絶対王政に対してイギリス議会が立ち上がった。

─┤ 主な交戦勢力 ├─

王党派 議会派

 イギリスに絶対王政の時代がやってきた

　15世紀半ばまで続いた百年戦争（→156ページ）では、その後のバラ戦争もあいまって、疲弊した貴族たちが没落し、イギリスで王権が強化されたという話を紹介しました。この戦争の後、**ヘンリ7世が即位してイギリスでテューダー朝が成立すると、急速に中央集権化が進み、イギリスに絶対王政の時代がやってきます。**

　続くヘンリ8世、エドワード6世、メアリ1世の後を継いだ**エリザベス1世**の時代には、イギリスの絶対王政は全盛期を迎えます。

　彼女は、礼拝などの手法について定めた統一法を制定して、**イギリス国王を最高の主権者とする**イギリス国教会を確立しました。こうしてローマ教皇の影響力を排除したイギリスでは、国教会体制を基盤とする絶対王政が確立したのです。

エリザベス1世

イギリス王ジェームズ1世の行き過ぎた
専制政治をめぐり議会が内紛状態に

エリザベス1世亡き後のイギリスでは、テューダー朝が断絶し、スコットランド王**ジェームズ1世**の即位によって**ステュアート朝**が誕生します。彼もまた、絶対王政の流れを踏襲しました。

彼は、**王権神授説**（自分は神から王権を授かった最強の人物だという主張）のもとにさらなる王権強化を試みました。**当時のイギリスは「絶対」王政と言っても、そこには議会が存在しました**。この議会で重要な役割を果たしていたのが大地主の貴族です。ジェームズ1世は彼らを無視し、議会との対立を深めていきました。

また、**ジェームズ1世は、イギリス国教会の長として、同じ新教のピューリタン（清教徒）を弾圧し、それによって民衆の不満は高まりました**。ちなみに、ピューリタンとはイギリスにおけるカルヴァン派の呼び方です。

こうした議会の軽視や宗教的弾圧に耐えかねた民衆たちは、新たに国王となった**チャールズ1世**に「**権利の請願**」を提出しました。「さすがにやりすぎだから少しは民衆のことを考えてくれ」という国民からのお願いのようなものです。しかし、これを受けたチャールズ1世は議会を解散し、そこから11年間、議会なしの専制政治を行うという暴挙に出ました。

しかし10年後、転機が訪れます。チャールズ1世がスコットランドにもイギリス国教会を強制しようとしたところ、スコットランドで反乱が起きたのです。その結果、チャールズ1世は反乱軍に敗れ、莫大な賠償金を支払うはめになってしまいます。

敗戦したチャールズ1世は、戦費を得るために、議会を頼らざるを得なくなりました。しかし当然、一方的に議会を閉じて11年間も開催しなかったのに、いきなり「戦争に負けたからお金が欲しい」などという、虫のいい話が通るはずもありません。召集された議会は国王の要求に応じず、わずか3週間で解散となりました。これを「**短期議会**」と言います。

しかし、今度はスコットランド軍がイギリスに侵攻してきたことで、再びイギリスは賠償金が必要となりました。困ったチャールズ1世は、同年秋に再び議会を招集しました。こちらは前回の議会より長続きしたため、「**長期議会**」と呼ばれます。

このような状況で開かれた議会でしたから、**長期議会ではチャールズ1世の王権が次々と制限されました**。さらに、チャールズ1世のこれまでの悪政を書き連ね、政治改革の必要性を迫った「**大抗議文**」が議会に提出され、可決されます。ところが、意外にもこれは賛成159票、反対148票という僅差の可決でした。

この結果を受けたチャールズ1世は、「自分もまだまだやれる」と考えたのか、なんと兵隊を引き連れて議会に乗り込み、自分に反対する勢力を逮捕しようとしたのです。

しかし、これは当然反発を招きました。次第に、チャールズ1世に味方する**王党派**と議会を支持する**議会派**の対立が深まり、この2つの派閥による内紛が勃発してしまったのです。

クロムウェル率いる独立派がチャールズ1世を処刑し、「共和政」を打ち出す

王党派が率いる国王軍に対し、議会派はピューリタンによって結成された**騎兵隊**（鉄騎隊とも呼ばれました）で挑みました。鉄騎隊を組織したのが、自身も熱心なピューリタンであった**クロムウェル**です。彼が率いた鉄騎隊は、宗教的な熱意もあって、それまで圧倒していた国王軍をどんどん跳ね返していきました。

しかし、クロムウェルが中心人物となって以降、議会派は内部分裂を起こし、国王と徹底的に戦おうとする**独立派**と、王の存在は認めて立憲王政を目指す**長老派**に分かれてしまいます。もともと議会派は、長老派の立場でした。

徹底抗戦を唱えた独立派のクロムウェルは、破竹の勢いで国王軍を蹴散らし、その戦果を後ろ盾として、長老派を議会から追い出してしまいます。さらに、**チャールズ1世を処刑し、王様なしの政治体制である共和政を打ち立てました**。また、クロムウェルは、国王支持派が多かったといわれるアイルランドやスコットランドにも遠征軍を送り、これらも征服しています。この戦いにイギリス・スコットランド・アイルランドの3国が関わったことから、一連の戦いを「三王国戦争」と呼ぶこともあります。

再び革命が起こり、
イギリスでは立憲君主政治が確立

　こうして王政を打倒したクロムウェルでしたが、次第に彼は厳格な軍事独裁体制をとるようになりました。結局、イギリスでは、絶対王政こそなくなったものの、独裁状態は変わらなかったわけです。

　クロムウェルの死後、独裁に不満を抱いていた国民たちは、先王の子チャールズ2世を迎え、王政復古がなされました。

　しかし、チャールズ2世は、「議会を尊重する」という当初の約束を破って専制的な姿勢をとりました。さらに、次の王ジェームズ2世もまた議会と対立を深めたことで、1688年には再び革命が起こりました。これにより、ジェームズ2世は国外へと追放されてしまいます。この革命は、流血がほとんどないまま達成されたことから「**無血革命**」や「**名誉革命**」と呼ばれます。

　その後は、ジェームズ2世の長女メアリの夫であったオランダ総督オラニエ公ウィレム3世が、**ウィリアム3世**としてイギリス王に即位しました。妻のメアリ2世も、彼と共同で即位しました。

　議会では、王の権利の制限や議会の権限を決めた「**権利の章典**」がつくられ、**これにより王権よりも議会の優位が決まり、イギリスにおける立憲君主政治（議会政治と国教会制度を軸とする政治体制）が確立したのでした。**

イギリス＝オランダ戦争

1652〜54年（第一次）、65〜67年（第二次）、72〜74年（第三次）

イギリスが商売敵のオランダへ嫌がらせ。2国が海上の覇権を争った。

┤ 主な交戦勢力 ├

イギリス オランダ

なぜ争った オランダの中継貿易を邪魔する「航海法」を
イギリスが発令した

　ピューリタン革命で活躍したクロムウェルの独裁時代に、イギリスとオランダとの間で起きたのがイギリス＝オランダ戦争です。

　きっかけは、イギリスが発布した**航海法**という法律でした。これは、**「イギリスと取引したいなら、イギリスの船、もしくは産地国（あるいは最初の積み出し国）の船を使わなければいけない」**というものです。

　この法律は、ある国へのピンポイントな嫌がらせでした。それが、当時イギリスの貿易ライバルであったオランダです。当時、この2国はアジア方面での貿易をめぐって激しく争っていました。1600年にイギリスではアジア貿易を独占して行う**イギリス東インド会社**が設立されますが、その2年後に設立された**オランダ東インド会社**に後れを取り始めます。

　オランダの貿易の特徴は、**中継貿易**というスタイルをとっていたことです。中継貿易とは、A国からオランダが一度商品を輸入し、改めてB国へ輸出するというやり方で、現代のコンビニやスーパーのような小売業的な立ち位置で商売をしていたのです。

　つまり、イギリスが発した航海法とは、「中継貿易をしているところとは取引しない」という、オランダに対する挑発的なメッセージだったのです。当然、オランダはこれに大反発しました。両者の関係はどんどん悪化していき、最終的には戦争にまで発展したのです。

「東インド会社」って何?

　東インド会社とは、17世紀からヨーロッパ各国で設立された貿易会社です。ここで言う「東インド」とは、現代のインド東部だけを指すわけではありません。当時、ヨーロッパ以西から南米南端のマゼラン海峡までの地域は「西インド」と呼ばれ、逆に、アフリカ南端の喜望峰からマゼラン海峡までにある海岸沿いの地域が「東インド」と呼ばれていました。つまり、東インド会社は、**現在のアジア諸地域のほとんどを対象とした貿易会社**ということです。

　この東インド会社は、イギリスで初めて設立されました。設立に携わったのが、イギリス・ロンドンの商人たちです。オランダ人が喜望峰ルートで東インドまで行ってきたという噂を聞きつけたイギリス商人は、自分たちも東インドへの進出を考えます。しかし、当時は、地球のほぼ反対側まで行って帰ってくるには、相当な資本と時間が必要でした。そこで商人たちは、**互いに資本金を出し合い、航海が終わってから出資者に利益を分配する方法を考えます。**

　こうして、イギリスで新たな貿易会社が設立されました。その後エリザベス1世が、東インド会社に対して特許状を出して東インド貿易の独占を認めたことで、正式に**イギリス東インド会社**が生まれたのです。「East India Company」の頭文字を取ってEICとも呼ばれます。

　その2年後には、オランダでも東インド会社が誕生しました。オランダには、この時点ですでに複数の貿易会社が存在しました。これらを統合するかたちで生まれたのが、連合東インド会社、通称**オランダ東インド会社**です。こちらはオランダ語名の頭文字を取ってVOCと呼ばれます。

　東インド会社は、企業の通称に国名が入っているにもかかわらず、民間企業として始まったのが特徴です。国家の強い関与で再建されたフランス東インド会社などの例外もありますが、いずれにせよ、きっかけが民間企業だったということは重要なポイントです。

　イギリス東インド会社には、東インドで要塞を建設したり、兵士を雇用したり、現地政府と条約を結んだりする権利も認められていました。―民間企業でありながら、事実上の国家のような働きを持っていたわけです。現代の会社とは、だいぶイメージが違うのです。

　当初、イギリス東インド会社は、オランダと同じく東南アジアにおける香辛料貿易への進出を狙っていました。しかし、人的・金銭的資源でオランダ東インド会社に大きく劣ったイギリス東インド会社は、次第に競争で後れを取るようになります。決定打となったのが、東南アジアの小さな島で起きたアンボイナ事件です。ここでオランダに自国の商館員を殺害されたイギリスは、東南アジアからの撤退を決めます。**ここから東インド会社の活動の中心はインドに移っていき、彼らによるインド植民地支配が始まるのです。**PART2Chapter6では、イギリスのインド支配における重要な会社として登場するので覚えておきましょう。

イギリスがオランダ海上の覇権を掌握。オランダは衰退

　この戦争は3回にわたって繰り広げられ、第一次ではイギリスが勝利しました。このとき、オランダ海上でのイギリスの優位を認める**ウェストミンスター条約**が結ばれます。

　しかし、第二次が勃発すると、今度はオランダが勝利しました。ここでの講和では、航海法がオランダに有利になるように緩和されています。

　そして第三次では、フランスと密約を結んだイギリスが2国でオランダに攻め入りました。当時フランスは、オランダ戦争（→211ページ）を戦っていたため、オランダは共通の敵だったというわけです。陸からはフランス、海からはイギリスが攻め、オランダは窮地に立たされました。

　そして、英仏優勢の状況の中、講和が成立します。ここでは、第一次で結ばれたウェストミンスター条約を再締結することを取り決めました。**こうしてイギリスはオランダ海上の制海権を得て、世界貿易の覇権争いで優位に立ったのです。**

　イギリス＝オランダ戦争後、イギリス東インド会社はオランダ東インド会社を追い抜き、莫大な利益を上げていきました。好調なアメリカ大陸を活用した奴隷貿易や、植民地戦争での勝利も背景に、イギリスは18世紀に続く地盤を盤石なものにしていきます。

　一方のオランダは、この戦争を契機にどんどん衰退していきました。イギリスに海上の優位を譲ったことに加えて、そもそも中継貿易の主力商品だった香辛料の価値が相対的に下がっていったことが要因です。また、オランダの国内産業が徐々に衰退していったことも向かい風となりました。

　なお、戦後のオランダは、オランダのウィレム3世がイギリスのジェームズ2世の娘と政略結婚するなど、イギリスとの提携に舵を切りました。その背景には、各国への侵略を進めていたルイ14世率いるフランスの存在がありました。オランダとイギリスは、ともに対フランスの道を歩むことになるのです。

絶対王政とルイ14世の侵略戦争①

百年戦争、バラ戦争での貴族の没落などを受け、
英仏では中央集権化が進む

エリザベス1世の時代にはイギリス国教会が確立するなど、
イギリスは絶対王政の全盛期を迎える

ジェームズ1世が王権強化を図る。議会の軽視、
ピューリタンの弾圧などで国民の不満がたまる

チャールズ1世が、11年間も議会を開かないなど、
極端な専制政治を行う

スコットランドとの戦争で賠償金に追われたチャールズ1世が
11年ぶりに議会を招集

チャールズ1世に味方する王党派、議会を支持する議会派が対立を深め、
ピューリタン革命が勃発

議会派のクロムウェルがチャールズ1世を処刑。
共和政が始まるも、次第にクロムウェルの独裁状態に

イギリス＝オランダ戦争で勝利したイギリスが、
世界貿易の覇権争いで優位に立つ

クロムウェルの死後、王政復古がなされてチャールズ2世が即位。
しかし、チャールズ2世もまた専制的な姿勢をとる

次の王、ジェームズ2世も議会を軽視したため、名誉革命が起きる

ウィリアム3世がイギリス国王に即位し、
「権利の章典」によってイギリスで立憲君主政治が始まる

フロンドの乱

1648〜53年

王権強化に反発したフランスの貴族・市民が蜂起するも、
逆に絶対王政が確立されてしまった反乱。

─┤ 主な交戦勢力 ├─

ルイ14世　　　　　　　　　　　フランスの貴族や平民

なぜ争った
フランスで加速する絶対王政の流れに、貴族や市民が反発

　イギリスと同様、16世紀頃のフランスでは、百年戦争で消耗した諸侯や騎士が没落し、中央集権化が急速に進み、絶対王政（絶対君主制）の流れが起こりました。

　絶対王政とはその名の通り、国王（君主）が絶対的な権力をもって国を治める政治体系です。"王様が絶対"なわけです。「王国」といわれるとこのイメージを思い浮かべるかもしれませんが、それ以前の王国は、あくまで貴族の領地の集合体でした。貴族が所有する「荘園」に人々が集まり、王国と呼ばれるグループになっていたのです。もちろん王様はいましたが"絶対"ではなく、「一応は従っている」くらいの関係でした。絶対服従ではなかったのです。

　イギリスでは、民衆の抵抗によって専制政治が終わりを告げ、法による立憲王政（立憲君主制）の道を進むことになりました。

　一方、**フランスでは有能な配下らの活躍によって、王権がどんどん強化されていきました**。17世紀には、国王**ルイ13世**の懐刀にして超絶有能な宰相**リシュリュー**が、貴族、平民、聖職者の代表で構成された議会（三部会）を停止するなど、王権強化を加速させます。さらに、その後に即位した**ルイ14世**の宰相**マザラン**も、中央集権の強化や重税策を打ち出しました。

　こうした絶対王政の流れに貴族層が反発して起きたのが、フロンドの乱でした。各地で王政に反対していた農民や平民も巻き込むかたちで、この反乱はフランス全土に広がりました。なお、「フロンド」とは、当時のフランス

の子どもたちの間で流行していた石投げ器のことで、パリの民衆がマザラン
の邸宅に石を投げつけたことからその名がつけられたようです。

 反乱は失敗。フランス絶対王政の黄金期が始まる

　法官たちの反乱をきっかけに、重税策に反発したパリ市民が市内にバリ
ケードを築いて反乱を起こしたことでフロンドの乱が始まりました。パリ市民
たちの反乱は翌年には鎮圧されてしまいますが、その後、貴族のコンデ公が
指揮する反乱軍が一時パリを占拠し、宰相マザランをドイツ亡命にまで追い
込みます。しかし、貴族側の足並みがそろわず、結局この反乱も2年ほどで
終わりを告げました。

　その後も農民や平民は反乱を続けましたが、結局それも鎮圧され、フラン
スにおける打倒王政を目指した反乱は失敗に終わってしまいました。

　そして、**皮肉にもこの反乱は、フランスにおける絶対王政を強固なものに
してしまいました。**フランスでは、さらなる中央集権化と王権強化が進み、
ここから100年以上にもわたり、フランスは絶対王政の黄金期へと突入して
いきます。

南ネーデルラント
継承戦争

1667〜68年

ルイ14世の侵略戦争①。フェリペ4世の死に際して、
スペイン領南ネーデルラントの相続権を主張したルイ14世が挙兵した。

┤ 主な交戦勢力 ├

フランス

スペイン、オランダ、
イギリス、スウェーデン

なぜ争った　ルイ14世がスペイン領南ネーデルラントを奪おうとした

　フランス絶対王政を代表する王といえば**ルイ14世**（在位：1643〜1715年）です。一説によると、彼は「朕は国家なり（我こそが国家そのものだ）」と発言したとさえいわれています。

　ルイ14世はその強権を用いて、多数の侵略戦争を仕掛けました。ここで生じた他国との確執と、莫大な戦費による財政圧迫の影響は、後世にも尾を引くことになります。

　ここではまず、ルイ14世の侵略戦争のうち、**南ネーデルラント継承戦争**について紹介しましょう。

　南ネーデルラントとは、今でいうベルギーあたりを指します。オランダ独立戦争（→191ページ）にて、ネーデルラント北部はオランダとして独立を果たしましたが、南部は降伏したためスペイン領のままでした。

　当時、そのスペインを支配していたのがハプスブルク家です。 現在のスイス周辺の地方領主から始まったこの一族は、ドイツの有力な領邦の一つとしてオーストリアを支配し、15

ルイ14世

世紀からは神聖ローマ帝国の皇帝を世襲しました。また、16世紀にはハプスブルク家出身のカルロス1世がスペイン王に即位したことでスペインも支配し、ヨーロッパを牛耳る存在となっていったのです。

そのハプスブルク家とフランスは対立関係にありました（→163ページコラム参照）。三十年戦争（→179ページ）で、カトリック教国のフランスが、ハプスブルク家のスペインに嫌がらせをするためだけに新教国側について参戦したという事実からも、どれだけフランスがハプスブルク家を嫌っていたかがわかります。

この三十年戦争後も、フランスとスペインは争い続け、ようやく1659年のピレネー条約で講和にこぎつけました。ここには、領土に関する約束のほかに、フランス王ルイ14世とスペイン王女マリア＝テレサの婚約も含まれていました。この頃のヨーロッパでは婚姻政策が盛んであり、婚姻によって関係修復を図ったわけです。

このとき、マリア＝テレサは「婚姻に当たり、父フェリペ4世からの王位継承権を放棄し、代わりにフランスには持参金を納める」と約束しました。しかし、その持参金があまりに高額だったために、結局支払われることがないままフェリペ4世は亡くなってしまいます。

そこでルイ14世は「マリア＝テレサからの持参金が未納なのだから、スペイン領南ネーデルラントをよこせ」と継承権を主張し、南ネーデルラントに向けて挙兵しました。これが、南ネーデルラント継承戦争の始まりです。

イギリス、オランダなどがスペインに味方したため、ルイ14世は渋々講和に応じた

この戦争では、ルイ14世が直接先頭に立って指揮を執り、南ネーデルラントの都市を攻め落としていきました。

しかしスペインは、イギリス、オランダ、スウェーデンと同盟を結んでルイ14世をけん制します。これにより、ルイ14世は講和に応じることにしました。

ここでフランスは、南ネーデルラントの一部の都市を獲得したにすぎませんでした。この結果に大きな不満を抱いたこともあってか、ルイ14世はその後の生涯であと3回も大きな侵略戦争を起こすことになります。

オランダ戦争

1672〜78年

ルイ14世の侵略戦争②。
南ネーデルラント継承戦争に介入してきたオランダに対する報復。

―――――| 主な交戦勢力 |―――――

フランス、イギリス、スウェーデン オランダ、スペイン、神聖ローマ帝国

 **建前は「報復」、でも本音は
「勢いのあるオランダを叩きたい」**

　ルイ14世率いるフランスは、先の南ネーデルラント継承戦争では思うような戦果を得られませんでした。それは、スペインとの戦いに水を差した邪魔者がいたからです。その邪魔者とは、**イギリスやオランダなど、言うなれば「フランスに活躍されたくない国家連合」**です。

　特にオランダは、スペインを支援して実際に出兵までしてきた、まさに目の上のたんこぶでした。フランスは三十年戦争こそオランダの味方をしたものの、それはハプスブルク家への嫌がらせにすぎませんでした。そもそもカトリック教国のフランスにとって、新教を支持するオランダは不快な存在だったと言えます。

　南ネーデルラント継承戦争の終結から4年後、ルイ14世率いるフランス軍は、ついにオランダへと侵攻します。**戦争の口実は、南ネーデルラント継承戦争の報復でした。**

　ちなみに、このあたりの戦争からは「実際の戦争の理由（本音）」と「口実（建前）」が乖離してくることが増えます。たとえば、本音は「このあたりの土地が欲しいから」だけど、建前は「政治的（宗教的）な理由から」というようにです。これは戦争にそれなりの理由が必要になってきたからですが、この本音と建前をそれぞれ把握しておくと、各戦争がより深く理解できるようになります。

さて、今回の戦争でも「報復」という建前の裏には「オランダを叩きたい」というフランスの本音がありました。当時、独立したばかりのオランダは、新興国でありながら中継貿易で儲けて勢いを増しており、そのオランダを抑えたい、あわよくばその土地も欲しいという思惑があったのでしょう。

ここでフランスは、イギリス＝オランダ戦争を戦っていたイギリスと手を組み、打倒オランダに向けた密約を交わします。これを**ドーヴァーの密約**と言い、オランダは英仏から攻撃を受けることになったのです。

イギリスが戦争から抜けてしまい、フランスの圧倒的勝利には至らず

オランダからすれば、強国2国から一斉に攻撃をされたらひとたまりもありません。そこでオランダ軍は、わざと川を決壊させて洪水を引き起こし、フランス軍の進軍を妨害する遅滞戦術に出ました。もくろみ通り、フランス軍は一時後退し、その間にオランダ軍はイギリスとの戦いに専念することができました。

その後もオランダは、新たに総督になったウィレム3世のもとで徹底抗戦を続け、神聖ローマ皇帝レオポルト1世やスペイン王カルロス2世の支援を取りつけるなど、必死に防戦し続けました。

そのタイミングで、イギリスがイギリス＝オランダ戦争の講和によって離脱してしまいます。フランスはその後も戦いを優位に進めましたが、イギリスがいなくなったことで圧倒的勝利とはなりませんでした。そのためこの戦争は、フランスの勝利と扱われながらも、オランダがよく防衛しきった戦いとして認識されることがよくあります。

フランスはアウクスブルク同盟という敵をつくる結果となってしまった

この戦争でフランスは多少の領土を得ることができました。一方で戦後、**オランダはスペインやオーストリアなどとアウクスブルク同盟を結成し、フランスへの対抗姿勢を強めました。**

また、戦争で活躍したオランダ総督ウィレム3世は、イギリス名誉革命で追放された国王に代わってイギリス王に即位します。こうして、**イギリスもア**

ウクスブルク同盟に参加することになりました。フランスは、下手に藪^{やぶ}をつ
ついた結果、イギリスという最大の敵をつくってしまったのです。ルイ14世に
とってこの戦争は、とてもではありませんが、「得をした」とは言い切れない
結果だったと言えるでしょう。

ファルツ継承戦争
（アウクスブルク同盟戦争）

1688～97年

ルイ14世の侵略戦争③。神聖ローマ帝国の有力な領邦ファルツの継承を
目的として侵攻したルイ14世に対し、「アウクスブルク同盟」が戦った。

―――――――――――| 主な交戦勢力 |―――――――――――

フランス アウクスブルク同盟

 ルイ14世がファルツの継承を強引に主張して侵攻

　ルイ14世が行った4度の侵略戦争のうち、3回目がこのファルツ継承戦争
です。

　ファルツ（プファルツ）とは、神聖ローマ帝国内に存在した、フランス付近・
ライン川沿いに位置する有力な領邦の一つです。その領主が“選帝侯（神聖
ローマ皇帝を選ぶ権利を持つ諸侯）”という重要なポジションについていたことか
らも、ここが有力な地域であったことがわかります。

　この戦争は、その名の通り**「ファルツを継承するための戦争」**でした。ファ
ルツ選帝侯カールの死に際して、ルイ14世は「自分の弟の2番目の妻がカー
ルの妹なので、ファルツの継承権は自分にもあるはず」と、またもや強引な
理由をつけて進軍を始めたのです。

　このフランスに待ったをかけたのが、**アウクスブルク同盟**でした。この同盟
は、フランスの脅威に対してオランダ、スウェーデン、スペインなどが結成し、
のちにイギリスが加わったものです。

　ファルツへの侵攻を始めたフランスに対し、反フランスで結束したこれらの
国々が協力して戦ったのがこのファルツ継承戦争になります。

 **大きな戦果を挙げられず、
ルイ14世の求心力は低下**

　フランスとアウクスブルク同盟との戦いは熾烈を極め、なんと9年間も続き

ました。それにもかかわらず、**結局フランスはファルツを得られませんでした。**
アルザス地方のストラスブールこそ確保したものの、それ以外はほとんど得
られなかったのです。

　莫大な戦費や人員をつぎ込んだ結果がこれでは、フランス人はやりきれな
かったでしょう。事実、**この戦争が微妙な結果に終わったことは、その後の
ルイ14世政権の求心力低下につながっていきました。**

スペイン継承戦争

1701〜13年

ルイ14世の侵略戦争④。ルイ14世の孫がフランス王の継承権を破棄せずに
スペイン王に即位。危機感を覚えた各国がフランスと戦った。

主な交戦勢力

フランス、スペイン イギリス、オランダ、オーストリア

ルイ14世の孫のスペイン王即位に、各国が危機感を覚えた

なぜ争った

　この戦争は、スペインの王位継承をめぐって、フランス・スペイン連合軍と
イギリス、オーストリアなどの連合軍が戦ったものです。「え？　フランスと
スペイン＝ハプスブルク家は犬猿の仲だったのでは？」と思うかもしれませ
ん。その背景はこうです。

　当時のスペインでは、スペイン王が継承者不在のまま亡くなってしまいまし
た。ヨーロッパを牛耳っていたハプスブルク家傘下の強国スペインが継承者
不在となれば、他国が色めき立つのは当然です。

　**ルイ14世はこの機を見逃さず、自身の孫をスペイン王に即位させようと
継承権を主張しました**。ルイ14世の妻であるマリア＝テレサはもともとスペ
イン＝ハプスブルク家出身であり、ルイ14世とマリア＝テレサとの間に生ま
れた子はスペイン＝ハプスブルク家の血を引いていたからです。

　しかし、ここで王位継承権を主張したのは彼だけではありません。ほかにも、
スペイン＝ハプスブルク家と血のつながりがあった各国の王や諸侯が継承権
を主張しました。

　しかし結局、新たなスペイン王にはルイ14世の孫が指名され、スペイン国
王**フェリペ5世**として即位しました。ここで問題となったのは、**フェリペ5世
がフランス王位継承権を放棄しないままスペイン王位についた**ことです。こ
れはつまり、フランス王兼スペイン王という怪物が誕生する可能性を示唆し、
他国にとっては脅威でしかありませんでした。

　事実、スペイン王となったフェリペ5世は、さっそくフランスに便宜を図り

ました。当時のスペイン王室は、奴隷貿易の権利（アメリカのスペイン領にアフリカの奴隷を売り込む権利）を、イギリス、オランダ、フランスなどの商人に認めていましたが、それをフランスの貿易会社に独占させたのです。

　これに対し、イギリスやオランダはもちろん大反発しました。オーストリア＝ハプスブルク家などと対仏同盟を結び、フランス・スペイン連合軍と戦うことになりました。

 ## 漁父の利で、イギリスが一番おいしい思いをした

　この戦争は12年も続き、その間、フランスはほぼ孤立したままで苦戦することとなりました。また、同じ時期には、アメリカにおける英仏の植民地争いも発生しており、フランスはそこでも劣勢に立たされてしまいます。

　開始から12年後、ユトレヒト条約によって戦争は終結しました。この講和により、フェリペ5世は“条件付き”でスペイン王位を正式に継承することになりました。

　その条件とは、**フランスとスペインの合邦（合体して一つの国になること）は永久に禁止。さらにはフランス、スペイン両国の海外領土の多くはイギリスに渡る**という内容です。フランスからはアメリカ大陸のハドソン湾地方とニューファンドランド、アカディアを、スペインからはジブラルタルとミノルカ島を、それぞれイギリスへ割譲することになりました。

　これでわかるのは、この戦争で一番おいしい思いをしたのはイギリスだということです。18世紀に海外領土を大きく獲得したことは、その後のイギリスにとって大きなアドバンテージとなりました。

　さらに、結局は奴隷貿易の権利もイギリスが独占することになります。イギリスはアメリカ大陸との奴隷貿易を通じて大量の外貨を獲得し、大英帝国発展への礎を築き始めました。つまりこの戦争は、イギリス発展の足掛かりになったという側面も大きいのです。

 ## 敗戦続きで勢いが衰えてきたフランス、台頭するプロイセン、ロシア

　ルイ14世の時代に一度絶頂期を迎えたフランスは、彼の晩年からは衰え

を見せ始めました。国内産業の停滞、ヴェルサイユ宮殿をはじめとする豪華な宮殿生活における多額の費用、そして4度にわたる戦争の費用などで国家財政が圧迫されていき、**フランスはその勢いを急速に失っていったのです**。1715年にはついにルイ14世が亡くなり、次のルイ15世も抜本的な改革を実行することはできませんでした。

一方、その裏で着実に成長を始めた国がありました。それが、**プロイセンとロシアです**。

プロイセンは当時、まだ「プロイセン公国」という名前で、神聖ローマ帝国の一つの領邦にすぎませんでした。それが、スペイン継承戦争で神聖ローマ皇帝側の味方をした功績が認められ、「王国」への昇格を果たします。その後、2代目のプロイセン王となった**フリードリヒ゠ヴィルヘルム1世**は、行財政の制度を整備して絶対王政的な体制を整えるとともに、軍備増強に力を入れました。ここで国の基盤が整備されたことで、この後プロイセンはヨーロッパの強国に名乗りを上げました。

もう一つ台頭してきたのがロシアです。こちらは、スペイン継承戦争と同時期に進んでいた北方戦争（→402ページ）でスウェーデンに勝利を収め、ヨーロッパ進出への足がかりを作りました。

この成長を果たした2国と、海外植民地をめぐって対立中だった英仏、そして従来からドイツ地域でトップの実力を備えていたオーストリアを加えた5か国が争い出すのが、この後の戦争となります。

オーストリア継承戦争

1740〜48年

オーストリア＝ハプスブルク家の家督継承問題に乗じて、
プロイセン王国がオーストリアに侵攻。

┤ 主な交戦勢力 ├

オーストリア、イギリス、ロシア　　　　プロイセン王国、フランス

なぜ争った

「どうしても欲しい土地」があったプロイセン王国が、オーストリアの王位継承に文句をつけて侵攻

　オーストリア＝ハプスブルク家の家督継承をめぐり、プロイセン王国らがオーストリア＝ハプスブルク家と争ったのがオーストリア継承戦争です。

　プロイセン王国（もともとはプロイセン公国）とは、神聖ローマ帝国の領邦の一つです。三十年戦争（→179ページ）で結ばれたウェストファリア条約にて、神聖ローマ帝国に散らばっていた約300もの領邦それぞれに主権が認められましたが、プロイセン公国もその一つでした。その後、スペイン継承戦争を機に王国へと昇格したことは、先にお伝えした通りです。

　このプロイセンを大国へと押し上げたのが、1740年からプロイセン王国の君主となった**フリードリヒ2世**です。

　彼は、同時代に活躍したオーストリアのマリア＝テレジア、ロシアのエカチェリーナ2世らとあわせて「**啓蒙専制君主**」と呼ばれました。これは、啓蒙思想（旧来の思想を批判して合理的な思考を目指す思想）を念頭に置きつつ、トップダウンで改革（「上からの近代化」）を進めていこうとした君主のことです。彼らは富国強兵（国を豊かにして、軍事を拡大する）を推進し、領土拡大に努め、それぞれの国の成長を促

フリードリヒ2世

しました。

　そのフリードリヒ2世率いるプロイセン王国には、強国を目指すうえでどうしても欲しい土地がありました。それが**シュレジエン**です。現在はポーランドとチェコの一部であり、当時はオーストリアに属していた地です。鉱物資源の豊かさに加え、18世紀からは織物業も盛んだったシュレジエンは、経済的に非常に価値の高い土地だったのです。富国強兵を進めるプロイセンにとって、この地は喉から手が出るほど欲しい憧れの地だったのです。

　その折、当時のオーストリアの君主であり、神聖ローマ皇帝も兼ねるカール6世が亡くなりました。男子の後継者がいなかった彼は、生前に「女性も王位を継承できる」とした法令を定め、関係者たちの同意を取り付けておきました。

　しかし、実際に長女の**マリア = テレジア**がオーストリアの王位を継承すると、問題が生じます。神聖ローマ皇帝の座を狙うバイエルンとザクセンの両選帝侯が、マリア = テレジアの継承に異議を唱えたのです。さらに、これをチャンスととらえた**プロイセン王国のフリードリヒ2世も、マリア = テレジアの継承に反対し、そのままシュレジエンを占領してしまいました。**

　こうして神聖ローマ帝国のいくつかの領邦とオーストリア = ハプスブルク家は対立を深め、プロイセン王国がオーストリアに侵攻するかたちで戦争が始まったのです。

散々な目にあったオーストリアの復讐心が「七年戦争」の火種となった

　この戦争は、各国も巻き込んだ大戦争となりました。ハプスブルク家が大嫌いなブルボン家のフランスは、「ハプスブルク家を弱体化させるチャンス」ととらえて、プロイセン王国への支持を表明しました。

　これに対し、フランスと海外植民地をめぐって争っていたイギリスは、「フランスの兵力を削げるなら」とオーストリア側へ立ちます。さらにはプロイセン王国と地理的に近いロシアも、プロイセンの勢力拡大を阻止するためにオーストリア側での参戦を表明しました。こうして単なる家督争いが、さまざまな各国の利害が絡み合った結果、大戦争に発展してしまったのです。

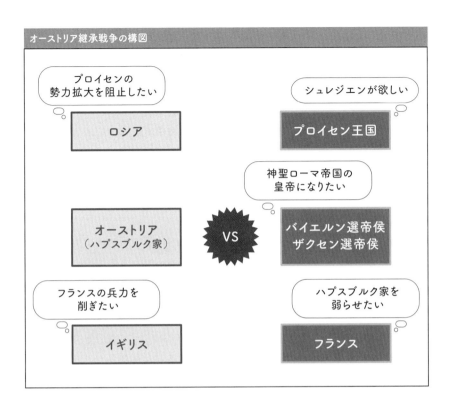

オーストリア継承戦争の構図

ロシア
プロイセンの勢力拡大を阻止したい

プロイセン王国
シュレジエンが欲しい

オーストリア（ハプスブルク家）

VS

バイエルン選帝侯
ザクセン選帝侯
神聖ローマ帝国の皇帝になりたい

イギリス
フランスの兵力を削ぎたい

フランス
ハプスブルク家を弱らせたい

　ヨーロッパ全土を巻き込んだこの大戦争は8年に及び、オーストリア劣勢の中で**アーヘンの和約**が成立しました。**この条約により、マリア＝テレジアによる王位継承こそ認められたものの、シュレジエンはプロイセンが獲得することとなりました**。そのため、事実上プロイセンの勝利と言っていいでしょう。

　一方で、大事なシュレジエンを奪われたオーストリアからすれば、今回の結果は腹が立って仕方なかったに違いありません。女帝マリア＝テレジアの復讐心はその後も燃え続け、のちの七年戦争を引き起こすことになります。

七年戦争

1756〜63年

オーストリアの女帝マリア＝テレジアが、
プロイセンへの復讐を果たすために入念な準備で臨んだが、敗北。

──┤ 主な交戦勢力 ├──

プロイセン王国、イギリス オーストリア、フランス、ロシアなど

マリア＝テレジアのプロイセンへの 復讐心が尋常ではなかった

　先のオーストリア継承戦争にて、自国の王位継承に難癖をつけられ、その
うえ大事なシュレジエンを失うはめになったオーストリアの女帝マリア＝テレ
ジアは、プロイセンへの復讐のチャンスをうかがい続けていました。来たる日
のために、彼女は行政改革を推進し、中央集権的な体制をつくって国力を
高めました。

　そして特筆すべきは、**外交革命**
です。いったい何が革命なのかと
いえば、**長年続いていたオースト
リア＝ハプスブルク家とフランス
のブルボン家の対立関係を解消し
た**のです。プロイセン王国を倒す
ために、2国はついに手を結ぶこと
になりました。さらにオーストリア
は、プロイセンを孤立させるために
ロシアとの関係も深めていきまし
た。

　こうした入念な準備のうえで、
オーストリアがプロイセン王国と
争ったのが七年戦争です。以前は
フランスという強力な後ろ盾があっ

マリア＝テレジア

たプロイセンでしたが、今回は違います。オーストリアとフランスが手を組み、後方にはロシアも控えていました。さらには、スウェーデンなどもオーストリア側で参戦してくる始末です。

　一方、プロイセン王国に同調する国はありませんでした。一応、イギリスが対フランスを掲げてプロイセン側で参戦しましたが、あくまで金銭面の支援にとどまり、援軍はほとんど出しませんでした。当時のイギリスは、インドやアメリカで起きていた植民地争奪戦にかかりきりだったからです（これについては次のChapterで詳しく解説します）。

敗戦濃厚だったプロイセンが奇跡的に巻き返す

　孤立状態で臨んだプロイセンは、当然のごとく、非常に苦しい戦いを強いられました。フランスとオーストリア、ロシアに包囲され、自分たちに救援を送ってくれる国もない。はっきり言って絶望的な状況です。

　しかし、そんな状況を打開する大きな転機が訪れます。ロシアの女帝がプロイセンとの戦争中に亡くなり、代わって甥のピョートル3世が王の座につきました。このピョートル3世が、プロイセン王フリードリヒ2世の熱狂的なファンだったのです（冗談ではなく本当です）。彼はロシアが占領していたベルリンから一方的に軍を引き揚げ、これによりプロイセンは九死に一生を得ました。

　さらに、並行して行われていた英仏の植民地戦争でイギリスが勝利を収めたことも有利に働きました。プロイセン王国は、この絶望的な状況を奇跡的に耐え抜くことに成功したのです。

　ここで勝ちきれなかったオーストリアは、講和条約でシュレジエンのプロイセン所有を再確認させられるという屈辱的な目にあいます。一方、**難局を乗り切ったプロイセン王国は、ヨーロッパでの強国のポジションを獲得し、ドイツ近代化の主導権を握ることになりました。**

敗戦を重ねて追い込まれたフランスが「革命」の時代へ

　事実上の敗戦に終わったオーストリアは、フランスとの提携をさらに強めていきました。たとえば、ルイ16世の妃として有名な**マリ＝アントワネット**は

マリア＝テレジアの娘です。婚姻施策も取り入れながら、オーストリアはフランスとの関係を深めていったのです。

　しかし、そのフランスは、この七年戦争、そしてイギリスとの植民地戦争にも大敗を喫し、莫大な戦費を使っているのに領土も失うという状況で、いよいよ切羽詰まってきました。財政難に陥った王は貴族への課税を決意しますが、当然ながら猛反発が起きます。それが最終的には王政打倒を掲げるフランス革命へとつながるのです。ここ100年ほどの間にフランスが参戦したあらゆる戦争が、フランス革命に至る道程だったと言えます。

絶対王政とルイ14世の侵略戦争②

フロンドの乱を経て、フランスは絶対王政の黄金期を迎える

ルイ14世が、侵略戦争を始める。南ネーデルラント継承戦争では、
イギリス、オランダなどの介入により、思った戦果は挙げられず

ルイ14世がオランダ戦争を始める。戦後、オランダはスペインや
オーストリアとアウクスブルク同盟を結成し、
対フランスの姿勢を強める。のちにイギリスも参加

ルイ14世がファルツへ侵攻。
それを阻止したいアウクスブルク同盟とファルツ継承戦争を戦う。
ここで敗れたルイ14世は次第に求心力を失っていくことに

ルイ14世の孫がスペイン国王に即位。
危機感を抱いた各国とスペイン継承戦争を戦う

4つの侵略戦争で疲弊したフランスは次第に勢いを失っていく。
一方、ヨーロッパではプロイセン王国、ロシアが台頭

プロイセン王国がオーストリア継承戦争でオーストリアから
シュレジエンを奪う

オーストリアとの七年戦争を乗り切ったプロイセンが
ヨーロッパにおける強国のポジションを固める

PART
2
ヨーロッパ

Chapter 6

英仏の植民地戦争と
イギリスのインド支配

カーナティック戦争

1744～48年(第一次)、50～54年(第二次)、58～63年(第三次)

英仏がインド支配をめぐって激突!
ここで勝利したイギリスはインドの植民地支配で圧倒的優位に立った。

┤ 主な交戦勢力 ├

イギリス フランス

 なぜ争った ## 英仏がインドの植民地支配をめぐって対立

　18世紀、英仏は海外植民地をめぐって対立を深めていました。インドもそのターゲットの一つであり、先にインドに進出したイギリスは、3つの港湾都市を拠点としてインドで植民地活動を始めます。一方のフランスも、休眠状態だったフランス東インド会社がルイ14世の時代に再建され、イギリスの拠点に近い都市を競うように獲得しました。

　もちろんどちらも「この広大な土地を独り占めしたい」と考えており、対立が起きるのは必然だったと言えます。インドをめぐり、英仏はカーナティック戦争を戦うことになりました。カーナティックとは南インドの東海岸一帯を指します。この戦争は第一次～第三次まで、休戦を挟みながら19年間にわたって繰り広げられました。

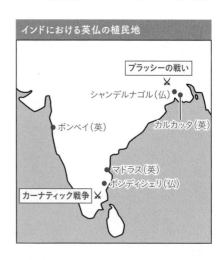

インドにおける英仏の植民地

プラッシーの戦い
シャンデルナゴル(仏)
ボンベイ(英)
カルカッタ(英)
マドラス(英)
ポンディシェリ(仏)
カーナティック戦争

フランスの敗北で、インド支配の主導権はイギリスへ

どうなった

　英仏のインド覇権を決定づけたのは第三次カーナティック戦争でした。ここでイギリスが圧勝したことで、南インドにおけるイギリス優位が決定的となりました。この戦いでは、クライヴというイギリス将校がフランスの要塞を落とす活躍を見せ、一躍英雄となっています。

　さらにこの戦争と並行して、英仏はインド北部で**プラッシーの戦い**でも争っていました。

　この戦いでも、イギリス東インド会社軍を率いたクライヴが活躍し、ベンガル地方領主とフランスの連合軍を破りました。ここでベンガル地方の徴税権を獲得したイギリス東インド会社は、これ以降、単なる貿易会社から植民地支配組織へとその性格を変えることになります。

　カーナティック戦争、プラッシーの戦いの両方に敗れたフランスは、シャンデルナゴルとポンディシェリの領有こそ認められたものの、それ以外の地域におけるイギリスの優越権を認めさせられ、**インドにおけるイギリス優位はもはや揺るがない結果となりました。**

　こうして、インド支配の主導権を完全に握ったイギリスは、英国領インドの完成に向け、その後は現地勢力と争うことになります。

フレンチ＝
インディアン戦争

1754〜63年

アメリカ大陸（北米）で起きたイギリスとフランスの植民地争い。

―――― 主な交戦勢力 ――――

フランス イギリス

 英仏が北米の植民地支配をめぐって対立

　当時、熾烈を極めた英仏の植民地戦争はアメリカ大陸でも勃発しました。

　フレンチ＝インディアンとあると、まるでフランス軍とインディアンが戦ったように見えますが、違います。フランス軍とインディアンが連合してイギリス軍と戦ったため、こう名付けられているのです。とはいえ、すべてのインディアンがフランスに味方したわけではありません。一部はフランス、一部はイギリスについた、というのがより正確なようです。

　この戦争以前、アメリカ大陸における英仏の植民地は、あちこち虫食いの状態でした。おおまかには、イギリスが東海岸側を、フランスは五大湖周辺やミシシッピ川流域を押さえていました。

　もちろん、どちらもアメリカ大陸を独り占めしたいと考えており、フランスの進軍をきっかけに北米の植民地覇権をかけたフレンチ＝インディアン戦争が勃発したのでした。

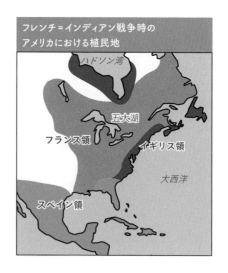

フレンチ＝インディアン戦争時の
アメリカにおける植民地

ハドソン湾

五大湖

フランス領

イギリス領

大西洋

スペイン領

イギリスが勝利し、北米の支配を確立
フランスは北米植民地をほぼ失った

　この戦争は、七年戦争（→222ページ）やインドでのカーナティック戦争、プラッシーの戦いと並行して行われました。最初はイギリスがフランス軍に押され気味でしたが、プラッシーの戦いが終わると、イギリスはこの戦争に本腰を入れるようになります。そして、一気に形勢を逆転しました。

　そのままフランスを圧倒し、勝利したイギリスは、パリ条約にてフランスから北米の植民地を獲得します。

　結局、**フランスはインドでも負け、アメリカでも負け、海外における植民地をほぼ失ってしまいました**。度重なる戦争によって戦費が拡大し、さらには植民地という貴重な収入源を失ったフランスでは、財政が悪化していきました。一方で、王室は豪華な暮らしを継続し、悪化した財政の補塡は国民からの税金によって賄（まかな）われました。このため民衆は不満をため込み、それがのちのフランス革命へとつながっていくのでした。

　また、勝利したイギリスも戦費を補うために、アメリカ植民地への課税を強めていきました。これは現地の大反発にあい、のちのアメリカ独立戦争（→388ページ）へとつながっていきました。この時代をうまく立ち回っていたように見えるイギリスですが、実はフランスと同じ失敗を犯していたのです。

パリ条約後のアメリカにおける植民地

ハドソン湾

イギリス領

五大湖

スペイン領

大西洋

フランス領

マイソール戦争

1767〜69年（第一次）、80〜84年（第二次）、90〜92年（第三次）、99年（第四次）

イギリスがインド南部の植民地支配を広げるために
現地のマイソール王国と争った。

┤ 主な交戦勢力 ├

イギリス マイソール王国

 南インドを狙うイギリスが現地の問題を利用した

　フランスとの戦いに勝ち、インドの植民地支配で優位に立ったイギリスは、その支配をインド全域に拡大しようともくろみました。そこでターゲットになったのが、インド北部の**シク王国**、中央部の**マラーター同盟**、そして南部の**マイソール王国**です。

　まず、イギリスが目をつけたのがマイソール王国でした。この頃、もともとヒンドゥー教国だったマイソール王国で、イスラーム教徒の有力者が実権を握り、南アジアで強力な王国となっていました。これに、マラーター同盟と、北に隣接するニザーム王国が危機感を覚えていました。イギリスはこの状況を生かして、マラーター・ニザームの2勢力と手を組み、マイソール王国へと攻撃を仕掛けたのです。これがマイソール戦争です。

18世紀末のインド

シク王国

マラーター同盟

ニザーム王国

マイソール王国

イギリス領

どうなった イギリスが南インド支配を確立させた

　この戦争でイギリスは、思わぬ苦戦を強いられることになりました。マイソール王国が、マラーター同盟、ニザーム王国とだけ交渉し、一足先に講和に持ち込んでしまったのです。その結果、イギリスは孤立してしまい、結局、第一次マイソール戦争はイギリスの妥協による講和で終わりました。

　その後、今度は、アメリカ独立戦争で疲弊していたイギリスを見たマイソール王国がフランスなどと手を組んでイギリスに攻撃を仕掛けました。これが第二次マイソール戦争です。

　ここでもイギリスはかなり苦戦を強いられ、終始戦況を有利に進めたマイソール王国の主導で講和に至ります。もちろん、イギリスは何も得することのない結果となりました。

　しかしイギリスは、再びマイソール王国へ攻撃を仕掛けます。この第三次マイソール戦争において、ついにイギリスはマイソール王国を降伏させ、王国の国土割譲などを勝ち取りました。

　第三次では、マイソール王国へのフランスの支援はなく、それがマイソール王国の敗因の一つだと言えるでしょう。第三次が始まった1790年はフランス革命の真っただ中であり、当然フランスは、そんな超非常事態の最中に、わざわざインドに戦力を割く余裕がなかったのです。こうして第四次にて、**マイソール王国を完全降伏させたイギリスは、これにて南インドの支配を確立したのでした**。

マラーター戦争

1775〜82年（第一次）、1803〜05年（第二次）、17〜18年（第三次）

イギリスがインド中央部に植民地支配を広げるためにマラーター同盟と争った。

┤ 主な交戦勢力 ├

イギリス マラーター同盟

 インド中央部を狙ったイギリスが、マラーター同盟の権力争いに介入した

　インドにおける植民地支配を広げようとしたイギリスが、インド南部に続き、インド中央部を狙って起こしたのがマラーター戦争です。

　マラーターとは、インド中央部のデカン高原付近で活動していた集団です。マラーターの英雄シヴァージーが、17世紀後半に**マラーター王国**を建国しました。シヴァージーの死後、王国は一時的に衰退するも、18世紀前半には各地の有力諸侯らが**マラーター同盟**を結成します。彼らは、当時すでに弱体化していたインドのイスラーム勢力**ムガル帝国**に圧力をかけ、北インドの大部分を支配しました。

　しかし、1772年に宰相の地位をめぐる後継者争いが表面化し、諸侯間の対立が生まれるなど、同盟内は混乱状態に陥りました。

　この混乱に乗じて勢力拡大を狙ったのがイギリスです。いくつかの有力なマラーターの諸侯に対し、「勝ったら領土を割譲してね」という約束のもと兵力を支援して介入したのです。

　こうしてイギリスが支援する有力諸侯と、反イギリスのマラーターという構図でマラーター戦争は勃発しました。

3度にわたる戦いで勝利したイギリスが 中央インドも制圧

　第一次マラーター戦争では、フランスが反英のマラーター勢力と手を組んで参戦してきました。この頃は、ちょうどアメリカ独立戦争が起きており、勢力を伸ばすイギリスに対してさまざまな国が敵対していました。フランスも例外ではなく、アメリカ独立戦争参戦を機にマラーター戦争にも参戦してきたのです。

　フランスが後ろ盾になった反英勢力の前に、イギリスは一進一退を繰り返し、最終的には講和に至ります。ここでイギリスは、ほとんど何も得ることができませんでした。

　しかし、第二次、第三次と続く戦いでは、イギリスはしっかり利益を確保していきました。第二次マラーター戦争では、イギリスはマラーターの有力な諸侯を個別に倒していき、諸地域を藩王国として従属させていきました。藩王国とは、イギリス直轄領ではなく、従来の統治者に統治させる領地のことです。

　こうしてマラーターの地域を押さえていく中で、現地の反英感情はさらに高まり、第三次マラーター戦争が勃発します。しかし、健闘むなしくマラーターは敗北を喫しました。**マラーター戦争での勝利により、イギリスはインド中央部も制圧し、インドでの植民地支配をさらに確固たるものにしたのです。**

シク戦争

1845〜46年（第一次）、48〜49年（第二次）

イギリスがインド北部に植民地支配を広げるためにシク王国と争った。

┤ 主な交戦勢力 ├

イギリス シク王国

 内政不安を抱えるインド北部のシク王国を、インド支配を完成させたいイギリスが挑発した

　マイソール戦争、マラーター戦争によってインド南部・中央部を支配したイギリスが、残るインド北部を支配していた**シク王国**と戦ったのがこの戦争です。

　シク王国とは、ヒンドゥー教から派生した宗教である**シク教**（16世紀初頭にナーナクが創始）によるインド北西部の王国です。シク教はもともと一つの宗教団体にすぎませんでした。

　転機が訪れたのは、イスラームを中心としつつ、他宗教にも寛容だった、ムガル帝国の3代アクバル帝が亡くなってからのことです。アクバル後のムガル皇帝は、異教徒を弾圧し始めました。これに反発したシク教は、政治結社としてまとまり、軍事力の強化を始めます。そして18世紀末には、ランジット＝シングによりシク王国が建国されたのです。

　シク王国は、宗教的不寛容を一つの要因として勢いを失ったムガル帝国とは対照的に、シク教徒以外も平等に扱いました。実際、ランジット＝シングの右腕たる宰相はイスラーム教徒であり、国の財政をつかさどる財務大臣はヒンドゥー教徒でした。

　しかし、ランジット＝シングの死後、王国は後継者争いに陥り、政治的に不安定となります。最終的には、統制のとれていない軍が実権を握りました。

　これをチャンスととらえたイギリスは、かつてランジット＝シングと恒久的な友好条約を結んでいたにもかかわらず、シク王国の軍を挑発して戦争を始めるように仕向けます。この挑発に応じるかたちで、シク王国はイギリスとの

開戦に踏み切ったのでした。

シク王国が降伏し、 インドは完全にイギリスの手に落ちた

　開戦時点で、シク王国側はすでに非常に不利な状態でした。シク王国の宰相や司令官などがイギリスとひそかに通じていたのです。

　シク王国側は敗戦を重ね、ラホール条約によって講和となりました。その結果、シク王国の首都ラホールにはイギリス人の駐在官が派遣され、多くの領土の割譲が決まりました。さらに軍隊の縮小も強いられてしまいます。

　また、これとは別の条約も結ばれ、**イギリスの駐在官がシク王国で権限を行使すること、さらには王国各地にイギリス軍の基地を置くことも認められました。**

　これは事実上、シク王国がイギリスの間接統治下に置かれることを意味し、当然、現地の人たちの反感を大いに買うものでした。一方のイギリスでも、急進的な帝国主義者たちはこの結果に満足しませんでした。徹底的な支配、つまり領土併合と直接統治を望んだのです。

　こうして再びの戦争は避けられず、イギリスからの独立を求めたシク王国での反乱をきっかけに、第二次シク戦争が発生します。

　シク王国側からすれば、負ければイギリスによる直接統治、搾取は免れないという背水の陣です。しかし、何度かは勝利をつかみ取ったものの、やはり戦力の差は縮まらず、グジャラートの戦いにおいて2000人近い死者を出す大敗を喫し、降伏となりました。

　戦後、イギリスは直接統治でシク王国の領土を併合しました。こうして、**マイソール戦争、マラーター戦争、シク戦争の3つの戦争を経て、イギリスの植民地支配はインド全域に及ぶことになったのです。**インドにとっては、厳しい時代が訪れたことになります。

シパーヒーの反乱
（インド大反乱）

1857〜59年

イギリス東インド会社に雇われていたインド人兵士（シパーヒー）が
宗教的事情を理由に反乱を起こし、それがインド全域に広がった。

┤ 主な交戦勢力 ├

ムガル帝国 イギリス

 インド人兵士の反乱が、インド全域に広がった

　イギリスのインド植民地支配に対して、現地の兵士や民衆が起こしたのが
シパーヒーの反乱（インド大反乱）です。別名に「大反乱」と付く通り、この
反乱はインド全域に広がりました。

　インドにおけるイギリスの覇権が確立すると、インドの資源はイギリスに吸
い取られる一方となりました。さらに、イギリスの綿製品がインドに大量に流
入したことでインド国内の綿織物生産は大打撃を受け、さらには極端なイン
フレにより国内は混乱状態に陥りました。

　こうした極度のインフレの中でも、イギリス東インド会社に雇われたインド
人兵士（シパーヒー）の給料は据え置かれました。また、昇進も遅く、彼らの
不満は高まる一方でした。

　さらにこの頃、イギリス東インド会社は、「藩王国取りつぶし政策」を始め
ていました。これは、もともと一定の自治を認めていた藩王国（当時のインド
の地方政権）から領地を奪う政策で、これにより支配者層はどんどん没落し
ていきました。これらの背景から、インド国内で反英感情が高まっていった
のです。

　そして1857年、イギリス東インド会社の基地があったインド北部の都市
メーラトで、ついにシパーヒーによる反乱が起こります。

　反乱の直接のきっかけは、シパーヒーに支給された新式銃の弾薬の包み
紙にありました。この弾薬を銃に装塡するには、包み紙を口で切らなければ

なりません。しかし、**この包み紙に牛や豚の油が使われていた**のです。現地の人が信仰していたヒンドゥー教にとって牛は神聖な生き物であり、イスラーム教にとって豚は忌みきらう動物です。イギリスが宗教的な事情を無視したことが引き金となり、シパーヒーの不満は爆発しました。これがたちまちインド全域に広がり、インド中を巻き込んだ大反乱となったのです。

 ## イギリス本国が直接統治する「インド帝国」が誕生

メーラトで反乱を起こしたシパーヒーは、その後デリーに向かい、そこに駐在するシパーヒー部隊を味方につけてデリーを占拠しました。

また、反乱軍の最高指導者として、当時すでに名ばかりだったムガル皇帝を担ぎ出し、「皇帝復権を掲げてイギリスと戦う」という正当性を反乱に持たせました。これにより、イギリスの支配に不満を抱えるあらゆる宗教、階級の人たちを味方につけることに成功します。

一方の東インド会社は、シパーヒーが離脱したことによって兵力不足に陥りました。そこで、イランや中国からも軍隊を移動させ、さらにはイスラーム教と長年対立していたシク教徒も味方にして軍事体制を立て直します。また、政治工作も行い、旧支配階級を懐柔することで、大半の藩王国を味方にすることにも成功しました。

結果的に、寄せ集めゆえに集団をまとめられなかったデリーの反乱軍は劣勢に立たされ、反乱開始からわずか4か月でデリーは陥落し、反乱は鎮圧されてしまいました。**ムガル皇帝は流刑に処され、ムガル帝国は名実ともに滅亡しました。**

反乱の鎮圧には成功したイギリスでしたが、これまでの東インド会社を通しての統治には限界があると感じざるを得ませんでした。そこでイギリスは、同会社を解散させ、インドの直接統治を開始します。**1877年には、ヴィクトリア女王を初代皇帝とするインド帝国が樹立され、本国政府がインドを直接統治することとなりました。**

カーナティック戦争、プラッシーの戦いでフランスに勝ったイギリスが
インド支配の主導権を握る

アメリカ大陸で起こったフレンチ＝インディアン戦争でもイギリスが
フランスに勝利。イギリスはアメリカ大陸での植民地支配も確立。
一方のフランスは海外の植民地をほぼすべて失う

マイソール戦争で、マイソール王国を降伏させたイギリスが
南インド支配を確立

マラーター戦争で、マラーター同盟に勝利したイギリスが
中央インド支配も確立

シク戦争で、シク王国に勝利したイギリスはインド北部も支配。
インド全域を支配下に置く

シパーヒーの反乱を通して、イギリスは東インド会社を解散。
インドはイギリス本国が直接統治することになり、インド帝国が誕生

フランス革命と
高まる自由の機運

フランス革命戦争

1792〜99年

フランス革命に干渉してくる周辺国に対し、フランスが戦争を仕掛けた。

─┤ 主 な 交 戦 勢 力 ├─

フランス オーストリア、オランダ、ベルギーなど

 フランスで「第三身分」の不満が爆発し、革命が起きる

18世紀のフランス社会は、強烈な身分社会、格差社会でした。全人口の1割にも満たない聖職者（第一身分）や貴族（第二身分）などの特権階級が土地や権利を独占し、さらには免税特権も持っていました。一方、その他9割以上を占める平民（第三身分）は苦しい生活を強いられ、不満を募らせていました。

フランス王ルイ16世は、この状況を打開すべく、経済学者テュルゴーや銀行家ネッケルなどを登用し、特権階級への課税などの財政改革を試みます。しかしこれは、貴族などの反対により頓挫しました。

行き詰まったルイ16世は、第一、第二、第三身分の各代表が集まる三部会という議会を開催し、改革を強行しようとしました。この三部会こそ、フランス革命の引き金となったのです。

1789年に始まった三部会で問題となったのは、その議決方式でした。課税されたくない第一身分と第二身分は「1身分1票」という議決方式を主張しました。こうすれば、第一・第二身分で2票、第三身分で1票となり、第三身分が勝つ可能性はなくなります。

一方の第三身分は「1人1票」を主張しました。そうすれば、人口の大半を占める第三身分が確実に勝利できます。当然、お互いが譲らず、議会はうまく進みませんでした。

そこで、らちが明かないと考えた第三身分は、三部会から分離し、憲法制定を目指す国民議会を打ち立てます。彼らは球戯場（テニスコート）で、「憲

法制定までは議会を解散しない」と誓いました（球戯場の誓い）。

この動きを見た貴族たちは国王をそそのかし、軍隊によってそれを抑え込もうとします。これに大反発した民衆たちは、バスティーユ牢獄を襲撃し、自衛用の武器を入手しました。その後は、各地で農民や都市部の民衆による反乱が相次ぎ、**フランス革命**が始まるのです。

これを受け、国民議会は一気に改革を進めました。議会は封建的特権の廃止を決議し、「**人権宣言**」を採択します。自由・平等・抵抗などの基本的人権や国民主権の考え方を提示した人権宣言は、それまでの身分制社会を否定し、新しい社会へ歩むことを端的に示しました。

そして、**国民議会の決議を認めないルイ16世に対し、食料難に直面したパリ市民が起こしたヴェルサイユ行進を通じて、議会の決議の承認を取り付けました。**

 フランス革命の波及を恐れたヨーロッパ各国がフランスに干渉

これに危機感を覚えたのが周辺国の君主たちでした。「我が国でもフランス革命に影響された活動が始まったら、自らの地位が脅かされてしまう」と考えたのです。

中でも最初に行動を起こしたのが、オーストリア皇帝のレオポルト2世と、プロイセン王のフリードリヒ＝ヴィルヘルム2世です。彼らは**ピルニッツ宣言**を出し、**ヨーロッパ各国の君主に対して「革命への干渉」を呼びかけました。**

さすがにヨーロッパ各国の干渉はまずいと考えたのか、国民議会は、立憲君主制や財産資格選挙などを定めた**1791年憲法**を制定します。これにて、「憲法制定までは解散しない」という任務を終えた国民議会は解散しました。

その後、新たに成立したのが**立法議会**です。立法議会の課題は、先のピルニッツ宣言にどう対処するかでした。

当時の立法議会では、立憲王政（国王は残しつつ、その権力は憲法で制限する）を主張する**フイヤン派**と、穏健共和政（国王は不要と考える）を主張する**ジロンド派**が対立していました。フイヤン派は「外国に負ければ革命は終わり、王政は取り戻せる」と考え、一方のジロンド派は「共和政を達成するには、革命に干渉してくる勢力を倒さなければいけない」と考えていました。ここに両者の思惑は「戦争をしたい」という点において一致しました。こうして議会は、

多数の賛成をもってオーストリアに宣戦布告し、フランス革命戦争を始めた
のです。

対フランスを掲げて、ヨーロッパ各国が同盟を結成

　開戦当初、フランス革命軍は劣勢に立たされます。しかし、立法議会が「祖
国は危機にあり」という緊急事態宣言を行うと、各地から多くの義勇兵がパ
リに集まりました。マルセイユから来た義勇兵たちが当時歌っていた『ラ゠マ
ルセイエーズ』は、今でもフランス国歌として歌われています。

　このような状況下でフランス国内では、民衆が王の宮殿を襲撃する事件
が起こります（**8月10日事件**）。これを受けて立法議会は、王政を廃止し、
国民が選挙で選んだ代表による共和政をとると宣言しました。これによって
士気が高まった革命軍は、義勇兵の増加もあいまって、**ヴァルミーの戦い**で
オーストリア・プロイセン軍に勝利し、劣勢の状況から立て直しに成功しま
す。

　また、この勝利当日には立法議会は解散され、史上初の男性普通選挙が
実施されました。そして選挙で選ばれた議員が集まり、**国民公会**という新た
な議会が生まれます。

　この新たな議会の中心は、急進共和派（共和政を急速に進めようとした勢力）
の**ジャコバン派**（山岳派）でした。彼らは、**ルイ16世を処刑し、国王のいな
い共和政を実現します。**

　この国王処刑に危機感を強めたイギリス、スペイン、オランダなどの周辺
国は、**第1回対仏大同盟**を結成しました。その名の通り、革命が起きたフ
ランスを倒すための同盟です。革命軍は、ついにヨーロッパの大国たちを敵
に回すことになったのです。

ナポレオンによるイタリア、エジプト遠征が始まる

　一方のフランスでは、ジャコバン派が権力を握り、独裁と恐怖政治によっ
て民衆を支配し始めました。指導者の**ロベスピエール**を中心として改革を強
行し、反対するものを処刑していったのです。

しかし、この恐怖政治は長続きしませんでした。強権的な政治に反発した民衆がクーデタを起こし、ロベスピエールを倒したのです（**テルミドール9日のクーデタ**）。

　続いて成立したのが、独裁政治を防ぐために5人の総裁からなる**総裁政府**でした。しかし、ここでも政府転覆が計画されるなど社会不安は続き、民衆は安定を求めていました。

　そこに現れたのが**ナポレオン = ボナパルト**でした。彼は27歳の若さで頭角を現し、イタリアとエジプトへの遠征を指揮しました。

　当時、オーストリアはイタリアの北部を支配しており、フランスと国境を接していました。そこで、イタリア北部まで行って革命を邪魔するオーストリアを倒すべく始まったのが**イタリア遠征**です。ここでナポレオンがオーストリア軍を破ったことで、第1回対仏大同盟は崩壊しました。

　イタリア遠征で戦果を挙げたナポレオンが、続いてイギリスに対抗すべく派遣されたのが**エジプト遠征**です。エジプトを攻めれば、イギリスが支配下のインドに抜けるための航路を断てると考えたからです。ただし、この遠征では提督ネルソン率いるイギリス海軍に敗北を喫してしまいます。

　このナポレオンが行った2度の遠征は、旧来の君主制による支配からの解放や国民意識の芽生えなど、近代につながる影響を残しました。

　フランス革命に呼応した革命的な動きが盛り上がりつつあったイタリアでは、遠征してきたナポレオンによって支配された時期に、行政・経済面の改革が進みました。こうして「リソルジメント（イタリア語で「復興」の意）」が進み、のちのイタリア統一につながっていきます。

　遠征からナポレオンが撤退した後のエジプトでも、混乱の中で**ムハンマド = アリー**という人物が頭角を現し、オスマン帝国からの自立が始まりました。

　エジプト遠征から帰還したナポレオンは、ブルジョワ層などから援助を受け、**ブリュメール18日のクーデタ**によって総裁政府を倒しました。フランスではナポレオンを第一統領とする統領政府を発足し、フランス革命はここで終わりを告げます。その後のフランスは、ナポレオンによる侵略戦争の時代に突入していきます。

フランス革命の主な出来事			
1789年	8月	人権宣言採択	身分制社会から近代市民社会へと移るビジョンを提示。
	10月	ヴェルサイユ行進	議会や国王一家の居住地がヴェルサイユからパリに移動。
1791年	6月	ヴァレンヌ逃亡事件	国王一家がオーストリアへと逃亡を図るも失敗し、信頼が失墜する。
	8月	ピルニッツ宣言発出	オーストリアとプロイセンが「革命への干渉」を唱える。
	9月	1791年憲法決議	立憲君主制の憲法が成立。目的を達成した国民議会は解散。
	10月	立法議会成立	君主制支持のフイヤン派と共和制支持のジロンド派が対立。
1792年	4月	フランス革命戦争開戦	議会が賛成多数で対オーストリア宣戦布告を決議。
	8月	8月10日事件	敗北続きのフランス軍に危機を感じた民衆が宮殿を襲撃。
	9月	ヴァルミーの戦いで勝利	義勇兵の増加もあり、フランス軍がプロイセンを破る。
	9月	国民公会招集	ヴァルミーの戦い勝利の当日に開会。さらにその翌日には第一共和政を採用。
1793年	1月	ルイ16世処刑	危機を感じた諸外国が対仏大同盟を結成。
	3月	ヴァンデーの農民反乱	国王支持派の指導する農民が革命に反対して武装蜂起。
	6月	国民公会からジロンド派追放	ジャコバン派のロベスピエールが実権を握り、独裁政治を加速させる。
	6月	1793年(共和暦1年)憲法決議	人権を広く認める内容だったが施行は延期され、結局実施されず。
1794年	7月	テルミドール9日のクーデタ	ロベスピエール独裁が終了。国民公会は穏健化。
1795年	8月	1795年(共和暦3年)憲法決議	私有財産の重視と制限選挙制度を定めた憲法。
	10月	総裁政府成立	1795年憲法に基づき成立。5人の総裁を置くも政局は安定せず。
1796年	5月	バブーフの反乱が失敗	総裁政府の転覆を狙った首謀者バブーフが処刑される。
1796〜		ナポレオンのイタリア遠征	オーストリア軍を倒し、南ネーデルラントとロンバルディアを獲得。
1798〜		ナポレオンのエジプト遠征	英印航路遮断を狙うもアブキール湾の海戦で英ネルソンに敗北。
1799年	11月	ブリュメール18日のクーデタ	ナポレオンらが総裁政府を打倒。
	12月	1799年憲法制定	ナポレオンを第一統領とする統領政府が発足。革命はここで終了。

ナポレオン戦争

1803〜15年

ナポレオンが「革命の精神をヨーロッパ各国に広げる」という
大義名分のもとに行った侵略戦争。

─┤ 主な交戦勢力 ├─

フランス　　　　　　　　　　ヨーロッパ諸国

なぜ争った
「自由と平等」の大義名分のもと、ナポレオンが各国に侵攻

　ナポレオンによるヨーロッパ各国への侵略戦争のことをまとめて「ナポレオン戦争」と呼びます。ナポレオンの「イタリア遠征」以降を指す場合もありますが、本書ではフランス革命終了後、侵略戦争の意味合いが強くなった1803年以降のこととして扱います。

　エジプト遠征から帰還したナポレオンは、クーデタによって旧政府を倒し、新政府の「第一統領」としてフランス統治を始めました。

　その後、イギリスとアミアンの和約を結んでフランスに一時的に平和をもたらしたナポレオンは、**ナポレオン1世**として皇帝に即位します。そして、**フランス革命の精神をヨーロッパに広めるという大義名分のもと、ナポレオンはヨーロッパへの侵略戦争を始めたのです。**

ナポレオン

ナポレオンの快進撃でヨーロッパ大陸の大半が フランスの支配下に

　ナポレオンが皇帝として即位した後、イギリスの首相ピットを中心に3度目の対仏大同盟が結成されました。イギリス・オーストリア・ロシア・スウェーデンなどで結成されたこの**第3回対仏大同盟**に対し、ナポレオンはイギリスに圧力をかける目的のもと、フランス・スペイン連合艦隊をドーヴァーに派遣しました。これが**トラファルガーの海戦**です。この時点では、スペインはフランスと同盟を結んでいたわけです。

　ドーヴァーに向かってくるナポレオンに対し、イギリスはネルソン提督率いる海軍で迎え撃ちました。エジプト遠征中のナポレオン軍を破った経験のあるネルソンは、ここでもフランス・スペイン連合艦隊を撃破し、ナポレオンのイギリス征服を阻止します。ただし、ネルソン提督はここで戦死してしまいました。

　イギリスとの海戦では敗れたナポレオンでしたが、陸戦では見事勝利を挙げました。まずはオーストリア・ロシア連合軍を**アウステルリッツの戦い**で破り、プレスブルクの和約で第3回対仏大同盟を解消に導きます。

　また、ナポレオンは、西南ドイツ諸邦に傀儡組織である**ライン同盟**を結成させ、神聖ローマ帝国から離脱させます。これによって神聖ローマ帝国は名実ともに消滅することになりました。同年10月には、**イエナの戦い**でプロイセンにも圧勝しています。

　さらにナポレオンは、ここで**大陸封鎖令**を発布します。これは、**ヨーロッパの征服地に対し、イギリスとの通商を全面禁止する**という内容でした。産業革命の進んだイギリスから工業製品を買い、代わりに自国の農産品を売るという貿易を重視していた各国は、この命令によって大きな打撃を受けることになりました。

　その翌年には、**フリートラントの戦い**でロシアを撃破し、この年に結ばれたティルジット条約にてプロイセンから奪ったエルベ川西岸と旧ポーランド領にそれぞれウェストファリア王国、ワルシャワ大公国を建設します。

スペインの反乱、度重なる敗戦により、ナポレオン体制は終焉へ

　さらに、ナポレオンは、大陸封鎖令に従わないポルトガルに出兵し、スペインにも侵攻を始めました。しかし、それに抵抗したスペイン国民たちが**スペイン反乱**（**スペイン独立戦争**）を起こすと、ナポレオンはその対応に追われることになります。

　そのさなか、大陸封鎖令で小麦や木材などの輸出を妨げられたロシアは、いよいよ我慢できずにイギリスとの貿易を再開しました。この大陸封鎖令違反をとがめるために、ナポレオンは**ロシア遠征**を始めました。

　しかし、ナポレオンを襲ったのは、ロシアの焦土戦術と厳しい寒さでした。ロシアが行く先々で補給地を焼き払っていたため、物資や陣地は残っておらず、まともな食料や装備のないまま戦わざるを得なくなったのです。ナポレオン率いるフランス軍は大打撃を受け、遠征開始時には70万人だったといわれる兵力は、退却時には5000人までに減っていたとされます。

　このロシアでの敗戦を受け、スペインでもフランスは劣勢となり、撤退することになりました。

　また、これをチャンスととらえたヨーロッパ諸国は、フランスを見限って、4度目の対仏大同盟を結成します。これに対処できなかったナポレオンは、続くヨーロッパ諸国との**ライプツィヒの戦い**（**諸国民戦争**）にも敗北してしまいました。

　度重なる戦争の敗北により国民からの支持を失ったナポレオンは皇帝を退位し、エルバ島に流され、幽閉されてしまいました。この時代に代わって即位したのが、かつて革命派に処刑されたルイ16世の弟である**ルイ18世**です。これを復古王政と呼びます。

　しかし、ナポレオンは最後まで諦めず、エルバ島から脱出し、再び皇帝に復位しました。しかし、名声を取り戻そうと臨んだ**ワーテルローの戦い**でまたもや敗北し、結局、百日天下で終わってしまいました。ナポレオンはアフリカ大陸付近のセントヘレナ島に流され、イギリスの監視下で幽閉され、51歳でこの世を去りました。

ヨーロッパで「ウィーン体制」が成立

　なお、ナポレオン戦争後のヨーロッパでは、フランス革命とナポレオンが変えてしまったヨーロッパの秩序を再建するために、1814年、**ウィーン会議**が開かれました。ここでは、**自由主義**（自由と平等を掲げる思想）や**ナショナリズム**（国家や民族の統一・独立を進める思想）の抑圧を目指す**ウィーン体制**が成立しました。つまり、「**ヨーロッパの秩序をフランス革命以前の状態に戻そう**」というものです。

　それに従い、ヨーロッパ各国では王政復古や憲法廃止などの動きが起こりました。しかし、スペインで起きた憲法復活を求める**スペイン立憲革命**を皮切りに、各地で革命や反乱が相次ぎ、結局ウィーン体制は揺るがされてしまうのでした。

1804年	5月	ナポレオンが皇帝に就任	形式的な国民投票を実施し、第一帝政を開始。
1805年	8月	第3回対仏大同盟結成	ナポレオンの皇帝就任を危惧した英首相ピットの呼びかけにより、結成。
	10月	トラファルガーの海戦	ネルソン率いる英海軍がナポレオンの進出を阻止。
	12月	アウステルリッツの戦い	ナポレオンがオーストリア・ロシア連合軍を破る。
1806年	7月	ライン同盟結成	多くの領邦を失った神聖ローマ帝国は名実ともに消滅。
	11月	大陸封鎖令発出	ナポレオンがイギリスとの通商を禁止する。
1807年	6月	フリートラントの戦い	ロシアを破り、大陸封鎖令に従うことを約束させる。
	7月	ティルジット条約締結	イエナの戦いで完勝したナポレオンが、プロイセンからエルベ西岸とポーランドを獲得。
	11月	ポルトガル征服	フランス軍がリスボンを占領。ポルトガル王室はブラジルに脱出。
1808~1814年		スペイン反乱	ナポレオンのスペイン侵攻に対する抵抗。最終的にはフランス軍が撤退。
1812年	5~12月	ロシア遠征	モスクワに一時迫るも多くの犠牲を生み、大失敗に終わる。
1813年	10月	ライプツィヒの戦い	第4回対仏大同盟の前にナポレオンが完敗。
1814年	4月	ナポレオン退位	同盟軍がパリに入城。ナポレオンはエルバ島に島流し。
1814~1815年		ウィーン会議	自由主義とナショナリズムの抑圧を目指すウィーン体制が確立。
1815年	3月	百日天下	エルバ島から脱出したナポレオンがパリに帰還。皇帝として再起を図る。
	6月	ワーテルローの戦い	イギリスとプロイセンがフランスを破り、ナポレオンは再び島流し。
1821年	5月	ナポレオン死去	大西洋の孤島、セントヘレナ島での幽閉中に死去。

七月革命

1830年

絵画にも描かれたフランス市民の栄光の3日間！
シャルル10世の時代錯誤な圧政に、民衆が蜂起。

─┤ 主な交戦勢力 ├─

シャルル10世 パリ市民

なぜ争った
王政が復活したフランスで、国王の圧政に民衆が蜂起した

　フランス革命にて一躍英雄となったナポレオンは、先に紹介したナポレオン戦争の末にすっかり没落してしまいました。その後、**絶対的なリーダーを失ったフランスでは、再び王政が復活します。**

　久しぶりの王の座に君臨したのが、フランス革命中に処刑されたルイ16世の弟、**ルイ18世**でした。彼は一度王座についた後、ナポレオンが一時復活した「百日天下」のときにはベルギーに逃亡し、その後再びフランスに戻ってきました。

　ルイ18世は、形式的には憲法を重視した政治を行いましたが、問題は続く王となった**シャルル10世**です。彼は、ルイ18世の晩年から勢力を拡大していた「フランス革命前の体制に戻そう」という考えを持つ貴族たちの支持を受けて王となりました。

　彼は貴族優先の政治を行うとともに、革命で廃止となった「出版物の検閲」や「集会の制限」などを復活させました。フランス革命以降、自由主義的な考えが民衆の間に広まる中、**シャルル10世は貴族にやさしく、平民に厳しく、というまさに王道の反動政治（改革や革新を許さない政治）を押し通したのです。**

　当然、これに民衆は反発しました。シャルル10世は、国内の不満をそらす目的でアルジェリアへ出兵して占領しますが、それで民衆の気を紛らわすことは到底できませんでした。

　シャルル10世が議会を強制的に解散し、言論統制を始める方針を打ち出

すと、パリ民衆の怒りはついに爆発しました。こうしてフランス王政に対して
パリ市民が立ち上がり、七月革命が始まったのです。

 たった3日で民衆が勝利。国王を退位に追い込んだ

　パリの民衆は街の路地などにバリケードを築き、フランス軍に対して攻撃
を開始しました。軍は民衆を抑え込むことができず、3日間のうちにパリ市
庁舎や宮殿は陥落してしまいます。

　民衆を無視できなくなったシャルル10世は、いよいよ自らの退位を宣言せ
ざるを得なくなりました。民衆が王から勝利を勝ち取ったこの3日間の戦いは
「**栄光の3日間**」と呼ばれます。

　民衆の勝利に終わった七月革命は、芸術作品の題材ともなりました。絵
画では、ドラクロワによる『民衆を導く自由の女神』が有名です。ドラクロワ
本人は戦いに直接参加していませんが、革命の思いに共鳴し、この絵を描
いたとされています。

ドラクロワの『民衆を導く自由の女神』

シャルル10世が退位したフランスでは、オルレアン家の**ルイ＝フィリップ**が新たな王に選ばれました。彼は自由主義的な立憲王政、つまり憲法を重んじつつ王政を実現するという体制をとります（**七月王政**）。

　こうした七月革命の「成功」は、ヨーロッパ各地の自由主義やナショナリズムに基づく運動を活性化させました。

　しかし、七月王政にすべてのフランス国民が満足したかといえば、そうではありません。ルイ＝フィリップが重視したのは資産を持つ上層市民たち、いわゆるブルジョワだったのです。そのため彼は「株屋の王」と呼ばれました。

　この状況に民衆は、「結局、自分たちの境遇は変わらないじゃないか」と不満を隠せませんでした。そして一部の民衆が1832年6月に小さな暴動を起こします。これは「六月暴動」と呼ばれ、歴史上はそれほど注目されていませんが、ヴィクトル＝ユゴーが小説『レ＝ミゼラブル』の後半でこの暴動を題材にしたことで有名になりました。

　こうしてフランスでは革命の火種がくすぶり続け、のちの二月革命へとつながっていくのです。

二月革命

1848年

ブルジョワを優遇するルイ＝フィリップ政権に対して、
再びパリ市民が反乱を起こした。この革命はヨーロッパ各国に波及した。

―――― 主な交戦勢力 ――――

ルイ＝フィリップ パリ市民

なぜ争った

七月革命の結果に不満を抱いた民衆が
再び反乱を起こした

　七月革命によりルイ＝フィリップによる立憲王政が始まるも、彼は結局、ブルジョワを優遇する政策をとりました。選挙権が与えられたのも、ごく一部の高額納税者だけだったのです。

　またこの頃、社会は少しずつ変化の兆しを見せていました。18世紀末からイギリスでは**産業革命**が始まり、フランスでも1830年代から少しずつ工業が発展していました。

　こうして産業が発展するとともに増加したのが、労働者階級や都市の中産階級です。彼らは、金持ちばかりを優遇する政府に不満を抱かずにはいられず、選挙権を求めますが、当時のフランスの首相ギゾーは「選挙権が欲しければ金持ちになれ」といった発言をし、金のない民衆を相手にしませんでした。

　この状況に対抗すべく、民衆は集会を開催して意見を表明しようとします。しかし、ギゾーは言論・集会の自由も制限しました。そこで民衆たちが考えたのが**改革宴会**です。これはつまり、「私たちがやっているのは集会ではなくただの宴会ですよ」と言って、そこで合法的に政治的な話をしようとしたわけです。しかし、当然この狙いは見抜かれ、政府はこの宴会も禁止しました。

　この弾圧に対して民衆はついに怒り、いよいよ政府に対して武器をとって蜂起しました。これが、1848年2月にパリで起こった**二月革命**です。この革命は、1845年頃からの凶作と、続く1847年からの経済危機に対する不満も背景となっていました。

パリ市民が再び市街戦を挑んで勝利。ヨーロッパ各国に革命が波及した

パリ市民は、18年前の七月革命に続き、ここでも市街戦を展開しました。労働者や農民、学生などが大挙してデモを始め、それを止めようとする軍に対してバリケードを築いて対抗しました。当時、パリの路地は狭く、石畳だったため、バリケードで軍隊の動きを簡単に止められたのです。何より民衆は、すでに前回の七月革命で戦い方をよく心得ていました。

ルイ＝フィリップはギゾーを退任させて事態の収拾を図ろうとしますが、それだけでは民衆の怒りは収まりませんでした。ルイ＝フィリップは退位に追い込まれ、イギリスに亡命するはめになってしまいます。こうして民衆による反乱は、またしても成功しました。これによって**第二共和政**が成立し、4月には21歳以上の男性による普通選挙が実現しました。

このフランス二月革命の成功に刺激を受けた周辺国では、各地で反乱が起こるようになりました。ウィーンでは**三月革命**が起き、自由主義を抑圧してきた政治家メッテルニヒが亡命に追いやられます。これにより、ウィーン体制は事実上崩壊し、各地で独立運動が盛んになりました。ハンガリーでの**ハンガリー民族運動**、ロシアの支配に対する**ポーランド独立運動**、ベルリンで起きた**三月革命**などです。これらは1848年を中心に起こったので、まとめて**1848年革命**と呼ぶこともあります。

フランスの実権を握ったのは新たな「ナポレオン」

しかし、当のフランスは、二月革命後、臨時政府内で内部対立が起き、不安定な情勢が続きました。

ここで実権を握ったのが、あのナポレオンの甥である**ルイ＝ナポレオン**でした。彼は大統領選挙に圧勝し、初代フランス大統領に就任します。その後、帝政の復活をめぐる人民投票でも圧勝した彼は、皇帝**ナポレオン3世**として即位しました。こうしてフランスでは、**第二帝政**が始まったのです。

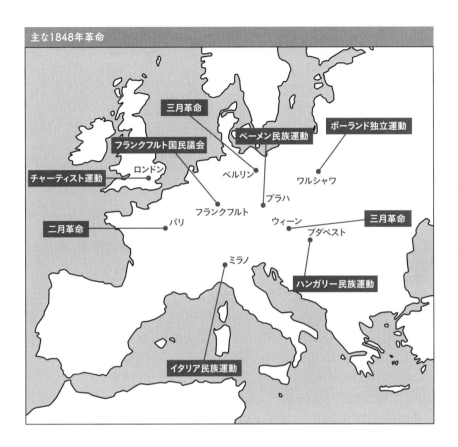

主な1848年革命

三月革命

ベーメン民族運動

ポーランド独立運動

フランクフルト国民議会

チャーティスト運動

ロンドン

ベルリン

ワルシャワ

二月革命

パリ

フランクフルト

プラハ

ウィーン

三月革命

ブダペスト

ミラノ

ハンガリー民族運動

イタリア民族運動

イタリア統一戦争

1859年

イタリア統一を目指すサルデーニャ王国が、
イタリア北部を支配していたオーストリアと戦った。

┤ 主な交戦勢力 ├

サルデーニャ王国、フランス オーストリア

 **イタリア統一のためには、イタリア半島北部を
支配するオーストリアを倒す必要があった**

　ヨーロッパでは、フランスの二月革命以降、ナショナリズム（同じ民族で一つの国をつくる）の意識が高まり、また産業革命を達成した国とそうでない国とで国力の差が明確になってきていました。そこでイタリアでも、「バラバラのままではいけない。統一して強い国になろう」という機運が高まり始めます。

　5世紀に西ローマ帝国が滅亡して以降、中世・近世のイタリア半島は、さまざまな勢力が入り乱れる状況でした。北にはサルデーニャ王国やヴェネツィア共和国、ミラノ公国が、中部にはローマ教皇領、南にはナポリ王国、シチリア王国があり、それぞれの文化はまったく異なっていました。

　そのため、**イタリア半島は政治的に安定せず、他の国の戦争の舞台になったり、神聖ローマ皇帝から介入を受けたりしていたのです**。近世のイタリアは、ルネサンスで華やかな文化が生まれたイメージですが、実際は不安定な状態が続いていました。

　そこで最初は、**カルボナリ**や**青年イタリア**という秘密結社・政治結社が統一を目指して動きましたが、それは失敗に終わります。その後、**イタリア北部のサルデーニャ王国の王ヴィットーリオ＝エマヌエーレ2世の下で首相に任命された**カヴールが統一に向けて立ち上がりました。

　カヴールはまず、外交戦略によって統一に向けた地盤を固めていきました。クリミア戦争（→407ページ）にて英仏の要請を受け入れて参戦し、フランスに接近したうえでナポレオン3世に統一支援をお願いしたのです。

　フランスからの支援を取り付けたサルデーニャ王国は、統一のために戦争

を起こします。その相手はオーストリアでした。**イタリア北部はオーストリアの影響が強く、ロンバルディア、ヴェネツィアなどがオーストリアの支配下にあったからです。**このオーストリアからイタリアの地を取り戻すことが、統一に向けた最初の課題だったわけです。

オーストリアから一部の領土を奪還したサルデーニャ王国は、その後、とんとん拍子でイタリアを統一

フランスを味方にしたサルデーニャ王国は、この戦いを優勢に進めました。しかし、なんとフランスは勝手にオーストリアと講和を結んでしまいます。結果、サルデーニャ王国は北部のロンバルディアを獲得しましたが、ヴェネツィアはオーストリア領のままとなってしまいました。

課題は残したものの北部統一を前進させたサルデーニャ王国は、その後、中部イタリアの併合にも乗り出しました。当時、中部にはフランス軍が駐屯しており、カヴールはフランス人が多く居住する自国領サヴォイアとニースをフランスに渡すことで、ナポレオン3世から中部統一への合意を取り付けます。

残るは南部です。実は南部には、**ガリバルディ**という革命家がいて、サルデーニャ王国とは別にイタリア統一を目指して動いていました。ガリバルディは青年イタリアでも活動していたイタリア統一に人生を捧げた人間です。

彼は**赤シャツ隊**（ガリバルディが赤いシャツを着ていたことに由来）と呼ばれる義勇軍を率いて、イタリア南部のシチリア王国、ナポリ王国を占領しました。

南と北から別々に統一を目指していたガリバルディとカヴールは会談を開き、そこでガリバルディはサルデーニャ王のエマヌエーレ2世に向かって「ここにイタリア国王がおられるのだ」と叫びました。そしてなんと、自身が占領してきた南イタリアの土地をサルデーニャ王国にすべて献上したのです。ガリバルディは、戦いによって野望を達成することより、母国の統一と繁栄を願った英雄として今でも人気の高い人物です。

そして、ついにイタリアは統一され、サルデーニャ王国のエマヌエーレ2世を国王とする**イタリア王国**が建国されました。

どうなった ② 「未回収のイタリア」の火種が、第一次世界大戦までくすぶる

しかし、イタリア半島にはいまだ外国に占領されたままの地域が残っていました。そこでイタリア王国は、隣国ドイツのビスマルクがドイツ統一のために起こした戦争に便乗して残りの地域を回収していきました。

まず、プロイセン＝オーストリア戦争（→266ページ）の際に、ヴェネツィアをオーストリアから取り戻します。さらに、プロイセン＝フランス戦争（→268ページ）に乗じて、フランスの支配下にあった教皇領も占領しました。

これにより、ローマ教皇が約1000年にわたって保持してきた教皇領は失われてしまいます。イタリア王国に閉じ込められたローマ教皇は、自身を「ヴァチカンの囚人」と称しました。その後、ローマ教皇とイタリア国王との対立は、1929年にイタリア首相のムッソリーニがヴァチカンを独立国家**ヴァチカン市国**として承認するまで続きます。

こうして、イタリアはほとんどの地域を他国から奪い返し、イタリア統一を達成しました。しかし、トリエステ、南チロルといった「未回収のイタリア」と呼ばれる一部の地域はいまだにオーストリアのものでした。この問題は、第一次世界大戦まで引きずることになります。

イタリア統一と「未回収のイタリア」

- 1859年サルデーニャ王国に併合
- 1860年フランスに割譲
- 1860年サルデーニャ王国に併合
- 1866年プロイセン＝オーストリア戦争で併合
- 1870年プロイセン＝フランス戦争で併合

フランス革命と高まる自由の機運

フランス革命の波及を恐れたオーストリアとプロイセンが
ピルニッツ宣言を出し、フランスへの干渉を始める

フランスの立法議会がオーストリアに宣戦布告し、
フランス革命戦争が起きる

フランス革命戦争では勝利したものの、フランスは内政不安に陥る。そこに台頭したナポレオン=ボナパルトが、クーデタによって新政府を樹立

フランス皇帝に即位したナポレオンが、ヨーロッパ各国への侵略戦争（ナポレオン戦争）を開始。ヨーロッパの大半を支配下に収める

ナポレオンが失脚。フランスでは王政復古がなされる

国王シャルル10世の反動政治に対し、フランスで七月革命が起きる。革命は成功し、新たな国王ルイ=フィリップによる七月王政が開始

ブルジョワを優遇するルイ=フィリップに対して再び革命が起きる
（二月革命）。フランスでは第二共和政が成立するも、
その後すぐにナポレオン3世による第二帝政が始まる

二月革命がヨーロッパ各国に波及。イタリアではイタリア統一戦争が
起こり、イタリア王国が建国される

ドイツの台頭と
2度の世界大戦

デンマーク戦争

1864年

デンマークによるシュレスヴィヒ併合を阻止するために、
プロイセン王国・オーストリアが共同出兵した。

┤ 主 な 交 戦 勢 力 ├

デンマーク プロイセン・オーストリア連合軍

 ## デンマークがシュレスヴィヒを併合しようとした

　ナポレオン戦争後のヨーロッパ国際秩序の再建のために行われたウィーン
会議では、ウィーン体制のほか、**ドイツ連邦**の成立も決まりました。ナポレ
オンが神聖ローマ帝国を消滅させてつくったライン同盟に代わるのがドイツ
連邦であり、**35の領邦と4つの自由都市から構成される、オーストリアを
中心とした国家連合です。**

　ドイツ連邦は、ほどなくして領土問題を抱えることになりました。それが、
シュレスヴィヒとホルシュタインの問題です。シュレスヴィヒにはデーン人が、
ホルシュタインにはドイツ系住民が多く住んでおり、これまで両公国はデン
マーク王の支配下にありました。しかし、ウィーン会議の結果、ホルシュタ
イン公国がドイツ連邦の一部だと
認められたのです。

　ウィーン会議の結果を受けたデ
ンマークは、デンマーク人の多い
シュレスヴィヒの併合を目指すよう
になります。それに対し、シュレス
ヴィヒに住んでいたドイツ系民族
が反発し、次第に両公国の住民
は、デンマークからの分離とドイツ
連邦への併合を求めるようになりま
した。

この声に応えるべく、デンマーク戦争以前に、一度プロイセンは両公国に出兵をしています。しかし、これはロシアとイギリスの介入により失敗に終わりました。

　ただしこのとき、デンマークはシュレスヴィヒとホルシュタインに自治権を認め、デンマークの憲法を適用しないと約束しました（ロンドン議定書）。

　しかし、その後に即位したデンマーク国王クリスチャン9世は、この約束を反故（ほご）にし、デンマーク新憲法でシュレスヴィヒの併合を表明します。これに反発した住民は、臨時政府を樹立しました。

　このデンマークの約束違反を契機に、プロイセン王国は両公国をデンマークからドイツに併合すべく、オーストリアと共同出兵を行いました。これがデンマーク戦争です。

ドイツ連邦が勝利するも、プロイセンとオーストリアが対立

　デンマーク軍はよく抵抗しましたが、プロイセンとオーストリアの連合軍に終始圧倒されました。

　デンマークは途中、ホルシュタインの放棄を条件に講和を申し込みますが、プロイセンは応じず、降伏にまで追い込みます。そして、**シュレスヴィヒとホルシュタインはプロイセンとオーストリアの共同管轄下に置かれることが決まりました**。

　この戦いで勝利したプロイセン・オーストリアでしたが、**その後この両地域をめぐり、両国は対立するようになります**。それは、2年後のプロイセン＝オーストリア戦争へとつながっていくのでした。

プロイセン＝オーストリア戦争

1866年

ドイツ統一の主導権をめぐって、
プロイセンとオーストリアが争った。

┤ 主な交戦勢力 ├

プロイセン オーストリア

 なぜ争った

プロイセンとオーストリアの間で、シュレスヴィヒ、ホルシュタイン問題が深刻化

　デンマーク戦争ではプロイセン・オーストリア連合軍が勝利し、デンマークのシュレスヴィヒとホルシュタインを共同で管轄することになりました。

　この後、両国は協定を結び、プロイセンはシュレスヴィヒを、オーストリアはホルシュタインをそれぞれ管理することにします。しかし、もともとプロイセンとオーストリアは、ドイツ統一の主導権をめぐって争っていたライバル同士でした。そこでプロイセンは、ホルシュタインも自国の管轄に置くべく、同地域への介入を始めます。

　これにもちろんオーストリアは反発します。オーストリアはドイツ連邦議会に圧力をかけ、プロイセンの討伐を決議しました。**プロイセンはこれに対抗し、ドイツ連邦を脱退しました。**

　そして、プロイセンはオーストリアに宣戦布告し、オーストリアが管理するドイツ地域およびオーストリア本国への侵攻を開始したのです。

 どうなった①

プロイセンが大勝し、ドイツ統一の主導権を握った

　この戦いでは、親オーストリア派でプロイセンの勢力拡大に反発していた南ドイツのバイエルン王国、ザクセン王国などがオーストリアに味方しました。一方、プロイセンの影響が強い北ドイツの小国の多くはプロイセン側につきました。また、イタリア統一をめぐってオーストリアと対立していたイタリア

王国もプロイセン側で参戦しました。

　プロイセン軍は、オーストリアに味方したドイツ西南部の諸邦を速やかに制圧し、オーストリア本国へ進撃しました。そして開戦からまもなく、ケーニヒグレーツの戦いでオーストリア軍に大勝しました。

　プロイセン軍が圧勝した理由は2つあります。一つは、プロイセンが当時の最新鋭技術であった鉄道や電信などの整備を進めていたこと。そしてもう一つは、2年前のデンマーク戦争時に、オーストリア軍の指揮系統や装備を徹底的に研究していたことにありました。

　その後、プラハ条約が締結され、プロイセンは、オーストリア側についたドイツ諸邦の一部やシュレスヴィヒ、ホルシュタインを獲得しました。**また、オーストリアに対し、ドイツ再編に参加しないことを受け入れさせました。ここでオーストリアは、ドイツの枠外の国家となることが決まったのです。** 勝利したプロイセンはドイツ連邦を解体し、自国を盟主とする**北ドイツ連邦**を結成しました。こうして北部を

北ドイツ連邦

未統一の
南部地域

統一したプロイセンはドイツ統一の主導権を握り、残る南部の統一を目指すことになります。

どうなった
2

敗北したオーストリアでは、ハンガリーが独立

　一方、ここでプロイセンに敗北したオーストリアは、国内の民族運動が活発化したこともあり、いよいよ国家をまとめるのが難しくなってきました。そこでオーストリアは、以前から独立を求めていた**ハンガリーと「妥協」することを決めます。ハンガリーを自立した王国として認めたうえで、オーストリア皇帝がハンガリー国王を兼ねる同君連合を結ぶことにしたのです**。こうして、**オーストリア＝ハンガリー帝国**が成立しました。

プロイセン＝
フランス戦争

1870〜71年

プロイセン王国がドイツ統一のネックとなっていたフランスを挑発し、
戦争に持ち込んだ。

─┤ 主な交戦勢力 ├─

プロイセン　　　　　　　　　　フランス

 ドイツを統一したいプロイセンにとって、
フランスは邪魔者だった

　統一に向けて揺れるドイツでは、プロイセン＝オーストリア戦争に勝利し
たプロイセン王国が、**北ドイツ連邦**を結成し、ドイツ統一の主導権を握りま
した。

　北部の統一に成功したプロイセンは、南部の併合を目指しますが、隣国
フランスはこの動きに反発しました。もし北ドイツ連邦が南部まで併合すれ
ば、フランスへの脅威となると考えたからです。

　一方の北ドイツ連邦もまたフランスが邪魔だと考えていました。北ドイツは
プロテスタント中心である一方、ドイツ南部はカトリックが多い地域でした。
南部にとって、同じカトリックであるフランスは心強い後ろ盾であり、この
宗教的問題がドイツ統一のネックとなっていたのです。プロイセンの悲願で
あるドイツ統一を阻む最後の砦こそ、フランスだったのです。

　そして、フランスを排除したいプロイセンのもとに大きなチャンスが転がり
込んできました。それが、1870年にプロイセンとフランスとの間で行われた、
スペイン王位継承問題に関する会談です。この会談の内容を伝える電報を
受け取ったプロイセン首相の**ビスマルク**は、これをうまく「修正」して、両国
民がお互いに反感を持つようにあおりました (エムス電報事件)。そして、ビス
マルクの狙い通り、この件をめぐってフランスはプロイセンに宣戦布告してき
ます。こうして、ドイツ統一に向けた最後の戦争、プロイセン＝フランス戦
争が開戦しました。

圧勝したプロイセンは悲願のドイツ統一を達成。ドイツ帝国が誕生

　この戦争でフランスを率いたのはあのナポレオンの甥、ナポレオン３世でした。フランスも相当な国力を有していましたが、大砲や鉄道など、きたるフランスとの戦争のために周到な準備をしていたプロイセンに圧倒されてしまいます。

　ナポレオン３世自らが赴いたスダンの地での決戦でも大敗を喫し、ナポレオン３世も捕虜となってしまいました。この一報を受けたフランスでは、パリ市民が暴動を起こして第二帝政が崩壊し、第三共和政に移行していきます。

　こうして頼みのフランスが敗北したことを知った南部ドイツは、プロイセンによるドイツ統一を受け入れざるを得なくなりました。

　1871年1月には、**ヴェルサイユ宮殿にてプロイセン国王のヴィルヘルム１世がドイツ皇帝に即位し、ドイツ帝国の成立を宣言しました**。こうして、プロイセンはついにドイツ統一を成し遂げたのです。

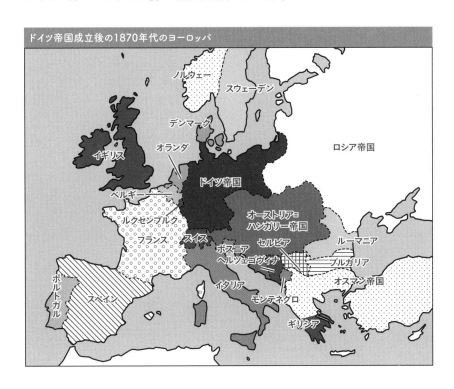

ドイツ帝国成立後の1870年代のヨーロッパ

ノルウェー
スウェーデン
デンマーク
オランダ
イギリス
ロシア帝国
ベルギー
ドイツ帝国
ルクセンブルク
フランス
スイス
オーストリア＝ハンガリー帝国
セルビア
ルーマニア
ボスニア＝ヘルツェゴヴィナ
ブルガリア
ポルトガル
スペイン
イタリア
モンテネグロ
オスマン帝国
ギリシャ

また、この戦争の休戦協定では、フランスが多額の賠償金を支払うことに加え、地下資源が豊富なアルザス・ロレーヌ地域をドイツへ譲り渡すことが決まりました。この地を獲得したドイツ帝国では、第二次産業革命が起こります。ビスマルクが制定した**保護関税法**（穀物、綿製品などの輸入品に関税をかけることで国内産業を守るもの）も追い風となり、**ドイツ帝国はヨーロッパでトップの工業生産国となり、イギリスを抜いてアメリカに次ぐ世界2位に躍り出ました。**

　こうして急成長を果たしたドイツ帝国は、その後ヨーロッパにおいて大きな影響力を持つようになっていきます。

第一次世界大戦

1914〜18年

死者1000万人の悲劇の戦争。ドイツが中心の同盟国側と、
イギリス・フランス・ロシアが中心の協商国側が争った。

┤ 主な交戦勢力 ├

協商国　　　　　　　　　　　　同盟国

ヨーロッパで「3つ」の対立関係が顕在化

19世紀末のヨーロッパでは、次の大きな3つの対立が顕在化していました。

① プロイセン゠フランス戦争の影響によるドイツ帝国とフランスの対立
② 「未回収のイタリア（イタリア半島にて統一できていない外国の支配地）」をめ
　 ぐるイタリアとオーストリアの対立
③ バルカン半島をめぐるオーストリアとロシアの対立

この一触即発状態のヨーロッパをうまく
外交で収めていたのが、ドイツ帝国の首
相ビスマルクでした。対立中のフランスが
ロシアと手を組むことを恐れたドイツは、
バルカン半島をめぐる対立を取り持つか
たちでロシア、オーストリア、ドイツによ
る三帝同盟を結びます。この同盟は一旦
崩壊し、その後新三帝同盟として復活し
ますが、これもオーストリアとロシアの対
立によりすぐに破綻してしまいます。困っ
たビスマルクは、ロシアとだけ秘密条約
（再保障条約）を結び、ロシアとの関係を
保つことにしました。

ビスマルク

また、ビスマルクは、イタリア半島をめぐる対立も取り持ち、**イタリア、オーストリア、ドイツ**による**三国同盟**も結成しました。

これらビスマルクの外交によって築かれたヨーロッパの関係を**ビスマルク体制**といい、彼の卓越した外交手腕によってヨーロッパはなんとか平和を保っていたと言えます。

ちなみにこのとき、圧倒的な軍事力と工業力をもつイギリスはどの国とも同盟を結びませんでした。これをイギリス人は「光栄ある孤立」と呼びました。

平和路線をとったビスマルクの退任後、ドイツが帝国主義化を強めた

ビスマルクの手腕により、しばらく平和な状態が続いたヨーロッパでしたが、1888年、ドイツ皇帝に**ヴィルヘルム2世**が即位すると状況が一変しました。皇帝とソリが合わなくなったことで、1890年にビスマルクが退任してしまったのです。

これにより一転、**ドイツは帝国主義化の道を歩み始めます**。ヴィルヘルム2世はアジアやアフリカなどへの侵略を積極的に進め、イギリス、フランス、ロシアとの対立を深めていきました。

そして、ドイツの台頭を恐れた**イギリス、フランス、ロシア**は**三国協商**という同盟を結びました。一方のドイツは、オーストリア、イタリアと以前に三国同盟を結んでいます。

この2つの大きな勢力がヨーロッパでにらみ合い、お互いが多額の軍事費を投入して軍備を拡張し、いつ大きな戦争が起きてもおかしくない状況が続きました。

中でも緊張が高まっていたのはバルカン半島でした。ドイツやオーストリアが主張する**パン＝ゲルマン主義**（ゲルマン民族の統合を目指す）と、ロシアやセルビアが主張する**パン＝スラヴ主義**（スラヴ民族の統合を目指す）がバルカン半島で2大イデオロギーとして台頭し、この危険な状態にあるバルカン半島は「**ヨーロッパの火薬庫**」と呼ばれました。

なぜ争った ③ サライェヴォ事件をきっかけに「ヨーロッパの火薬庫」がついに爆発

　そんな中、オーストリア゠ハンガリー皇太子がセルビア人の青年に暗殺されるという**サライェヴォ事件**が起きます。これにオーストリアは激怒し、セルビアに宣戦布告しました。これを受けたロシアは、同じスラヴ民族国家であるセルビアを支援しました。一方、オーストリアには同盟国であるドイツが支援にまわりました。

　そして最終的には、ロシアの同盟国であったイギリス、フランスも巻き込むかたちで、三国協商側と三国同盟側が争いを始め、**第一次世界大戦**に突入したのです。

　なお、イタリアはドイツ・オーストリアと三国同盟を結んでいましたが、オーストリアと領土問題を抱えていたこともあり、戦争が始まってからもしばらくは中立を維持しました。その後、イギリスら協商国が接近してきたため、「未回収のイタリア」の取得を条件として、協商国側で参戦しています。

どうなった ① 世界中に戦争が拡大していった

　世界大戦と呼ばれるだけあり、この戦争は世界中に拡大しました。日本は**日英同盟**を理由に協商国側として参戦し、ドイツ領であった中国の青島（チンタオ）に侵攻します。

　また、現在のトルコ地域を支配していたオスマン帝国は、露土戦争での因縁もあり、ロシアとの決着をつけるべく同盟国側として参戦しました。

　さらに、イギリスやフランス、ドイツが得た植民地にも戦争は拡大し、アフリカ大陸や太平洋でも戦闘が行われました。

　ヨーロッパにおける戦線は2つに分かれていました。一つはドイツとフランスの間での**西部戦線**、もう一つはロシアとドイツの間の**東部戦線**です。西のフランス、東のロシアに挟まれたドイツでは、まずは西部戦線に集中してフランスを短期間で倒した後、東部戦線に集中してロシアを倒すという戦略が立てられていました。しかし、短期決戦を考えたドイツの思惑とは裏腹に、西部戦線では塹壕（ざんごう）と呼ばれる巨大な堀に身を潜めて敵を待ち伏せする戦いが繰り広げられ、4年に及ぶ長期戦となりました。

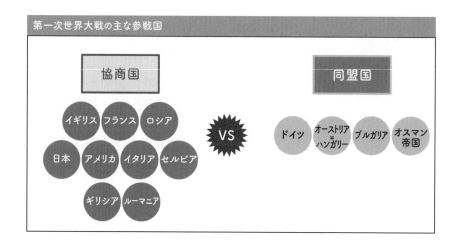

第一次世界大戦の主な参戦国

協商国
イギリス　フランス　ロシア
日本　アメリカ　イタリア　セルビア
ギリシア　ルーマニア

VS

同盟国
ドイツ　オーストリア＝ハンガリー　ブルガリア　オスマン帝国

どうなった② 同盟国側が敗北。ドイツは多額の賠償金を背負い、植民地を失った

　戦局が大きく動いたのは、アメリカの参戦でした。当初、アメリカはヨーロッパには関与しないという**モンロー主義**を掲げて参戦していませんでした。しかし、イギリスをはじめとする協商国軍に多額の援助をしており、「もし協商国側が敗北すれば、多額の貸付金を回収できなくなるのではないか」と危惧し始めたのです。ドイツの潜水艦によるイギリス船撃沈事件で多数のアメリカ人が犠牲になったことも引き金となり、とうとうアメリカは協商国側での参戦を決めます。

　また、同じ年には、**ロシア革命**（→412ページ）が起こり、戦争を続けられなくなったロシアが東部戦線から離脱してしまいました。ロシアはドイツと講和を結び、東部戦線はこれにて終結しました。

　一方、膠着状態だった西部戦線は、アメリカの参戦により400万人以上の兵士が送り込まれ、最新式の戦車や兵器の投入によって協商国側が攻勢に出るかたちとなりました。また、同盟国側のオスマン帝国内では、イギリスの策略によって内乱が起こり、オスマン帝国は内部から崩壊してしまいます。

　こうして、西部戦線は同盟国側が圧倒的に不利となり、1918年11月11日、1000万人近い死者を出した最初の世界大戦は終結しました。

　戦後、講和条約として締結された**ヴェルサイユ条約**にて、**ドイツは多額の賠償金とすべての植民地の放棄を約束させられました**。これがのちにドイ

ツの経済破綻、そしてヒトラーの台頭を招くことになります。

初めての世界大戦は、さまざまな影響を後世に残した

どうなった③

　こうして終結した初めての世界大戦では、その後の世界に影響を与えるさまざまな出来事がありました。

　まず、第一次世界大戦は、市民を巻き込んだ初めての**総力戦**となりました。一般の人たちも武器の製造などで戦争にかかわり、戦争が終わるまでは食料不足などを耐え忍ぶことになりました。

　また、各国は科学技術を戦争に利用しました。たとえば、19世紀末には自動車が発明されていましたが、大戦によって改良が進み、戦車などが生産されるようになりました。戦後、自動車は主な移動手段として定着します。また、20世紀初頭にライト兄弟が発明した飛行機は、大戦中に偵察機として活躍し、その後も開発、改良が進められることになりました。

　化学の分野では、長引く塹壕戦を短期間で終わらせるために毒ガスが発明され、実戦投入されました。しかし、あわせて防毒マスクも発明されたことで塹壕戦は結局長引いてしまいました。

　また、この戦争では、感染症が兵士たちを苦しめました。塹壕戦が長引くと、不衛生なうえ、密な環境で感染症がまん延しやすくなります。

　戦時中はさまざまな感染症が流行し、特に大きな被害をもたらしたのが**スペイン風邪**でした。名前に「スペイン」とありますが、最初に感染が確認されたのはアメリカです。アメリカの参戦によってヨーロッパに感染が拡大しましたが、当時は兵の士気を下げかねないという理由で公表されず、情報を公開していた中立国スペインが発祥地だと勘違いされて「スペイン風邪」と呼ばれたのです。

　スペイン風邪は、全世界で5億人が感染し、5000万人から1億人の死者が出たといわれています。つまり、戦争以上の被害をもたらしたのです。大戦においても、多くの兵士の命を奪い、戦争の終結を早めたともいわれています。

　戦後に開かれたパリ講和会議中には、アメリカ大統領ウィルソンも感染し、その症状は重かったようです。ここでドイツに多額の賠償金が課されたのも、厳しい賠償要求に反対していたウィルソンが会談中に体調不良となったこと

PART
2

ヨーロッパ

が大きな要因だといわれています。

　こうして第一次世界大戦は史上初めての世界戦争となり、予想もしないさまざまな影響をもたらしました。この戦争は当時「すべての戦争を終わらせるための戦争」とも呼ばれましたが、皮肉にもその20年後、世界は第二次世界大戦というかたちで地獄を見ることになるのです。

第一次世界大戦の主な出来事

年	月	出来事	内容
1914年	6月	サライェヴォ事件発生	オーストリア皇太子夫妻がセルビア人学生により暗殺される。
	7月	同オーストリアが協セルビアに宣戦布告	同盟国・協商国間の世界大戦が開始。
		第一次世界大戦　勃発	
	8月	同ドイツの宣戦布告・侵攻	ドイツがロシア、フランスに宣戦布告。中立国ベルギーに侵攻。
		協イギリスが同ドイツに宣戦布告	ドイツによる中立国ベルギーへの侵攻を受けた対応。
		タンネンベルクの戦い	ドイツが東部戦線でロシアに大勝。
	9月	マルヌの戦い	北仏に侵攻したドイツ軍を、英仏軍がパリ東方のマルヌ川河畔で撃退。
	11月	同オスマン帝国参戦	ドイツ、オーストリアに次いで同盟国側で参戦。
1915年	4月	イープルの戦い	ドイツ軍がイギリス軍に対して初めて毒ガスを使用。
	5月	ルシタニア号事件	ドイツの潜水艦がイギリス客船を撃沈。アメリカ市民も多数死亡。
		協イタリア参戦	ロンドン密約に基づき、協商国側としてオーストリアに宣戦布告。
	9月	同ブルガリア参戦	同盟国側で参戦し、マケドニアに侵攻。
1916年	5月	サイクス=ピコ協定	英仏露で結ばれた、大戦後のオスマン帝国分割に関する協定。
	6～11月	ソンムの戦い	第一次世界大戦における最大の戦闘。ここでイギリスが世界で初めて戦車を使用。
	8月	協ルーマニア参戦	ルーマニアが、ハンガリー領トランシルバニアなどを求めて協商国側で参戦。
		協イタリアが同ドイツに宣戦布告	オーストリアへの宣戦布告から1年以上遅れてドイツにも宣戦布告。
1917年	2月	無制限潜水艦作戦決行	指定航路外の商船を無制限に雷撃する作戦をドイツが実行。
	4月	協アメリカ参戦	ドイツの無制限潜水艦作戦を受けた対応。

1918年	3月	協 ロシアが 同 ドイツと単独講和	ロシア革命の混乱の中で、ブレスト＝リトフスク条約を結ぶ。
	9月	同 ブルガリア休戦	のちに協商国側とヌイイ条約を結ぶ。
	10月	同 オスマン帝国休戦	のちに協商国側と結んだセーヴル条約がトルコ革命の引き金となる。
	11月	キール軍港の水兵反乱	北部基地での兵士反乱をきっかけにドイツ革命が各地で勃発。
		同 オーストリア単独休戦	皇帝カール I 世はスイスに亡命した。
		同 ドイツが休戦協定締結	ドイツ臨時政府がフランスで連合国と休戦協定締結。
1919年	1~6月	パリ講和会議	ドイツへの強い報復を望むクレマンソーの意見が優先される。
	6月	ヴェルサイユ条約	ドイツは過酷な内容の条約締結を強いられる。

※ 協 協商国側 同 同盟国側

第二次世界大戦

1939〜45年

ナチスのヒトラー率いるドイツ・イタリア・日本が中心の枢軸国と、
イギリス・フランス・ソ連・アメリカなどの連合国が争った。

─┤ 主な交戦勢力 ├─

連合国　　　　　　枢軸国

なぜ争った ① 第一次世界大戦の敗戦により、ドイツ国内が大混乱に陥った

　第二次世界大戦では、ドイツ・イタリア・日本を中心とする枢軸国と、イギリス・フランス・ソ連・アメリカを中心とする連合国が争いました。この戦争のきっかけは、第一次世界大戦におけるドイツへのあまりに厳しい仕打ちだったといえます。

　第一次世界大戦で負けたドイツには、多額の賠償金が課されました。その総額なんと1320億金マルク。現在の日本円に換算すると約200兆円で、当時のドイツの経済規模をはるかに上回っていました。当然、こんな額をすぐに払えるはずもないドイツは、賠償金の支払いを渋っていました。

　すると、フランスとベルギーが賠償金不払いを理由として、ドイツのルール地方を占領しました。ここは、鉄などが豊富に採れるドイツ工業の中心地であり、現在でも工業地域として栄えている場所です。多額の賠償金を課されたうえ、ドイツ経済の心臓とも言える地域まで奪われてしまっては、もうどうしようもありません。このルール占領に対して、ドイツの労働者はサボタージュなどの不服従運動で抵抗しました。

　ドイツは、経済的な打撃の緩和や抵抗を続ける労働者への給料支払いのために、大量の紙幣を印刷して対応しました。その結果として起こったのがハイパーインフレです。ちょっとした日用品を買うのにトラック1台分の紙幣が必要になってしまうほどで、ドイツ経済はズタボロになってしまいました。

　さらに、すでに弱りきっていたドイツに追い打ちをかけたのが世界恐慌でした。1929年のニューヨークの株式市場で起こった株価の大暴落をきっかけに、

「黄金の20年代」とも呼ばれたアメリカの大成長は、一気に終わりを告げました。当時すでに世界経済を支える存在になっていたアメリカがつまずいたことで、世界各国を巻き込んだ大恐慌が始まったのです。

　この不況の影響を大きく受けたドイツでは、社会情勢がさらに不安定となり、失業率はなんと25パーセント以上にまで達しました。また、他の国々も自国の経済を立て直すために、自国とその植民地グループ（ブロック）内だけで貿易をするようになります。他国との自由な貿易をやめ、域内での経済交流に集中する体制（ブロック経済）をとったことにより、各国はどんどん内向きになっていきました。

最悪の状況で最悪の独裁者ヒトラーがドイツの権力を握った

　そんな最悪の状態で登場したのが、**国民社会主義ドイツ労働者党**（通称**ナチス、ナチ党**）を率いる**ヒトラー**です。彼は一度武装蜂起に失敗して逮捕されますが（ミュンヘン一揆）、保釈されてからは演説などの民主的な手段を効果的に用いて勢力を伸ばしていきました。そして1930年の選挙でナチスは一気に小政党から国会第2党へと躍進し、1932年の選挙ではついに第1党となりました。

　そして翌年、時の大統領ヒンデンブルクから指名され、**ヒトラーはドイツ首相に就任しました**。彼はすぐに国会を解散して総選挙を実施すると、新たに招集された議会で**全権委任法**（国会や大統領の承認なしで、政府が法律をつくれる）を成立させ、暴力的で専制的な政治（ファシズム）によって、ドイツを支配していきました。

ヒトラーの侵略行為に対し、イギリスとフランスが宣戦布告

　ヒトラー率いるドイツは、イタリア（当時はファシズム国家でした）、日本と**日独伊三国防共協定**を結びます。さらにドイツは、翌年、オーストリアを併合しました。ドイツとオーストリアの合併は本来ヴェルサイユ条約違反でしたが、各国はまともに抗議しませんでした。

　これで調子づいたヒトラーは、次いでドイツ人が多く居住するチェコスロ

ヴァキアの**ズデーテン**の割譲も要
求します。これに危機感を抱いた
イギリス首相チェンバレンとフラン
ス首相ダラディエは、ドイツ、イタ
リアと**ミュンヘン会談**を開きます。
ここでヒトラーが「これ以上の領土
は要求しない」と伝えたことから、
ドイツとの戦争を避けたかったイギ
リスとフランスは、彼の要求を受
け入れました。ズデーテン地方は、
当事者のチェコスロヴァキア代表

を会議に参加させないまま、ドイツに割譲されてしまったのです。

　しかし、ヒトラーは約束を反故にし、翌年、チェコを支配し、スロヴァキ
アも無理やり独立させて保護国としました。さらに、ヒトラーはソ連との間で
「ポーランドに侵攻した際には東半分をソ連に譲るので、お互いの国には侵
攻し合わない」ことを約束した**独ソ不可侵条約**を締結します。各国に挟まれ
るドイツは、東からソ連が攻めてこないように保障を取り付けたわけです。

　そして1939年9月1日、ドイツは**ポーランド侵攻**を開始しました。ミュンヘ
ン会談では譲ったイギリスとフランスも、さすがにこれは譲歩できず、ドイツ
に宣戦布告します。こうして第二次世界大戦が始まったのです。

　連合国側が勝利し、世界大戦は終結へ

　ドイツは開戦直後から快進撃を続け、ポーランドを圧倒し、たちどころに
西半分を占領しました。そして約束通り、ソ連は東半分を占領しました。

　続いて、ドイツはデンマークとノルウェーに侵攻し、さらにはオランダとベ
ルギーを経てフランスに迫り、パリを征服しました。ドイツ優勢を見た同盟
国のイタリアは、このタイミングで参戦しています。

　さらにドイツは、独ソ不可侵条約を破棄して**独ソ戦**を始めました。もともと
ドイツはソ連と仲良くしようとしていたわけではなく、東西で同時に戦闘にな
るのを防ぐために一時的に協定を結んでいたにすぎなかったのです。しかし、
その翌年に始まった**スターリングラードの戦い**でドイツ軍はソ連に大敗北を喫

し、劣勢となってしまいます。

　また、のちにアメリカも連合国側で参戦しました。しばらく中立の姿勢を維持していたアメリカでしたが、ローズヴェルト大統領がイギリスのチャーチル首相と会談し、**大西洋憲章**を発表します。ここでファシズム、つまりドイツやイタリアなどの枢軸国側との対決姿勢を明らかにしました。

　もともとアメリカでは参戦反対の声も多かったのですが、ローズヴェルト大統領は「このままファシズムが世界を征服してしまっていいのか。暴力による恐怖に屈せず、自由に向けて立ち上がらなければならない」と演説し、国民を説得しました。そして、枢軸国側の日本が真珠湾攻撃を行ったことで、アメリカは本格参戦するに至ります。

　軍事・経済大国のアメリカが連合国側として正式に参戦したことにより、戦況は徐々に連合国側有利に傾いていきました。1943年にはイタリアが降伏し、その翌年には大戦の命運を決定づけた**ノルマンディー上陸**が行われました。これは、ドイツに支配されていたフランスのノルマンディー海岸に連合国軍が迫ったもので、ここでドイツ軍を後退させることに成功しました。しかしこれは、両軍で50万人もの死者を出した悲惨な戦いでもありました。

　こうして追い込まれたドイツは、1945年、首都ベルリンが陥落し、同年5月には正式に降伏しました。これにてヨーロッパでの戦いは終わりを告げ、残るは日独伊のうち日本だけとなりました。その日本も、広島・長崎への2度の原爆投下を経て、8月14日に正式に降伏しました。こうして第二次世界大戦は終結したのです。

ドイツが東西に分裂。冷戦の時代へ

　終戦に伴い、各国では戦後処理が進みました。とはいえ、実は連合国側は戦時中の1941年頃から各地で会談を重ね、戦後どのような体制を築くべきかをずっと考えてきました。その頃からすでに勝算があったわけです。

　中でも重要なのは、1945年4月から行われた**サンフランシスコ会議**です。この会議の期間中にドイツが降伏したことを受け、国連憲章が採択され、国際連盟に代わる新たな国際平和維持機関として**国際連合**が誕生しました。

　もう一つ重要なのが、同年7月から8月にかけて行われた**ポツダム会談**で

す。ここでは、日本への無条件降伏を求めるポツダム宣言とともに、ドイツの戦後処理に関するポツダム協定が成立し、**ドイツを米英仏ソの4か国で共同統治していくことになりました。**

　しかし、このあたりからアメリカとソ連の対立が進みます。アメリカは**自由主義、民主主義、資本主義**を掲げ、一方のソ連は**社会主義**を基本方針としていました。根本的な主義主張がかみ合っていなかった両国は、共通の敵であるファシズムを失ったことで対立を始めたのです。

　ドイツの共同統治においてもその溝は埋まらず、**結局ドイツは東西に分裂してしまいました。**西ドイツはアメリカ・イギリス・フランス、東ドイツはソ連の管理下に置かれました。こうして、西の資本主義、東の社会主義という構図で**冷戦**（→414ページ）の時代が始まったのでした。

第二次世界大戦の主な出来事			
1938年	3月	ドイツによるオーストリア併合	ヒトラーがヴェルサイユ条約違反を犯してオーストリアを併合。
	9月	ミュンヘン会談	英仏がヒトラーの要求を全面承認。ドイツにズデーテン割譲。
1939年	3月	チェコ保護領化・スロヴァキア保護国化	ドイツがミュンヘン協定を破って両国を支配。
		ドイツがポーランドのダンツィヒ（現グダニスク）の割譲を要求	翌月にはポーランド回廊（自動車道路と鉄道）の設置も要求。
	8月	独ソ不可侵条約締結	ポーランド侵攻に備えて、ソ連と秘密裏に締結。
	9月	ドイツのポーランド侵攻	これに対して、英仏がドイツに宣戦布告。
第二次世界大戦 勃発			
1940年	4月	枢 ドイツのデンマーク・ノルウェー侵攻	ノルウェー陸相クビスリングの通謀もあり成功。
	5月	枢 ドイツのオランダ・ベルギー侵攻	中立を侵犯して低地帯諸国に侵入。
	6月	枢 イタリア参戦	事実上中立の立場を取っていたが、ドイツ優勢を見て参戦。
		枢 ドイツがパリを占領。連 フランス降伏	7月には、フランスにて、ドイツに協力するヴィシー政府が樹立される。
	7〜9月	バトル・オブ・ブリテン	ドイツ空軍によるイギリス本土急襲。イギリスはこれを耐え抜く。
	9月	日独伊三国同盟が成立	対英米関係が悪化した日本が、圧倒的な優勢を見せていたドイツに接近。

1941年	3月	連 アメリカで武器貸与法が成立	アメリカが武器を事実上無償供与し、対英援助を強化。
	6月	独ソ戦開始	東欧を押さえたドイツが独ソ不可侵条約を破ってソ連に侵攻。
	8月	「大西洋憲章」発表	米ローズヴェルトと英チャーチルがファシズム打倒等を約束。
	11月	連 アメリカが武器貸与法をソ連にも適用	アメリカによる連合国側支援が本格化。
	12月	枢 日本による真珠湾攻撃	太平洋戦争が開始。
1942年	6月	ミッドウェー海戦で 枢 日本敗北	大敗を喫した日本は、以後太平洋戦争で劣勢となる。
1943年	2月	スターリングラードでドイツ大敗	独ソ戦におけるソ連の反撃が始まる。
	7月	連合軍のシチリア島上陸	イタリアの指導者ムッソリーニが逮捕され、バドリオ政権が新たに成立。
	9月	連合軍のイタリア本土上陸	バドリオ政権のもとで無条件降伏。
1944年	6月	ノルマンディー上陸作戦決行	フランスのノルマンディー海岸に連合軍が上陸。ドイツは強烈に抵抗。
	7月	ブレトン・ウッズ会議	連合国44か国により世界銀行やIMF設立を決定。
	8月	パリ解放	フランスでヴィシー政府に代わり、ド＝ゴール中心の臨時政府が成立。
1945年	2月	ヤルタ会談	米英ソで国連創設や対独戦争処理などを決定。
	4~6月	サンフランシスコ会議	連合国50か国により国際連合憲章を採択。
	5月	枢 ドイツが無条件降伏	4月のヒトラー自殺、ベルリン陥落を受けてドイツが降伏。
	8月	枢 日本が無条件降伏	8月14日に、日本はポツダム宣言を受諾。

※ 連 連合国　枢 枢軸国

ウィーン会議にてドイツ連邦が成立

フランス二月革命の影響を受け、ドイツ統一の機運が高まる

シュレスヴィヒ、ホルシュタインをめぐり、ドイツ連邦のプロイセン・オーストリアとデンマークがデンマーク戦争を戦う。デンマークは敗戦し、両地域はプロイセン・オーストリアの共同管轄下に置かれる

プロイセン＝オーストリア戦争に勝利したプロイセンが、ドイツ統一の主導権を握る。プロイセンはドイツ連邦を解体し、北ドイツ連邦を結成。残る南部の統一を目指す

プロイセン＝フランス戦争で勝利したプロイセンがドイツ南部も統一。ドイツ帝国を樹立

次第に帝国主義路線をとり始めたドイツ帝国は、イギリス、ロシア、フランス（三国協商）と対立を深める

ドイツ率いる三国同盟と三国協商による第一次世界大戦が勃発。三国同盟側が敗北し、ドイツは多額の賠償金、植民地の放棄を約束させられる

第一次世界大戦の敗北で追い込まれたドイツでヒトラーが台頭

ドイツ首相となり、独裁を始めたヒトラーは周辺国への侵略を開始。
見かねたイギリスやフランスがドイツに宣戦布告し、
第二次世界大戦が勃発

第二次世界大戦後、ドイツ共同統治などをめぐってアメリカを中心とす
る資本主義とソ連を中心とする社会主義の対立が深刻化。
冷戦の時代へ

第二次世界大戦後の ヨーロッパとEUの誕生

大戦で疲弊したヨーロッパ各国が協力を始めた

　第二次世界大戦後、2度の大戦の疲弊から徐々に立ち直りつつあったヨーロッパでは、「もう二度と戦争を起こしてはいけない」「米ソ対立に左右されない独立した地位を確保したい」という思いが生まれ、各国が経済的な協力を始めました。

　最初に成立したのが、フランス・西ドイツ・イタリア・ベネルクス3国による**ヨーロッパ石炭鉄鋼共同体（ECSC）**です。ここで「石炭鉄鋼」が選ばれたのは、ドイツ・フランス間の長年の課題がそこにあったからです。

　両国の国境沿いには、アルザス・ロレーヌ地方やルール地方など、炭鉱と製鉄所が集中する地域が存在しました。その帰属をめぐって、ドイツとフランスは歴史上たびたび争いを繰り広げてきたのです。その原因を絶たずして両国の平和はあり得ず、ヨーロッパ全体の協力もなし得ない。そう考えたからこそその共同体発足だったわけです。

　その後は、次第に石炭鉄鋼以外の分野にも共同体が広がっていきました。1958年には経済面での統合を目指す**ヨーロッパ経済共同体（EEC）**、原子力エネルギーの共同管理を目指す**ヨーロッパ原子力共同体（EURATOM）**が発足します。これら3つの共同体は、1967年に**ヨーロッパ共同体（EC）**として統合されました。これが、現在のEUの大本です。

EUの誕生とイギリスの離脱

　1989年11月にはベルリンの壁が崩壊し、12月にはゴルバチョフとブッシュが冷戦終結を宣言します。さらに、1990年に東西ドイツが統一されると、その翌年には東側諸国をまとめてきたコメコンとワルシャワ条約機構が解消され、東欧における社会主義の連帯が消滅しました。こうした世界の流れを受け、ECはヨーロッパ内での結束をさらに固めていく道を進んでいきます。

　1993年、マーストリヒ条約が発効されたことで、ECはヨーロッパ連合（EU）に発展しました。EUは、旧社会主義圏の中・東欧諸国もメンバーに取り込みながら、さらに拡大と深化を続けました。最初6か国から始まったEU（EC）は、6回の加盟国拡大を経て28か国にまで成長します。EUは、経済のみならず、外交や安全保障など他分野にわたって協力する巨大な共同体となったのです。

　しかし2016年、加盟国の一つだったイギリスでEU離脱について問う国民投票が実施され、離脱支持が半数をわずかに上回りました。当時イギリスでは、EU域内から流れ込んでくる移民への対処が問題となっており、「移民問題を自分たちの手でコントロールするには、EUの束縛から逃れないといけない」と考える人が増えていたのです。

　その後、2020年にはイギリスが正式にEUから離脱し、2022年現在、加盟国は27か国となっています。

2022年時点のEU加盟国

大西洋

フィンランド

スウェーデン

エストニア

ラトビア

リトアニア

デンマーク

北海

アイルランド

オランダ

ポーランド

ベルギー

ドイツ

ルクセンブルク

チェコ

スロヴァキア

フランス

オーストリア

ハンガリー

ルーマニア

スロヴェニア

クロアティア

黒海

ポルトガル

ブルガリア

スペイン

イタリア

ギリシア

キプロス

マルタ

地中海

PART 3

中東・イスラーム

Middle East / Islam

Chapter 1

古代オリエント世界と
イスラームの誕生

カデシュの戦い

前1275年頃（前1286年頃）

古代オリエントの二大勢力が激突！
エジプト新王国とヒッタイトがシリア周辺地域をめぐって争った。

─────────┤ 主な交戦勢力 ├─────────

エジプト新王国　　　　　　　　ヒッタイト

 エジプト新王国とヒッタイトがシリアをめぐり対立

　人類最古の文明の発祥の地といわれているのが**オリエント世界**です。現在の西アジア、エジプト、地中海沿岸あたりを指し、大きな3つの川を中心とした2大文明が栄えていました。一つはナイル川流域に発達した**エジプト文明**、もう一つがティグリス川・ユーフラテス川に挟まれるかたちで栄えた**メソポタミア文明**です。それぞれ紀元前3000年頃には国家が誕生し、その周辺にもさまざまな民族が暮らしていました。

　なお、この時代には黄河周辺に**中国文明**、インダス川周辺に**インダス文明**も生まれており、これら4つをまとめて**世界四大文明**といいます。

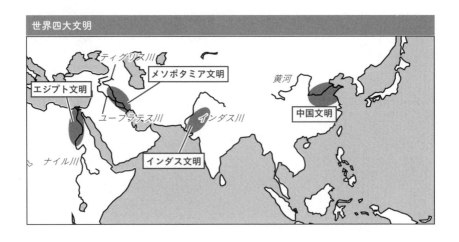

世界四大文明

エジプトでは、強権を振るう**ファラオ**（古代エジプト王の称号）が長きにわたってこの地域を統率してきました。

その歴史は、**古王国**（前27〜前22世紀）、**中王国**（前21〜前18世紀）、**新王国**（前16〜前11世紀）の3つの時代に分けられます。私たちがよく知っているピラミッドの多くは古王国時代につくられたとされています。今から4000年以上前にあれだけのものをつくることができる文明が発達していたのは驚きです。

しかし、文明があるところには戦争もまたつきものです。「エジプトはナイルのたまもの」という言葉の通り、この地域はナイル川の上流からよく肥えた土壌が運ばれ、農業に適した最高の環境でした。当時の周辺民族はきっとエジプトの土地を狙っていたことでしょう。実際、エジプト中王国時代の終わりには、遊牧民の**ヒクソス**が、現在のシリア方面から馬と戦車を使って侵入し、約1世紀もの間、エジプトを支配しました。

その後、侵入者ヒクソスを撃退してエジプトを再統一したのが新王国です。新王国では、当時としては珍しい一神教（太陽そのものを唯一神アトンとする）が信仰されたり、写実的な芸術（アマルナ美術）が生まれたりするなど、文化的な発達が見られました。軍事面でもヒクソスの軍事技術を取り入れながら発展し、交通の要衝であるシリア方面に進出していきました。

このシリアへ進出を進めるエジプト新王国と対峙したのが、北部からシリアを狙った**ヒッタイト**でした。<u>**アナトリア（現在のトルコ付近）で生まれたヒッタイトは、歴史上初めて本格的に鉄器を使用し、当時としては非常に高い軍事力、農業生産力を誇りました**</u>。そして、エジプト新王国とシリア周辺地域をめぐり、対立し始めたのです。

その争いの一つが、カデシュの戦いでした。3000年以上前のため、戦争が勃発した時期には諸説ありますが、戦闘の経過については詳細な記録が残されています。

当時のエジプト王**ラメス2世**は、約2万の軍勢を引き連れてヒッタイトと戦いました。両者が激突した、シリア西部の都市の名前を取ってカデシュの戦いと呼ばれています。

エジプト新王国、ヒッタイトの最大領域

ヒッタイト

カデシュの戦い

地中海

エジプト新王国

事実上、ヒッタイトが勝利。
世界最古の国際条約が締結された

　この戦争は、エジプト、ヒッタイトの双方が勝利を宣言したとされますが、実際はヒッタイトが戦いを優勢に進め、シリアのほとんどの地域を支配したようです。

　その後は、両国で不安定な状況が続いたことから、**エジプト・ヒッタイトは平和条約を結びました。この条約は、現在知られている中で最古の講和条約といわれています**。エジプト・ヒッタイトの双方に同様の写しが残されており、現代から見ても「条約」と呼ぶにふさわしい国際関係を結んだことがわかります。

　ここではお互いの勢力圏や相互援助などが取り決められ、それ以降は両国間での交易も盛んになったようです。これにより、エジプトでも鉄器が普及するようになりました。

ヒッタイト・エジプトの衰退により、
周辺民族の台頭、鉄器文化の拡散が起こった

　こうしてオリエント世界の多くを治めていたエジプトとヒッタイトでしたが、その後は次第に衰退していきました。その原因となったのが、紀元前12世紀頃に地中海方面から進出してきた「**海の民**」と呼ばれる集団です。いまだに謎多き彼らの攻撃を受けたヒッタイトは滅亡に追い込まれ、エジプトも弱体化してしまいます。

　こうして、**もともとこの地域を支配していた2つの大国が影を潜めたことで、周辺地域の民族が台頭することになりました**。かつて2国が争ったシリア周辺では、フェニキア人やアラム人などが台頭しました。

　また、ヘブライ人（ユダヤ人）が**イスラエル王国**を建国し、2代ダヴィデ王、3代ソロモン王の頃に最盛期を迎えました。ソロモンの死後、王国は北部のイスラエル王国と南部の**ユダ王国**に分裂しています。このうちユダ王国の人々がのちに成立させたのが**ユダヤ教**になります。

　また、**ヒッタイトの滅亡により、オリエント世界では鉄器時代が始まりました**。それまでヒッタイトがほぼ独占していた製鉄技術が周辺地域に伝わり、オリエント世界の各国は軍事力を高めていきました。その中で頭角を現した

のが次ページから紹介する**アッシリア**です。強大な軍事力を有したアッシリア
は、史上初めてオリエント世界を統一することになります。

アッシリアの
オリエント統一

前745〜前670年頃

イマイチな存在だったアッシリアが、
他国の混乱と軍事力強化を背景にオリエント世界を初めて統一した。

┤ 主 な 交 戦 勢 力 ├

アッシリア バビロニア、イスラエル王国、
エジプト

 ## ライバルの衰退を尻目に、
なぜ争った ## 軍事力を強化したアッシリアが台頭

　今から数千年前、現在のイラクを流れ、世界四大文明の一つであるメソ
ポタミア文明を生み出すのに一役買ったのがティグリス川です。そのティグリ
ス川流域にあったアッシュルという都市では、商人たちが古くから交易活動
を行っていました。そこで活動していた民族が**アッシリア人**です。

　アッシリア人は、同じ時代に発展していたヒッタイトやエジプトとの戦いに
勝つことができず、イマイチな存在にとどまっていました。

　しかし、アッシリアにチャンスが訪れます。一つは、周辺諸国が次々と混
乱状態になっていったことです。前12世紀にはヒッタイトが滅亡し、前13世
紀頃に最盛期を迎えたエジプトも弱体化していきました。また、前10世紀
後半にはイスラエル王国も南北に分裂しています。

　さらに、**ヒッタイトの製鉄技術を取り入れたアッシリアでは、鉄製の武器
や戦車を装備できるようになり、軍隊の整備・訓練も強化したことで、強力
な軍事力を確保しました。**

　周りの国が落ちぶれる中で、自分たちだけ強化に成功したアッシリアは、
その強力な軍事力を背景にオリエント世界をどんどん侵略していきました。

 ## オリエント全土を支配した世界初の"帝国"が誕生
どうなった

　強力な軍事力を確保したアッシリアは快進撃を続けます。アラム人、バビ

ロニアを征服し、イスラエル王国
も滅ぼし、さらにはエジプトも征服
したことで、**アッシリアは初めてオ
リエント全土を統一した国家とな
りました**。かつてイマイチだった
アッシリアは、広大な地域を押さ
える「世界帝国」として世界に名
を轟かせるまでになったのです。

アッシリアの最大領域

黒海
ティグリス川
ニネヴェ
アッシリア
アッシュル
地中海
ユーフラテス川
紅海

　アッシリアは、**駅伝制**という仕
組みで広大な領土を統治していき
ました。領土をいくつかに区分して
「州」とし、各州に総督と呼ばれる
リーダーを派遣しました。さらに、各州と首都ニネヴェを結ぶ交通制度（駅伝）
を整備することで、総督が各地を監督しつつも、情報がしっかりと中央に送
られるシステムを確立しました。

　一方で、帝国内では反乱が相次ぎました。広大な地域を支配するために、
荒っぽい手段をとることがあったからです。重税や強制移住など、強引な支
配に不満を募らせた各地の諸民族は相次いで反乱を起こし、王国はその対
応に追われるようになります。

　また、次第に周辺地域では新興勢力が生まれ、**新バビロニア**、**メディア**な
どが力をつけていきました。その新バビロニア・メディアの連合軍に首都ニネ
ヴェが攻め落とされたことで、勢いよく成り上がった史上初の世界帝国は終
焉を迎えたのでした。

アレクサンドロス大王の東方遠征

前334〜前323年

マケドニアのアレクサンドロス大王が、
オリエント地方を含む東方へと侵攻した。

─┤ 主な交戦勢力 ├─

マケドニア 東方諸国

マケドニアの王・アレクサンドロスが 父の遺志を継ぎ東方へ進軍

なぜ争った

　オリエント全土を制圧していたアッシリアが滅亡して以降、しばらく混乱が続いたオリエント世界を再び統一したのが**アケメネス朝ペルシア**（ペルシア帝国）でした。

　もともとペルシア人が暮らしていたのは別の国で、前550年にキュロス2世がその国の政権を奪い取り、アケメネス朝ペルシアを築き上げました。その後、ペルシアは快進撃を続け、オリエント世界を統一するまでになったのです。ペルシア帝国が行った交通網や貨幣、農業用の地下水路の整備、ペルシア文字の体系化などは、この地域の発展に大きく貢献しました。

　勢いに乗るペルシア帝国でしたが、古代ギリシアのアテネとの**ペルシア戦争**（→116ページ）での敗戦を機に、徐々に力を落としていきました。

　その衰退するペルシア帝国を脅かしたのが**マケドニア**でした。前7世紀頃、バルカン半島で暮らしていたギリシア系の人々がつくった国です。

　マケドニア発展のきっかけをつくった**フィリッポス2世**は、マケドニアの領土をバルカン半島よりも東のオリエント地方にも広げるべく、まずその出入り口となるギリシアに侵攻し、征服しました。

　そのフィリッポス2世の後を継いでマケドニア王となったのが、彼の息子である**アレクサンドロス3世**（アレクサンドロス大王）でした。彼は、幼い頃から、かの有名な哲学者アリストテレスから教えを受けたともいわれており、その博識ぶりで注目されていました。

　アレクサンドロス大王は、いよいよ父の悲願であった東方進出を決めます。

これが、のちに「東方遠征」といわれるようになった彼の進軍の始まりです。

勝利に次ぐ勝利！ アレクサンドロス大王がついにオリエント世界の覇者になった

アレクサンドロスの東方遠征は、勝利、勝利、勝利の連続。多くの国を自分のものにしていきました。

ペルシア帝国との戦いでも連戦連勝を重ね、**イッソスの戦い**では、ペルシア王**ダレイオス3世**の間近まで突進するアレクサンドロスの絵画が描かれるほど、強烈にペルシアを追い詰めました。そして、続く**アルベラの戦い**にてアレクサンドロスがダレイオス3世に打ち勝つと、その翌年、ついにペルシア帝国は滅亡しました。**こうしてオリエントの覇者は、ペルシアからマケドニアへと移り変わったのです。**

その後も彼の快進撃は終わらず、現在の中央アジアやインダス川流域にまで侵攻を続けました。**現代のギリシアから、南はエジプト、東はアフガニスタン・パキスタンに至るまでを一挙に支配し、相当広範囲に進出したのです。**

その後、アレクサンドロス大王は、インダス川流域からさらに東へと領土を広げるべく、インダス川を渡ろうと考えますが、部下の反対もあってそれは実現せず、その数年後にはバビロンで病死してしまいました。遺言はなかったといわれています。

後継者争いで王国が3つに分裂。ギリシア文化が各地に広がる

カリスマが遺言なしで亡くなったマケドニアでは、大変な後継者争いが起こりました。アレクサンドロスに仕えた当時の部下たちは、「我こそが大王の正当な後継者だ」と言って譲らなかったため、**アレクサンドロス大王が支配した広大な領域は3つに分割されました。**

こうして生まれたのが、**セレウコス朝シリア**、**プトレマイオス朝エジプト**、**アンティゴノス朝マケドニア**です。これらの王朝名は、いずれも部下たちの名前が頭に付いています。

これらの王国が分立した時代は、**ヘレニズム時代**といわれます。ヘレニズム時代には、オリエント世界の中心地がギリシアから東地中海のほうに移動

し、ギリシア人たちもオリエント各地に移住しました。

　そのため、各地では**ヘレニズム文化**、つまりギリシア風の文化が広まりました。ギリシア語が共通語となり、哲学や科学、文学などの文化が発展するとともに、ミロのヴィーナスなどで有名なヘレニズム美術も発達しました。

　また、各地に「アレクサンドリア」という名前の都市がいくつも建設されました。これはもちろん、アレクサンドロスの名前から取ったものです。特に有名なのは経済・文化の中心地として栄えたエジプトのアレクサンドリアで、現代でもその名が残っています。

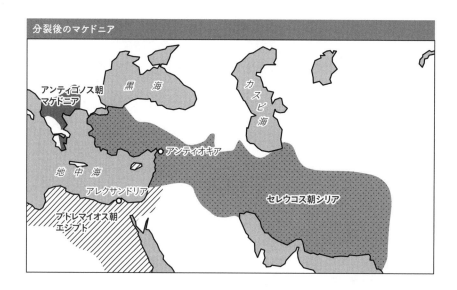

分裂後のマケドニア

パルティア戦争

前53〜217年

イラン方面で勢力を拡大したパルティアとローマが、
領土問題をめぐり、2世紀以上にわたって争い続けた。

┤ 主な交戦勢力 ├

パルティア ローマ

 なぜ争った

セレウコス朝シリアの領土をめぐり大国ローマと パルティアが対立

アレクサンドロスの東方遠征によって築かれた大帝国は、強大なリーダーを失ったことで崩壊し、いくつかの国に分裂することになりました。

その中の一つ、**セレウコス朝シリア**では、イラン系の遊牧民の自立により**パルティア**が成立しました。パルティアは、勢力を失いつつあったセレウコス朝から領土を奪い、広大な領土を手に入れました。ミトラダテス1世のときには、ついにイラン全土を統一する広大な帝国となります。

パルティアが押さえたこの地域は、当時、非常に重要な場所でした。この時代には、西の「ローマ」、東の「漢(中国)」という二大帝国が勢力を保持し、このあたりは、ちょうどこの2つの帝国の間に位置していたからです。<u>この2つの国をつないでいた通商路がシルクロードであり、ここを押さえたパルティアは、両国を結ぶ通商、特に絹織物を中心とする貿易から生まれる利益をほしいままにしました</u>。当時の移動は陸路しかなかったことを考えると、その利益は相当なものだったでしょう。

そのパルティアは、**当時すでに崩壊しつつあったセレウコス朝シリアの領土をめぐり、次第に西方**

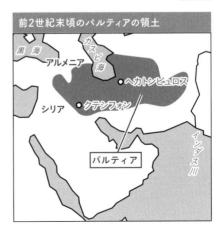

前2世紀末頃のパルティアの領土

黒海
カスピ海
アルメニア
シリア
ヘカトンピュロス
クテシフォン
パルティア
インダス川

のローマと対立を始めるようになります。

　ローマは、自分たちこそセレウコス朝を後継する正当な権利を持っていると考え、その領土であるメソポタミアやアルメニアに進出しました。しかし、パルティアもまた同じことを考えていたため、両国は衝突したのです。

　ただし、当初は戦闘にまでは至りませんでした。のちに同盟市戦争（→125ページ）で活躍するローマの**スラ**とパルティアの使者が交流し、ユーフラテス川を両国間の国境とする和平を結んでいます。

　軍事的衝突を始めたのは、スパルタクスの反乱（→128ページ）を鎮圧して名声を高めた**クラッスス**でした。彼は、当時勢力争いをしていたカエサルのガリア戦争（→130ページ）に対抗し、ローマからパルティアへと遠征を始めました。ここから、数世紀にわたって続く両国の争いが本格的に始まりました。

2世紀以上にもわたって、ローマとパルティアは戦い続けた

　第1回のパルティア戦争は、パルティアの勝利に終わりました。敗北したクラッススはここで殺害され、ローマにおける第1回三頭政治は終わりを告げます。

　2度目の戦争は、第2回三頭政治の一翼を担った**アントニウス**の遠征によって始まりました。彼は、クラッススが失敗した偉業を自分が代わりに成し遂げようと奮起しましたが、これも結局失敗してしまいます。

　パルティアの強さの秘訣は、その戦い方にありました。遊牧民が中心であるパルティアの騎兵は、卓越した騎馬技術を生かし、馬上から後ろを向いて弓矢を浴びせて走り去り、ローマ兵が追いかけてくると再び射掛けるという戦法を使ったのです。これに苦しめられたローマ兵は、彼らの戦法を「パルティアンショット」と呼びました。

　しかし、ローマもやられてばかりではありません。2世紀の初め、ローマ五賢帝の一人である**トラヤヌス**率いる東方遠征軍は、パルティアの首都クテシフォンを攻め落としました。さらに、最後の五賢帝である**マルクス＝アウレリウス＝アントニヌス**もパルティアへ遠征し、再びクテシフォンを占領しています。

パルティアは滅び、ササン朝ペルシアが建国

　こうして次第に衰えていったパルティアは224年に滅亡しますが、最終的にこの国を倒したのは、長年のライバルのローマではありませんでした。ここで活躍したのが、当時パルティア王に仕えていたアルダシール1世です。彼は国王を殺害し、首都を征服してパルティアを滅ぼしました。アケメネス朝の後継者を自称する彼は、ゾロアスター教を国教とする**ササン朝ペルシア**を建てます。

　パルティアに代わって西アジアを治めたササン朝は、西アジア周辺地域で大きな存在感を示しました。広大な領土を有し、7世紀には最盛期を迎えます。

　しかし、最後は台頭してきた新勢力によって滅ぼされてしまいました。それが、次に紹介するニハーヴァンドの戦いであり、その相手は新たに生まれたイスラーム教だったのです。

古代オリエント世界と イスラームの誕生①

ここまでの おさらい

（古代オリエント） の二大勢力ヒッタイト、エジプトが衰退し、
シリア周辺地域の民族が台頭

≫

（アッシリア） がオリエント世界を統一

≫

アッシリアの滅亡後、（アケメネス朝ペルシア（ペルシア帝国））が
再びオリエント世界を統一

≫

アレクサンドロス大王の遠征により、
ペルシア帝国に代わって （マケドニア） がオリエントの覇者になる

≫

アレクサンドロス大王の死後、マケドニアの領土は、（セレウコス朝シリア）、
（プトレマイオス朝エジプト）、（アンティゴノス朝マケドニア） に分裂

≫

セレウコス朝シリアに代わってイラン周辺を支配した （パルティア） が
ローマとパルティア戦争で争い続ける

≫

パルティアを滅ぼしたアルダシール1世が （ササン朝ペルシア） を
建国。西アジアで大きな存在感を示す

ニハーヴァンドの戦い

642年

生まれたてのイスラーム教勢力が、ササン朝ペルシアを滅亡に追いやった。

┤ 主な交戦勢力 ├

イスラーム勢力 ササン朝ペルシア

 なぜ争った **勢いのあるササン朝を支配しようとイスラームが侵攻**

　イスラームにとっての最初の聖戦であり、のちのイスラーム帝国成立のきっかけとなったのがニハーヴァンドの戦いです。

　アレクサンドロス大王の遠征とその後のマケドニアの分裂を経て、オリエント世界を支配していたのが**ササン朝ペルシア**でした。西アジアを中心に広大な領土を支配したササン朝は、7世紀には最大版図を実現します。

　このササン朝が最盛期を迎えた7世紀初め頃に生まれたのが**イスラーム教**です。現代ではキリスト教、仏教と並ぶ世界三大宗教として知られています。創始者はアラビア半島のメッカで商人をしていた**ムハンマド**です。**アッラー**を唯一神として崇拝することや、偶像崇拝禁止、神の前での平等などの教えを持っていることがその特徴です。

イスラーム教の主なルール

・神（アッラー）への絶対服従
・1日に5回メッカに向かって礼拝をする
・イスラーム暦の第9月には、1か月間、日中は断食
・アルコール、豚肉の飲食は禁止
・女性は頭髪や顔を隠す
※これらのルールは宗派によっても多少異なります

イスラーム教の成立当初、ムハンマドとイスラーム教徒は迫害を受け、メッカを追いやられ、**メディナ**に聖遷（ヒジュラ）することになりました。しかしその後、メッカの支配者層と戦い、メッカの奪還に成功します。こうして、**以後はイスラーム教勢力がアラビア半島を押さえるようになりました**。

　その直後、創始者ムハンマドが亡くなり、**カリフ**（ムハンマドの後継者）を決める選挙が行われ、初代カリフにアブー・バクルが選ばれました。初代〜4代目カリフが統率していた時代は**正統カリフ時代**と呼ばれ、この時代には、ムハンマドの預言をまとめたイスラームの聖典『**コーラン（クルアーン）**』もつくられました。

　そして、2代目カリフのウマルのとき、ついに**聖戦**（ジハード）が開始されます。イスラームは、まさに圧倒的な熱量を持つ宗教で、イスラームの防衛や拡大のために「努力」することを聖戦と呼んでいます。そして、その戦いで死んだものは天国に行けると信じられていました。

　そこで目をつけられたのがササン朝ペルシアでした。ササン朝は、**ゾロアスター教**を国教とし、アフラ＝マズダという神を信仰していました。**西アジアに広く領土を持ち、ホスロー1世のもとで最盛期を迎えた「異教」の国ササン朝を支配しようと考えた**イスラーム勢力は、アラビア半島からササン朝ペルシアへと遠征を始めました。

イスラーム勢力が西アジア全域を支配した

　カーディスィーヤの戦いで最初の激突が起こりました。この戦いで、イスラームはササン朝の首都クテシフォンを攻略し、ササン朝は首都とイラクを失う手痛い敗北を喫してしまいます。

　その後、**ニハーヴァンドの戦い**でも大敗北を喫したササン朝は、逃亡した王のヤズデギルド3世が殺害されたことで滅亡しました。

　こうして、**イランとイラク地方を手に入れ、同時期にビザンツ帝国からもシリア・エジプトを奪い取ったイスラームは、アラビア半島から東西に大きく領土を広げました**。

　なお、イスラームはこれらの征服地を寛大な政策で統治したといわれています。異教徒でも税金さえ払えばその信仰は守られ、生活習慣も変える必要はなかったようです。

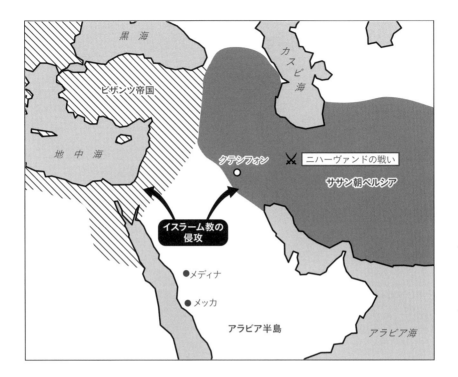

地中海

黒海

カスピ海

ビザンツ帝国

クテシフォン ✕ ニハーヴァンドの戦い

サナン朝ペルシア

イスラーム教の
侵攻

●メディナ

●メッカ

アラビア半島

アラビア海

どうなった

② イスラーム教内が派閥に分かれ、スンナ派、シーア派が生まれる

　こうして勢いに乗るイスラーム教でしたが、2代カリフのウマルの後を継いだ3代ウスマーン、4代**アリー**は暗殺されてしまいました。その後、シリア総督ムアーウィヤが新カリフとなることを宣言し、**ウマイヤ朝**が開かれます（ウマイヤ家がカリフを世襲していったためこう呼ばれました）。

　このとき、イスラーム教は2つの派閥に分かれました。**スンナ派（スンニ派）**と**シーア派**です。スンナ派は主にムハンマドの言行（コーランなど）を重視し、ムハンマドの血筋にはこだわらなかった人たちです。一方のシーア派は、ムハンマドの血が流れるアリーの子孫にのみイスラーム教の指導者たる資格があると主張する人たちです。どちらも、我々こそが正統派だと譲りませんでした。

　ただし、**現在世界的な多数派はスンナ派であり、イスラームの9割近くを占めるとされています。シーア派はイラン国内では大半を占めていますが、世界全体の中では1割程度にとどまっています。**

スンナ派とシーア派				
	ムハンマドの後継者	分派	人数	地域
スンナ派	信者の合意のもとに選ばれる最高指導者（イマーム）	少ない	多数派	エジプトなどを中心に世界中に分散
シーア派	ムハンマドのいとこのアリーとその子孫のみ（血縁重視）	多い	少数派	イランに信者の多数が集中

タラス河畔の戦い

751年

イスラームのアッバース朝が中国の唐を敗り、
中央アジアにまで勢力を拡大。

―――――| 主な交戦勢力 |―――――

アッバース朝 唐

 東へ進むアッバース朝と西へ進む唐がぶつかった

　ウマイヤ朝以降のイスラーム教は、聖戦によってどんどん領土を拡大していきました。東方では、当時中国を支配していた唐に接する地域を征服し、西方では、北アフリカを征服したのちにイベリア半島に進出して**西ゴート王国**を滅ぼしました。ここでイスラーム教がキリスト教の地であったイベリア半島を奪ったことは、のちの**レコンキスタ**（→146ページ）につながります。

　その後、**トゥール・ポワティエ間の戦い**（→148ページ）でフランク王国に敗れたことで、西欧への進出はここでストップしました。とはいえ、**アラビア半島から始まったイスラーム教は約1世紀の間に大きく勢力を拡大しました。**

　しかし、それに伴い、ウマイヤ朝では問題も生じていました。イスラームへ改宗した異民族（**マワーリー**）たちの不満がたまっていたことです。**アラブ人は税金を免除されていたのに対し、彼らにはジズヤ（人頭税）とハラージュ（地租）が課せられていました。**

　彼らの不満は、次第にウマイヤ朝に不満を抱えるアラブ人も巻き込み、打倒ウマイヤ朝の動きが盛んとなりました。こうして750年にはウマイヤ朝に代わり、**アッバース朝**が成立します。

　ウマイヤ朝と同じ轍を踏まないようにと考えたアッバース朝は、アラブ人だけの優遇をやめ、イスラーム教徒全体に対して特権を与えるようにしました。公用語のアラビア語も、アラブ人の枠組みを超え、イスラーム教徒の共通語として用いられるようになります。

　こうして多文化を取り込んだアッバース朝は、「アラブ帝国」といわれた

ウマイヤ朝と比較して「イスラーム帝国」と呼ばれ、中央アジアの国や民族も取り込みながら東へと拡大していきました。

　一方、東アジアでは中国の唐が、西へ西へと勢力を拡大していました。7世紀後半、高宗が皇帝の時代には、朝鮮半島の百済や高句麗、そして西トルキスタンの西突厥という国も滅ぼして、その領土は最大となりました。

　この勢いのある2国が、中央アジアのタラス地方（現在のキルギス周辺）で衝突することになったのです。

　開戦のきっかけは、唐がタシュケントを攻めたことでした。王を捕虜とした唐に対し、王子がアッバース朝に助けを求めたのです。これによりアッバース朝は唐を攻めました。

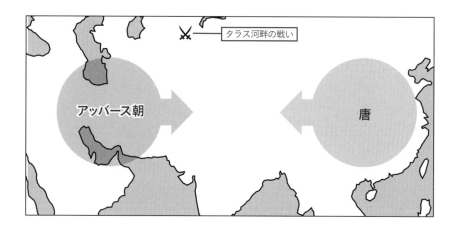

タラス河畔の戦い

アッバース朝が勝利し、中央アジアにもイスラーム教が進出。唐は西への進出を一時断念

　タラス地方には唐の城がありました。唐はここで3万の兵で防衛戦を行い、5日間持ちこたえたといわれています。

　しかし、唐側のトルコ系部隊がアッバース軍に寝返って内通し、唐の軍隊は総崩れになってしまいました。その結果、敗戦した唐側の生還者はたった数千人しかいなかったと言います。アラブ人のみならず、トルコ系、イラン系の人たちもうまく取り込んで多民族共同体となっていたアッバース朝らしい勝ち方だったと言えるでしょう。

　こうして東西の大国同士の争いは、アッバース朝の圧勝に終わりました。

これにより、イスラームの支配は中央アジアにも及ぶことになります。また、唐は西への進出を諦めざるを得なくなりました。

　また、この戦いは文化的な影響もありました。**唐の製紙法**がイスラーム世界へと広がるきっかけとなったのです。唐の捕虜から製紙法が伝えられ、捕虜たちはサマルカンドの製紙工場で紙を作らされたそうです。この技術は12世紀にはスペインにまで伝わり、キリスト教世界にも広がっていくことになります。

 イスラーム王朝が各地で生まれる時代へ

　タラス河畔の戦いの後、アッバース朝は新首都を**バグダード**にかまえ、ハールーン・アッラシードのもとで最盛期を迎えました。しかし、彼が亡くなった9世紀頃から、各地で地方勢力の独立が始まります。特に、756年にイベリア半島で興った**後ウマイヤ朝**と、10世紀に北アフリカで興った**ファーティマ朝**のトップがそれぞれ「カリフ（イスラームの最高指導者）」を称し、<u>**アッバース朝とあわせ3人のカリフが並立することになりました**</u>。こうしてイスラーム帝国としてのアッバース朝の一強時代は終わり、各地でさまざまなイスラーム王朝が生まれることになります（次ページ参照）。

　また、この頃からイスラーム世界とキリスト教世界との対立も深まっていきました。イベリア半島をめぐって争った**レコンキスタ**やイェルサレムをめぐって争った**十字軍の遠征**（→153ページ）など、その後は両宗教の対立が何度も起こっています。

各地域のイスラーム王朝の推移

	700	800	900	1000	1100	1200	1300

北インド

デリー・スルタン朝

中央アジア

ガズナ朝

ゴール朝

サーマーン朝

カラハン朝

チャガタイ=ハン国

ティムール朝

イラン・イラク

ウマイヤ朝（アラブ帝国）

アッバース朝（イスラーム帝国）

ブワイフ朝

セルジューク朝

ホラズム=シャー朝

イル=ハン国

アナトリア

ムハンマド時代

ルーム・セルジューク朝

オスマン帝国

アラビア

正統カリフ時代

ウマイヤ朝（アラブ帝国）

アッバース朝（イスラーム帝国）

エジプト

ファーティマ朝

アイユーブ朝

マムルーク朝

イベリア

後ウマイヤ朝

ムラービト朝

ムワッヒド朝

ナスル朝

アラビア半島を支配したイスラーム教が、ニハーヴァンドの戦いで
ササン朝ペルシアを破るなど、一気に勢力を拡大。
イスラーム王朝の が誕生

ウマイヤ朝がイベリア半島を支配。
しかし、トゥール・ポワティエ間の戦いでフランク王国に敗退し、
西欧への進出はここでストップ

ウマイヤ朝に代わり、 が成立。中国の唐とのタラス河畔
の戦いに勝利し、中央アジアでもイスラームが勢力を伸ばす

9世紀頃からは各地でさまざまなイスラーム王朝が生まれる。
イスラーム世界におけるアッバース朝一強時代は終わる

Chapter 2

オスマン帝国と
ムガル帝国

コンスタンティノープルの陥落

1453年

船が山を越えた!?　オスマン帝国の驚きの奇襲により、
ビザンツ帝国の首都コンスタンティノープルが陥落。

┤ 主な交戦勢力 ├

ビザンツ帝国

オスマン帝国

 なぜ争った
交易の中心都市であったコンスタンティノープルに オスマン帝国が目をつけた

　イスラーム勢力の**オスマン帝国**が、キリスト東方教会の中心地であった**ビザンツ帝国**の首都コンスタンティノープルに侵攻した事件がコンスタンティノープルの陥落です。

　14世紀頃から、イスラーム世界で頭角を現し始めたのがオスマン帝国でした。1299年にトルコ人により建国され、アナトリア（現在のトルコがあるところ）からバルカン半島を中心に発展した、スンナ派イスラーム勢力です。

　当時のオスマン帝国は、**アンカラの戦い**（→59ページ）でティムールに惨敗した直後でしたが、続く2人の君主が帝国を立て直し、**メフメト2世**にバトンを渡したところでした。

　オスマン帝国の新たな君主となった**メフメト2世は、帝国の領土を広げるべく各地へと遠征していきました。その最初の大仕事が、今回のビザンツ帝国の首都コンスタンティノープル攻めだったのです。**

　コンスタンティノープルは、地理的にも繁栄の条件がそろっていました。地図からもわかる通り、この都市はアジアとヨーロッパが陸路と海路両方で交わる場所にあり、当時世界で繁栄していた二大地域を海陸で結びつける結節点だったのです。東西へ移動していくさまざまな人が行き来するこの地は、交易活動の中心として繁栄していました。また、コンスタンティノープル教会も大きな権威を持ち、東方教会の拠点としてもこの地は重要な役割を担っていました。

自国の領地のすぐ近くにあるこ
れほど重要な拠点を、オスマン帝
国が黙って見過ごすはずがありま
せん。キリスト教世界が東西教会
でいがみ合い、国力の維持がなお
ざりになっているビザンツ帝国を
見逃さず、コンスタンティノープル
に攻め入ったのです。

ビザンツ帝国が敗北。コンスタンティノープルは オスマン帝国の首都となり、イスタンブルとなった

　10万人を超えるオスマン帝国の大軍に対し、ビザンツ軍の兵力は1万人に
満たなかったと言います。しかしビザンツ帝国は、頑強な城壁や海という自
然の防御壁も生かしてオスマン帝国軍の侵入をなんとか防いでいました。コ
ンスタンティノープルに海から入り込むための唯一の場所、金角湾にも太い
鎖を張り巡らし、オスマン帝国の艦隊をブロックしたのです。

　これに対して、メフメト2世は奇策を練ります。それが、後世まで語り継
がれることになった**オスマン艦隊の山越え**です。文字通り、船を山越えさせ
るという前代未聞の作戦でした。山道に丸太を敷き詰め、その上に船を転が
して運び、金角湾の鎖の内側まで持っていったのです。

　そんなことは予想もしていなかったビザンツの兵士たちは、きっと驚き、慌
てふためいたことでしょう。もともと防戦一方だったビザンツ軍は、これをきっ
かけに総崩れとなりました。

　こうしてコンスタンティノープルは陥落し、ビザンツ帝国は滅亡するに至り
ます。コンスタンティノープルを奪ったオスマン帝国は、首都をここに移し、
その名を**イスタンブル**（**イスタンブール**）に変えました。地中海と黒海を結ぶイ
スタンブルは、経済や文化交流の結節点として、オスマン帝国の中心都市
として大きく発展していきました。

　また、この後もメフメト2世は各地への征服活動を続け、「征服王」と呼
ばれるまでになりました。急激に領土を拡大したオスマン帝国は、その後、

ヨーロッパ社会を脅かす存在になっていきます。

　なお、ビザンツ帝国は滅びましたが、オスマン帝国は他宗教に寛容であり、帝国内に居住していたキリスト教徒やユダヤ教徒などの共同体は、宗派ごとに自治が認められていました。コンスタンティノープル教会もオスマン帝国のもとで保護されました。

第一次ウィーン包囲

1529年

ヨーロッパのキリスト教社会が戦々恐々とした出来事。
オスマン帝国が神聖ローマ帝国の首都ウィーンを軍隊で包囲した。

┤ 主な交戦勢力 ├

オスマン帝国 神聖ローマ帝国

 オスマン帝国の征服活動を
神聖ローマ帝国が邪魔した

なぜ争った

オーストリアのウィーンは、現在は音楽の都として有名です。しかし、歴史上、この都は何度も戦場となってきました。特に有名なのが、2度にわたり、オスマン帝国の大軍がウィーンを包囲した出来事です。

コンスタンティノープルを攻め落とした後のオスマン帝国は、破竹の勢いで領土を広げていきました。ビザンツ帝国を征服した後、**メフメト2世**は、クリミア半島の支配などで黒海の制海権を得ます。続く**セリム1世**はマムルーク朝を滅ぼして、イスラームの聖地であるメッカとメディナも支配下に置きました。

こうして着々と領土拡大を進めたオスマン帝国の最盛期をつくったのが**スレイマン1世**でした。彼もまた、他国への侵攻に力を入れ、ハンガリーを征服しました。

ここで当然、ハンガリーはオスマン帝国領になるはずでした。しかし、神聖ローマ帝国の王**カール5世**（カルロス1世）がボヘミア・ハンガリーの王位を継承したことで話が変わってきました。スレイマン1世は**「せっかく奪ったハンガリーを返せ」と、神聖ローマ帝国の首都ウィーンへ12万もの精鋭兵を送ったのです。**

オスマン帝国がハンガリーの中南部を獲得。キリスト教社会に衝撃が走る

どうなった

オスマン帝国は独自の制度に支えられた強力な軍隊を持っていました。代表的なのが、キリスト教徒を改宗させて徴兵した皇帝直属の精鋭軍**イェニチェリ**です。彼らは、当時最新式の大砲や銃で武装した歩兵軍団として活躍し、まさに「向かうところ敵なし」だったのです。

しかし、ウィーン包囲の最中に突然の寒波が押し寄せたことで、物資や戦力の補給が断たれ、侵攻は困難になりました。その結果、ウィーンを包囲して20日ほど経過したときに、オスマン帝国軍は撤退に至ります。

その後、何度かの小競り合いの末に休戦協定が結ばれました。ここでハンガリーの中南部はオスマン帝国領となることが決まり、神聖ローマ帝国は、首の皮一枚でつながったような状態でなんとか滅亡を免れました。

渦中の神聖ローマ帝国を代々世襲してきたのは、かの名家、ハプスブルク家です。**当時勢いのあったハプスブルク家の領土であるハンガリーがイスラーム勢力に半分も奪われたこの事件は、コンスタンティノープルの陥落と同じく西欧キリスト社会に大きな衝撃を与えました**。「明日は我が身」ということで、オスマン帝国への脅威を感じずにはいられなかったでしょう。

第二次ウィーン包囲

1683〜99年

以前失敗に終わったウィーン攻略にオスマン帝国が再び挑んだ。

―――― 主な交戦勢力 ――――

オスマン帝国 神聖ローマ帝国

オスマン帝国の大宰相が、名声を高めようとウィーン攻略にリベンジした

メフメト2世、セリム1世、スレイマン1世の3代で大きく領土を広げ、勢いに乗ったオスマン帝国が衰退するきっかけとなったのがこの第二次ウィーン包囲でした。

第一次ウィーン包囲で神聖ローマ帝国からハンガリーの中南部を獲得したオスマン帝国は、その後、**プレヴェザの海戦**でスペイン・ヴェネツィアなどの連合艦隊を破り、地中海の制海権も掌握します。その後、この地中海の覇権をめぐって再びスペインらと**レパントの海戦**（→189ページ）で激突しますが、これには惜しくも敗北してしまいました。

そして、第一次ウィーン包囲から約150年たった頃、オスマン帝国では少しずつ皇帝の権威が失われ、大宰相が実権を握るようになっていました。当時の大宰相カラ＝ムスタファ＝パシャは、「かつて失敗したウィーン包囲を自分が成功させれば、一気に名声が高まるはずだ」と考え、再びウィーンへの侵攻を決めました。

オスマン帝国は15万もの大軍を編成し、まさに「包囲」と言うにふさわしい大戦線を構築します。一方のウィーン側は、その10分の1程度しか兵力がなかったといわれています。こうしてオスマン帝国は大軍を率いて、再び神聖ローマ帝国の首都ウィーンを包囲したのでした。

キリスト教国の反撃でオスマン帝国は大失速

　兵力に劣るウィーン軍にとっては絶望的かと思われたこの戦いは、意外な結果となりました。ウィーン軍は第一次ウィーン包囲の反省を生かし、きっちりと防壁を増強していたのです。これによって時間を稼ぎ、直ちにキリスト教国へ救援を要請しました。そしてやってきた援軍とともにオスマン帝国軍を敗走させることに成功したのです。

　さらにキリスト教連合軍は、オスマン帝国を追い払うのみならず、むしろ追撃に移って快進撃を続けました。カルロヴィッツ条約で講和に至るまで、オスマン帝国は甚大な被害を受けることになります。

　この条約で、オスマン帝国はハンガリーとトランシルヴァニアの大半をオーストリアに割譲することになりました。かつては強力だったオスマン帝国軍ですが、この歴史的大敗によって完全に失速してしまったのです。

　事実、続く18世紀、19世紀においてもさまざまな戦争で敗北し、領土を割譲することが増えていきます。

　とはいえ、オスマン帝国は1922年の**トルコ革命**（→339ページ）によって帝政が廃止されるまで存在し続けます。かつての勢いや覇権こそ失ってしまったものの、その後も歴史上の重要国であることは間違いありません。

オスマン帝国とムガル帝国①

14世紀頃、イスラーム世界では オスマン帝国 が台頭

オスマン帝国が、ビザンツ帝国の首都コンスタンティノープルを陥落。
ビザンツ帝国を滅ぼし、首都をここに移す

着々と領土を拡大するオスマン帝国が、
第一次ウィーン包囲でハンガリーの中南部を獲得

第二次ウィーン包囲で大敗したオスマン帝国は、
その後、その勢いを失っていった

PART
3

中東・イスラーム

パーニーパットの戦い

1526年

ティムールの子孫バーブルが、インドのロディー朝を征服し、
ムガル帝国を築いた。

―――――| 主な交戦勢力 |―――――

バーブル ロディー朝

 **インドのイスラーム王朝「デリー＝スルタン朝」の
混乱に乗じて、バーブルが攻め入った**

　パーニーパットの戦いは、**バーブル**という人物が北インドに攻め入り**ムガル帝国**を樹立した重要な戦いです。

　7世紀の初めに興ったイスラーム教は、次第に各地へと広まり、8世紀にはインドの一部にも入り込んでいました。しかし、まだまだイスラーム教は少数派であり、インドではヒンドゥー教や仏教などの宗教が主流でした。

　本格的にイスラーム教がインドに入ってきたのは、10世紀後半のことです。アフガニスタンで成立したイスラームの**ガズナ朝**がインドへ17回にもわたり遠征を行い、続く**ゴール朝**もインドへの侵攻を進めました。これらの侵攻により、インドのヒンドゥー教や仏教の寺院は破壊され、信徒迫害が起き、仏教の僧侶はネパールに逃れました。これにより仏教はインドで衰退することになります。

　13世紀には、インドのデリーを中心とするイスラーム王朝「**奴隷王朝**」が生まれました。「奴隷」という名前は、創始者であるアイバクという人物が奴隷出身であったこと、またその後の歴代皇帝も奴隷出身者が多かったことに由来しています。

　この王朝に続き、4つのイスラーム王朝がデリーで誕生しました。これら5つの王朝は、まとめて**デリー＝スルタン朝**と呼ばれます。こうしてインドにもイスラームが根付くことになったのです。

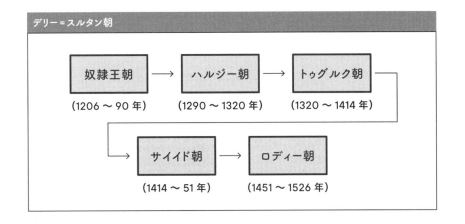

デリー=スルタン朝

奴隷王朝 (1206～90年)	→	ハルジー朝 (1290～1320年)	→	トゥグルク朝 (1320～1414年)

サイイド朝
(1414～51年) → ロディー朝
(1451～1526年)

この頃のインドに攻め込んだのが**ティムール**（→59ページ）でした。各地を侵略して回った彼がインド遠征に来たときは、まさにインドがデリー＝スルタン朝（当時はトゥグルク朝）の時代だったのです。トゥグルク朝で財宝と捕虜を手に入れたティムールは、すぐにこの地から撤退しました。

ティムールの侵攻を受けたデリー＝スルタン朝は、徐々に勢いを失い、内部で権力闘争が起こるようになりました。その混乱に乗じて攻め入ったのがティムールの子孫である**バーブル**でした。アフガニスタン周辺で着々と力を蓄えていた彼は、インド北部の都市・パーニーパットでデリー＝スルタン朝（ロディー朝）と激突し、バーブルとロディー朝によるパーニーパットの戦いが始まったのです。

なお、パーニーパットという都市は、現在もインド北方に存在します。ここは、ガンジス川平原と北部のアジア地域とが接する地であり、歴史上、何度も戦いが起こっています。つまり、「パーニーパットの戦い」は複数存在しますが、この戦いがもっとも有名だと言えます。

 バーブルがインド・デリー周辺にムガル帝国を建国

あちこちを駆け巡ったティムールの子孫らしく、バーブルも獅子奮迅の活躍を見せます。兵力ではロディー朝に劣っていたバーブルでしたが、新式の鉄砲や騎兵を用いて、数的不利を見事にひっくり返しました。

デリーを占領したバーブルは、そこにイスラーム国家である**ムガル帝国**を

建国します。「ムガル」とはモンゴルという意味であり、ティムールが「チンギス＝ハンの子孫である」と自称したように、この時代でもまだモンゴル帝国の存在が大きかったことがわかります。

　ちなみにバーブルは、軍人として優れていただけでなく、文人としても有名でした。彼の書いた『**バーブル＝ナーマ**』という回想録はトルコ語文学の傑作といわれ、邦訳も出版されています。

　なお、ムガル帝国は、バーブルの孫の第3代**アクバル帝**の時代に大きく成長しました。彼は、北インド方面を中心に領土を拡大し、ムガルを「帝国」と呼ぶにふさわしいレベルまで成長させたのです。

　また、**アクバル帝は統治を柔軟に進めるべく、周辺のヒンドゥー教徒との融和を図りました。**異宗教を排除するのではなく、むしろ寛容に接することを選んだわけです。

アクバル帝時代のムガル帝国の最大領土

デリー

ムガル帝国

インダス川

ガンジス川

デカン戦争

1681〜1707年

ムガル帝国が宿敵マラーターの討伐に向かうも、
思わぬ長期戦でムガル帝国衰退のきっかけとなった。

─┤ 主 な 交 戦 勢 力 ├─

ムガル帝国 マラーター王国

悩みの種であったマラーターを討伐するために、ムガル帝国がデカンに侵攻した

　パーニーパットの戦いでバーブルが建国したムガル帝国は第3代アクバル帝により大帝国に成長しました。彼は、非ムスリムへの人頭税(ジズヤ)を廃止するなど、現地で主流だったヒンドゥー教とイスラーム教の融和を試みます。

　しかし、第6代の**アウラングゼーブ帝**は一転して帝国のイスラーム化を強めました。**彼は熱心なイスラーム教徒であり、ヒンドゥー教徒への人頭税の復活など、イスラーム教以外の宗教に圧力をかけたのです**。さらにはヒンドゥー教の寺院を破壊してモスクに建て替えてしまうなど、明白な迫害を行いました。これは当然、ヒンドゥー教徒からの大きな反感を買いました。

　またアウラングゼーブは、約50年にわたる治世の多くを領土拡大に費やしました。結果、ムガル帝国の領土は彼の時代に最大となります。しかし、領土が広くなるということは統治が難しくなるということでもあります。アウラングゼーブは広大な領土をうまく支配できず、

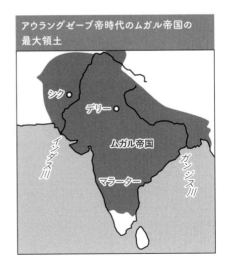

アウラングゼーブ帝時代のムガル帝国の最大領土

シク

デリー

インダス川

ムガル帝国

ガンジス川

マラーター

十分に目が行き届かなくなった地方では、地主が少しずつ幅を利かせるようになっていきました。

　こうした内政不安を抱えるムガル帝国には、もう一つ問題がありました。それはマラーターとの争いです。**マラーター**とは、インド南部にあるデカン高原付近のヒンドゥー教勢力です。彼らは、このあたりでヒンドゥー教国の戦士として活躍していました。

　1650年代になるとマラーターの指導者である**シヴァージー**という人物が頭角を現します。**シヴァージーは、ムガル帝国の領土に侵攻するなど、アウラングゼーブを悩ませました。**アウラングゼーブはシヴァージーとの和解を試みますが、それも決裂。ムガル帝国は彼に何度も攻め込まれることになります。

　しかし、そのシヴァージーが亡くなると、これを好機ととらえたアウラングゼーブが、大軍を率いてマラーター討伐のためにデカン地方に進軍しました。

 **長期化する戦いの中、国内の問題を軽視した
ムガル帝国は衰退の道をたどることに**

　1690年頃までには、ムガル帝国軍がデカンをほぼ制圧するに至りました。しかしその後もダラダラと戦いは続き、アウラングゼーブが病死するまで、20年以上も戦争は続きました。

　この長期間の戦争のさなか、アウラングゼーブは、国内の問題をすっかり無視していました。

　そのため、アウラングゼーブの死後、ムガル帝国は一気に衰退していくことになります。彼の死後、各地の有力者が独立し始め、北西部のシク教（イスラーム教とヒンドゥー教が融合した宗教）のシク王国やマラーター王国が、広大なムガル帝国の領土をどんどん奪っていきました。結局最後に残ったのは、建国の父・バーブルが最初に獲得したデリー周辺だけとなってしまいました。

　こうして混乱に陥ったインドで、次に権力を握ったのはインド内の勢力ではありませんでした。17世紀後半からインドに少しずつ拠点を築き上げていたイギリスとフランスです。こうしてインドは、英仏による植民地支配の時代へと入っていきます。これについては、PART2のChapter6（227ページ）をご参照ください。

13世紀、インドでイスラーム王朝の **デリー＝スルタン朝** が誕生

≫

パーニーパットの戦いでデリー＝スルタン朝を滅亡させたバーブルが、
インドにイスラーム国家の **ムガル帝国** を建国

≫

第3代アクバル帝のもとで、ムガル帝国は領土を大きく拡大

≫

デカン戦争で、第6代アウラングゼーブ帝が国内の問題を放置したこ
とで、ムガル帝国は衰退。領土がデリー周辺だけに縮小してしまう

≫

英仏がインドに進出。インドは植民地として支配される時代へ
（→PART2Chapter6参照）

Chapter 3

ヨーロッパ列強の
オスマン帝国侵略

ギリシア独立戦争

1821～29年

ギリシアがオスマン帝国からの独立を勝ち取った。

┤ 主な交戦勢力 ├

ギリシア オスマン帝国

 ギリシアでオスマン帝国からの独立の声が高まった

　第二次ウィーン包囲（→321ページ）の失敗により、その勢いを失ったオスマン帝国は、18世紀後半からはどんどんその領土を失っていきました。18世紀に起きたロシアとの露土戦争（→405ページ）では、黒海の北岸を奪われ、ロシアの黒海の自由航行権も認めざるを得なくなりました。

　さらに19世紀に入ると、オスマン帝国の領土縮小は一層進んでいきました。このギリシア独立戦争も、オスマン帝国に大きな打撃を与えた出来事になります。

　当時のギリシアは、オスマン帝国の支配を受けていました。しかし、**18世紀に起きたフランス革命など、ヨーロッパ各国の独立革命に刺激を受け、ギリシア人たちは、自らの民族による国家独立を目指すようになります。**

　オスマン帝国はイスラーム国家ですが、他の宗教には比較的寛容であり、ギリシアにおいても、ギリシア正教の信仰やギリシア人による一定の自治は認められていました。しかし、経済、政治的な自由は認められておらず、オスマン帝国への不満を募らせていたのです。

　ギリシアでは、ギリシア人による独立国家樹立を目的とした「友愛協会」という秘密結社が組織され、オスマン帝国を相手に独立戦争を開始しました。

露、英、仏が支援したギリシアが独立を果たす

　フランス革命から始まった自由主義・ナショナリズムに対抗し、旧来の絶対王政を復活させようとする「**ウィーン体制**」の中心国であったオーストリア外相のメッテルニヒは、独立で再び秩序が乱れることを懸念し、ギリシアへの妨害を行いました。

　一方でロシア、イギリス、フランスはギリシアの独立を支援しました。そこには各国それぞれの思惑がありました。**ロシアは一年中利用可能な凍らない港を求めて南下政策を進めており、イギリスとフランスは東洋への進出を目指していました**。彼らはギリシアに協力することで、それぞれの進出政策を円滑に運ぼうと考えたのです。

　そして1827年、これら3国の連合艦隊とオスマン帝国軍との**ナヴァリノの海戦**が勃発します。この海戦でオスマン帝国の艦隊は全滅し、オスマン帝国はギリシア独立を認めざるを得なくなりました。1830年に行われたロンドン会議で正式にギリシアは独立を果たしました。

オスマン帝国の領土縮小に歯止めがかからなくなる

　ギリシア独立戦争を通じて、ロシアはオスマン帝国とアドリアノープル条約を締結し、**ボスフォラス・ダーダネルス両海峡（次ページ参照）の自由航行権を獲得しました**。もくろみ通り、ロシアは一年中使える港を獲得したのです。

　一方のオスマン帝国は、その後、**エジプト＝トルコ戦争**でエジプトのシリア占領を認めざるを得なくなったうえに、19世紀の**露土戦争**（→410ページ）、**クリミア戦争**（→407ページ）などを通じて、バルカン半島における領土をどんどん縮小していくことになりました。こうしてオスマン帝国は、弱体化の一途をたどっていきます。

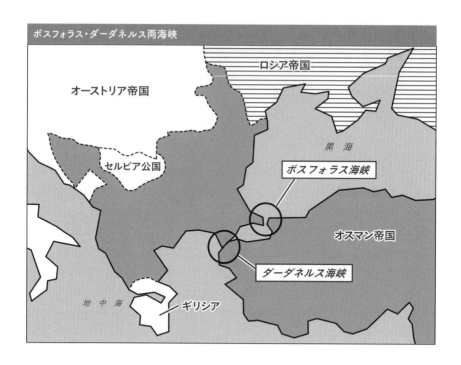

ボスフォラス・ダーダネルス両海峡

オーストリア帝国

ロシア帝国

セルビア公国

黒　海

ボスフォラス海峡

オスマン帝国

ダーダネルス海峡

地 中 海

ギリシア

イタリア＝トルコ戦争
（伊土戦争）

1911〜12年

北アフリカのオスマン帝国領を得るべく、
イタリアが戦争を起こした。

―――| 主な交戦勢力 |―――

イタリア オスマン帝国

なぜ争った ### イタリアがオスマン帝国領トリポリ・キレナイカの獲得を目指した

19世紀、イタリア統一戦争（→258ページ）によってイタリア半島に散らばる諸国が統一され、イタリア王国が成立しました。この頃はヨーロッパ各国が海外に領土を広げており、統一されたばかりのイタリアでもその流れを受け、北アフリカのエリトリアとソマリアを獲得しました。そして、次にイタリアが目を向けたのが、同じ北アフリカにあるオスマン帝国領の**トリポリ**と**キレナイカ**でした。

イタリアにチャンスが巡ってきたのは1908年のことでした。オスマン帝国内において、アブデュルハミト2世の専制政治に対して反発が高まり、立憲制を求める青年将校エンヴェル＝パシャを中心とした**青年トルコ革命**が勃発します。

<u>この混乱は、各国のオスマン帝国への侵略を誘発しました。</u>オーストリアはボスニア・ヘルツェゴヴィナを併合し、イタリアもこの混乱に乗じてトリポリ・キレナイカの獲得に乗り出します。こうしてイタリアはオスマン帝国に宣戦布告し、イタリア＝トルコ戦争が始まったのです。

バルカン戦争への対応も迫られたオスマン帝国が停戦に応じる。イタリアは植民地リビアを獲得

　イタリアは、開戦後すぐに海軍を派遣してオスマン帝国側の輸送路を遮断しました。そして、直ちにトリポリを占領します。続いて陸軍を派遣しますが、オスマン帝国の抵抗と強固な防衛、遅延戦術によって戦局は膠着状態になりました。

　しかし、**バルカン戦争**（→次ページ）の勃発により、状況は一変します。**ここで苦戦を強いられたオスマン帝国は、イタリアとの戦争を停止せざるを得なくなり、ローザンヌでの講和にてイタリアの要求の大部分を認めることになりました**。イタリアはトリポリとキレナイカを獲得し、この地をリビアと改名しました。

バルカン戦争

1912〜13年（第一次）、1913年（第二次）

衰退するオスマン帝国の領土を奪おうと、
セルビア、モンテネグロ、ブルガリア、ギリシアの4か国が手を組んで戦った。

—| 主な交戦勢力 |—

バルカン同盟　　　　オスマン帝国

衰退するオスマン帝国の領土を
バルカン同盟が奪おうとした

　この頃のオスマン帝国は、イタリア゠トルコ戦争や国内で起きた青年トルコ革命などで、混乱の真っただ中でした。さらには、ヨーロッパ列強との戦争にも連戦連敗中であり、衰退の一途をたどっていました。

　そこでロシアの働きかけを受けた、バルカン半島のセルビア、モンテネグロ、ブルガリア、ギリシアが**バルカン同盟**を結成し、オスマン帝国に宣戦布告したのです。

　ロシアがこの4国を支援した理由には、<u>ロシアとオーストリアのバルカン半島における勢力争い</u>がありました。スラヴ系を中心に多様な民族が住むバルカン半島は、長らく列強による勢力争いの舞台となってきました。ロシアは、スラヴ民族の連帯と統一を目指す**パン゠スラヴ主義**を唱え、民族運動を利用してバルカン半島に進出しようとしました。一方のオーストリアも、ゲルマン民族の統合を目指す**パン゠ゲルマン主義**のもと、ロシアの拡大を阻止しようとしました。

　そこで先に行動を起こしたのがオーストリアでした。青年トルコ革命の混乱に乗じて、バルカン半島の一部であるボスニア・ヘルツェゴヴィナを併合してしまいます。

　しかし、この地域はセルビアと同じスラヴ系民族が多く住んでいたため、セルビアが併合しようと考えていた地域でした。そのためロシアは、セルビア、モンテネグロ、ブルガリア、ギリシアをバルカン同盟のもとで結束させ、オーストリアに対抗できるようにしたのです。そのうえで、まずはオスマン帝国か

らバルカン半島を解放すべく、イタリア＝トルコ戦争の真っただ中で疲弊するオスマン帝国に戦争を仕掛けたのでした。

敗北したオスマン帝国はバルカン半島の大半を失う。しかし、バルカン同盟内で仲間割れが生じた

　第一次バルカン戦争は、ロンドン条約の締結により終結しました。これにより、**バルカン同盟は、バルカン半島のオスマン帝国領の大半を奪いました。**

　しかし、ここでバルカン同盟にヒビが入り始めます。この条約では、マケドニアをセルビア、ブルガリア、ギリシアの３国で分割することが定められましたが、この内容にブルガリアは不満を抱きました。実はバルカン戦争以前、セルビアとブルガリアは秘密協定を締結し、戦争後の国境をあらかじめ定めていたのです。

　それにもかかわらず、戦争中にセルビア軍、ギリシア軍が秘密協定で定めた国境を越えて進軍したため、**ブルガリアの最終的な取り分が少なくなってしまいました。**

　そこでブルガリアは、マケドニア全域の獲得を目指し、セルビア・ギリシアに侵攻を始めます。こうした、バルカン同盟国内の仲間割れともいえるのが第二次バルカン戦争です。

　結局、この仲間割れはブルガリアの敗北で幕を下ろしました。ブカレスト講和条約において、ブルガリアはオスマン帝国、ルーマニア、セルビア、ギリシアにさまざまな地域の獲得を許し、領土を縮小するはめになってしまいます。

　この第二次バルカン戦争で反セルビア感情を増幅したブルガリアは、対立していたはずのパン＝ゲルマン主義のドイツ、オーストリア側に接近しました。そのため、この戦争の翌年に始まった第一次世界大戦でも、セルビア、モンテネグロ、ギリシア、ルーマニアが親協商国だった一方、ブルガリアは同盟国側で参戦しています。

トルコ革命

1919〜23年

オスマン帝国が滅亡し、トルコ共和国が生まれた革命。

├ 主な交戦勢力 ┤

ギリシア オスマン帝国

 なぜ争った 敗戦続きのオスマン帝国を見限ったケマルが
革命政府を樹立

　オスマン帝国は第一次世界大戦で同盟国側につき、敗北しました。その際に協商国側と結ばれた講和条約（セーヴル条約）では、オスマン帝国の領土の大幅な割譲や軍備縮小などが決められ、オスマン帝国は崖っぷちの状況に立たされていました。

　これに追い打ちをかけたのがギリシアのイズミル占領でした。ギリシア独立戦争によってオスマン帝国から独立を果たしたギリシアでは、**オスマン帝国の支配下に残るギリシア人居住地を併合し、ギリシア人国家を完成させたいと考えていました。**そこでギリシアは、協商国の支援を受けるかたちでオスマン帝国への侵攻を始め、エーゲ海沿岸のオスマン帝国の都市イズミルを占領したのです（ギリシア＝トルコ戦争）。

　敗戦続きのボロボロなオスマン帝国に対して、ギリシア軍は攻勢を強めていきました。その状況で、のちに「父なるトルコ人」と呼ばれる軍人**ムスタファ＝ケマル**が現れます。彼は無策なオスマン帝国に業を煮やし、オスマン帝国の首都イスタンブルとは別の都市アンカラを拠点に革命政府をつくりました。

　そして、アンカラに迫ったギリシア軍と死闘を繰り広げ、見事にギリシア軍を撤退させたのです。さらに1922年には、ギリシアが拠点としていたイズミルの奪回に成功しています。

オスマン帝国は滅亡し、トルコ共和国が誕生

　ギリシアを追い払ったケマルは、ふがいないオスマン帝国を改革すべく、まず**スルタン（オスマン帝国の君主のこと）制**を廃止しました。次いで、ギリシアに勝利したことを背景に、協商国側とローザンヌ条約を改めて結び、戦後に結ばされたセーヴル条約の破棄に成功します。そして、**トルコ共和国**の成立を宣言し、自ら大統領に就任しました。この**トルコ革命**と呼ばれる一連の出来事により、**オスマン帝国は滅亡し、新たにトルコ共和国が生まれたのです。**

　大統領就任後のケマルは、トルコを近代的な国家にするべく、近代化政策を推し進めました。その主な注目点はイスラームとの政教分離で、女性参政権導入も実現しました。

　また、公の場での民族衣装の着用を禁止するなど、当時にしてはかなり過激な政策をとっています。もちろん、イスラーム教徒からの反発もありましたが、彼は反対派を逮捕し、独裁体制を築きました。また、国民に姓をつくるよう義務付けた際には、議会からアタテュルク（父なるトルコ人）という姓を与えられています。

　なお、ケマルの死後には彼の名前を冠した空港や大学、通りがつくられ、紙幣の肖像画にもなるなど国民から敬愛されています。イスラーム弾圧や独裁など、賛否両論ある人物ではありますが、現在のトルコに欠かせない英雄であったことは確かでしょう。

露土戦争(18世紀)でロシアに敗れたオスマン帝国は、
アゾフ海周辺、クリミア半島、黒海北岸などの領土をロシアに奪われる

ギリシア独立戦争に敗れたオスマン帝国は、ギリシアの独立を許す。
以降、領土の縮小に歯止めがかからなくなる

オスマン帝国内で起きた青年トルコ革命を機に、各国がオスマン帝国
領へ侵略。オーストリアがボスニア・ヘルツェゴヴィナを併合し、
イタリア=トルコ戦争では、イタリアがトリポリ・キレナイカを奪う

バルカン戦争に敗北したオスマン帝国は、
バルカン半島の領土の大半を失う

オスマン帝国は、第一次世界大戦に同盟国側で参戦して敗戦。
ここで領土の大幅割譲などが決められる

オスマン帝国でトルコ革命が起こる。
オスマン帝国に代わってトルコ共和国が成立

PART
3

中東・イスラーム

Chapter 4

パレスチナ問題の起源

中東戦争

1948〜49年（第一次）、56〜57年（第二次）、67年（第三次）、73年（第四次）

パレスチナをめぐるイスラエルとアラブ諸国の戦争。
今なお、パレスチナ問題は解決していない。

┤ 主な交戦勢力 ├

イスラエル アラブ諸国

 **ユダヤ人がパレスチナにイスラエルを建国。
長年そこに住んでいたアラブ人が反発**

　パレスチナの歴史は、紀元前10世紀頃にまでさかのぼります。当時のパレスチナの地には、ユダヤ人（ヘブライ人）が住んでいました。しかし、**ユダヤ戦争**（→136ページ）によってパレスチナへの出入りを禁止され、各地に離散したユダヤ人は、国を持たない民族となりました。散り散りになったユダヤ人は、キリスト教が広がるヨーロッパにおいて、キリストを処刑した民族とみなされて激しい差別と迫害を受けることになりました。

　その後、パレスチナの地にはイスラーム勢力が侵入し、国家を次々と建国しました。これにより、パレスチナはアラブ人が領有するようになります。

　しかし、とある事件をきっかけに、「ユダヤ人の祖国を取り戻そう」というムーブメントが起こり始めました。その事件とは、1894年、フランスで起こったユダヤ人将校の冤罪事件「**ドレフュス事件**」です。これ以降、故郷の地パレスチナにユダヤ人国家をつくろうという**シオニズム運動**が始まり、ユダヤ人のパレスチナ移住や土地の買い占めが始まりました。

　この動きを受けて、**当時パレスチナを支配していたイギリスは、ユダヤ人に独立国家の建設を約束しました。しかし、その裏側でイギリスは、アラブ人に国家建設を約束し、さらにフランスとはパレスチナ分割を約束していたのです。**

　それぞれの国に良い顔をして見せた、このいわゆる**イギリスの三枚舌外交**により、パレスチナでは、もともと住んでいたアラブ人、そして移住してきたユダヤ人がそれぞれ独立した国家をつくろうと対立を深めていきました。これ

が現代まで続く**パレスチナ問題**の起源なのです。

　第二次世界大戦後には、このパレスチナ問題を解決すべく、国連にて**パレスチナ分割案**が採択されました。分割案ではパレスチナの56パーセントが

ユダヤ人の地とされ、これにアラブ人からは大きな不満の声が上がりました。もともとユダヤ人が住んでいた地とはいえ、長く住んでいた土地をいきなり奪われたのですから、ある意味当然の反応でしょう。

　しかし、ユダヤ人はこうした声を無視して、パレスチナの地に**イスラエル**を建国しました。これにアラブ人の不満は爆発し、イスラエル建国を認めないアラブ諸国とイスラエルによる中東戦争が勃発したのです。

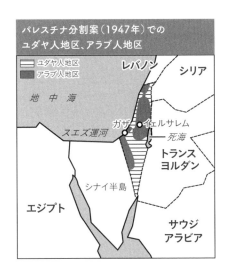

パレスチナ分割案（1947年）での
ユダヤ人地区、アラブ人地区

□ ユダヤ人地区
■ アラブ人地区

レバノン　シリア

地中海

ガザ　イェルサレム
スエズ運河　死海

トランス
ヨルダン

シナイ半島

エジプト

サウジ
アラビア

**どうなった❶【第一次中東戦争】イスラエルが独立し、
パレスチナ難民問題が生じる**

　中東戦争は、4度にわたって行われました。それぞれについて見ていきましょう。

　第一次中東戦争は、イスラエル建国をめぐって争いが勃発しました。パレスチナにてユダヤ人がイスラエルを建国すると、これに反発したエジプト、サウジアラビアなどのアラブ諸国は、建国翌日にイスラエルが占領する地域に進軍しました。

　アラブ諸国は兵士の数では優位だったものの、各国間の連携がうまくいかず、兵士の士気も低かったといわれています。戦況は次第にイスラエル優位となり、1949年には、双方が国連の停戦勧告を受け入れてひとまず停戦しました。

　ここでイスラエルは、アラブ各国と結んだ休戦協定によって、分割案を大きく上回るパレスチナ領を獲得し、独立を確保しました。一方で、アラブ人住民が追い出されたことによる**パレスチナ難民問題**も発生しました。

【第二次中東戦争】英仏がイスラエルとともに エジプトに侵攻するも、国際社会の非難で停戦

第二次中東戦争のきっかけは、**エジプトのナセル大統領が突如スエズ運河の国有化を発表したことでした**。1954年に政権を握ったナセルは、エジプトの近代化を推進するべくアスワン・ハイダムの建設を始めます。当初はイギリスやアメリカが建設資金を援助することになっていましたが、1956年、両国は援助を撤回します。そこでナセルは、運河の収益を建設資金に回すため、スエズ運河の国有化を宣言したのです。

これに反発したのがイギリスとフランスです。両国にとってスエズ運河は物流の要であり、ここを止められては困ってしまいます。また、イギリスはスエズ運河会社の株式を大量に持っており、国有化となれば株式が紙くず同然になってしまう恐れもありました。

両国は、イスラエルとともにアラブ人国家であるエジプトとの戦争を始めました。しかし、イスラエルによる攻撃が始まると、国際社会からの非難が続出しました。特に、ソ連とアメリカがそれぞれ英仏に警告し、戦争をやめるように要求します。米ソが歩調を合わせるというのは、冷戦下においては非常に珍しいことでした。国際世論を味方につけたエジプトがこの戦いでは勝利したと言えます。

【第三次中東戦争】パレスチナにおける イスラエル優位の状況が確立

第三次中東戦争は、わずか6日で勝敗が決したため「6日戦争」とも呼ばれています。この戦争の少し前、パレスチナでは、アラブ人にによる**パレスチナ解放機構（PLO）**が成立します。**アラファト議長**を中心に、**イスラエルに占領されたパレスチナの解放を目的として結成された武装組織**です。これにより、イスラエルとアラブ諸国の緊張は高まっていきました。

両陣営の緊張が続く中、均衡が崩れたのは1967年6月5日のことでした。この日、イスラエル軍は、エジプトに対して奇襲を仕掛け、短時間でエジプトの拠点を制圧し、そこから一気にアラブ諸国の領土へ攻撃を加えていきました。

こうして始まった第三次中東戦争では、イスラエルが、ヨルダン川西岸地

区、ガザ地区、シナイ半島、ゴラン高原、東イェルサレムを占領し、すべての国と6月10日までに停戦しました。イスラエルは高い軍事力により、わずか6日間で周辺各国に完勝したのです。**この第三次中東戦争の勝利により、イスラエルは今日に至るまでのパレスチナにおける優位を確立しました。**

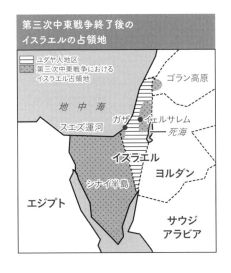

第三次中東戦争終了後の
イスラエルの占領地

☐ ユダヤ人地区
▨ 第三次中東戦争における
　イスラエル占領地

地 中 海

ゴラン高原

スエズ運河

ガザ● ●イェルサレム
── 死海

イスラエル

ヨルダン

シナイ半島

エジプト

サウジ
アラビア

どうなった
④

【第四次中東戦争以降の情勢】一時は両陣営が歩み寄るも、いまだ問題は解決せず

第四次中東戦争では、第三次で失ったシナイ半島を取り戻すために、エジプトがシリアとともにイスラエルに先制攻撃を仕掛けました。

当初はエジプトとシリアが優勢でしたが、イスラエルもすぐさま強烈な反撃を加え、最終的には盛り返したイスラエルが一定の勝利を得ました。

第四次中東戦争以降も両陣営の緊張状態は続きましたが、1978年には、アメリカの大統領カーターが、エジプト大統領サダトとイスラエル首相のベギンをキャンプ・デーヴィッドに招待し、三者会談が実現しました。**ここでは、エジプトとイスラエルの間で平和条約が締結され、エジプトがイスラエルを承認する代わりに、シナイ半島がエジプトに返還されることとなりました。**

しかしその後も、現在に至るまでパレスチナ問題をめぐるイスラエルとアラブ諸国の争いは終結していません。

1993年には、PLOとイスラエルの間で**オスロ合意**が結ばれ、ヨルダン川西岸とガザ地区にパレスチナ人による自治政府（**パレスチナ暫定自治政府**）が生まれ、ここから両者は和平に向かっていくかに見えました。

しかし1995年、それに反対したユダヤ教徒によるイスラエルのラビン首相暗殺事件が起き、事態は再び深刻化してしまいます。さらに、イスラエルの

右派の政治家で、のちに首相となるシャロンが、キリスト教・イスラーム教・ユダヤ教の聖地である重要都市イェルサレムを強行訪問したことをきっかけに、武力闘争が再び激化しています。

また、PLOのアラファト議長の死後、**ヨルダン川西岸は和平派の「ファタハ」が統治し、ガザ地区はイスラーム原理主義の「ハマス」が独自支配するようになりました。**

その結果、過激派ハマスとイスラエルとの武力衝突が繰り返され、空襲などにより多くの民間人が死傷しています。これについては、のちに紹介する**ガザ紛争**（→352ページ）、**ガザ侵攻**（→355ページ）で詳しく解説していきます。

レバノン内戦

1975〜90年

レバノンにおけるキリスト教勢力とPLOの争い。
のちに、イスラエルがレバノンに侵攻したことによって状況は悪化。

─┤ 主な交戦勢力 ├─

キリスト教勢力　　　　　　パレスチナ解放機構（PLO）

 なぜ争った ## PLOがレバノンに流入し、実効支配地域をつくった

　1948年、レバノンにとってその後の運命を左右する重大事件が隣国で起こりました。第一次中東戦争です。**この戦争でイスラエルが独立すると、多数のアラブ人がパレスチナ難民としてレバノンに流入しました。**

　また、**パレスチナ解放を目指す武装組織「パレスチナ解放機構（PLO）」がレバノンに拠点を移したことも大きな出来事でした。** PLOはアラブ人王国ヨルダンの支援を受ける団体でしたが、次第にヨルダン王政を批判し始め、ヨルダンから排除されたために、レバノンの首都**ベイルート**へ逃れてきたのです。

　これがレバノンの状況を複雑にしてしまいました。レバノンでは、もともとキリスト教マロン派、イスラーム教スンナ派・シーア派といったさまざまな宗派が共存するモザイク社会が形成されていました。1943年にレバノンがフランスから独立した際にも、宗派別の人口比で行政ポストが配分され、大統領はキリスト教マロン派、首相はスンナ派、国会議長はシーア派から選出し、国会議員の割合もキリスト教徒とイスラーム教徒の割合が6:5と決め

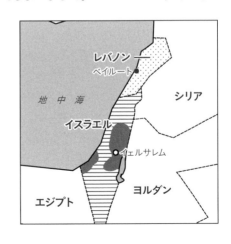

られました。こうして、もともと複雑な宗教事情を抱えるこの国にパレスチナ難民やPLOが流入したことで、事態が一層複雑化してしまったのです。

さらに、流血の事態を恐れたレバノン政府はPLOへ自治政府並みの権力を与え、武装も黙認してしまいました。これにより、**レバノン南部には、ファタハランドと呼ばれるPLOの実効支配地域が形成されてしまいます**。

当然これは、レバノンで権力を握っていたキリスト教マロン派にとって喜ぶべきことではなく、武装したマロン派勢力はソ連やアメリカから大量の武器や戦車を購入し、PLOとにらみ合うかたちで一触即発の状態が続きました。

そして、キリスト教会で集会をしていたマロン派民兵組織にPLOが発砲したことがきっかけとなり、レバノン内戦が勃発しました。

 PLOを倒したいイスラエルがレバノンに侵攻し、反イスラエル組織ヒズボラが誕生してしまう

両民兵組織は、対立する宗派の住民を次々に誘拐し、拷問、処刑するという残虐行為を繰り返しました。さらに、外国人観光客や外交官の誘拐も発生し、事態に対処できなくなった警察官は職務を放棄してしまいます。

さらに、政治や宗教とは関係のない犯罪集団も生まれ、かつて貿易や観光で繁栄し、中東のパリとまで呼ばれたレバノンの首都ベイルートはこの世の地獄と化しました。そして、**ベイルートは、イスラーム教徒の多い「西ベイルート」とマロン派の多い「東ベイルート」に分裂し、境界線にはグリーンラインと呼ばれる分離帯が築かれます**。

その後、シリアの軍事介入によって一旦内戦は落ち着くも、1982年には、PLO制圧を目指すイスラエルがレバノンに侵攻し、レバノン南部を占領しました。

このイスラエル軍によるレバノン侵攻に対抗し、**ヒズボラと呼ばれるシーア派武装組織が台頭します。彼らは、「レバノンにおけるシーア派主導のイスラーム国家樹立」と「反イスラエル」を掲げてテロ活動を展開しました**。イスラエル軍はヒズボラの攻撃で被害を受け、2000年には撤退を余儀なくされました。

今なお、ヒズボラの反イスラエル闘争が続く

　撤退後もヒズボラによるイスラエルへの攻撃は続き、2006年にはヒズボラがイスラエル軍の兵士2人を拉致したことをきっかけに、再びイスラエルがレバノンに侵攻します。

　レバノンに空爆を仕掛けたイスラエルでしたが、ヒズボラが一般市民に紛れて潜伏していたため、無関係の一般市民も犠牲になってしまいました。それが国際的な非難を浴び、イスラエルはヒズボラの殲滅を果たせないまま国連の決議に従って停戦に応じました。

　なお、**ヒズボラは依然として武力を保有し、レバノンで勢力を拡大し続け、国際社会からはテロ組織として認識されています**。一方でヒズボラは、2009年には選挙で議席を得て、メンバーを閣僚にも送り込みました。武力闘争の陰で、ヒズボラは病院や学校建設などの活動も行い、民衆の支持を集めていたのです。

　イスラエルと敵対するアラブ人国家シリアや、パレスチナ奪還を目指すイランはヒズボラを支援しており、彼らによる反イスラエル闘争は長らく続いています。

ガザ紛争

2008〜09年

ガザ地区を支配するイスラーム原理主義の過激派ハマスが
イスラエルに攻撃を仕掛けた。

―――| 主な交戦勢力 |―――

イスラエル ハマス

 **パレスチナ暫定自治政府内のガザを占領したハマスが、
イスラエルへの攻撃を再開した**

　第三次中東戦争にて、イスラエルはエジプト、シリアなどと戦い、ヨルダン川西岸、ガザ地区、ゴラン高原、シナイ半島などを占領して大勝利を収めました。

　これに対し、パレスチナに住むアラブ人（パレスチナ人）は、**インティファーダ**と呼ばれる反イスラエル運動を始めます。イスラエル軍に対する投石や道路封鎖、イスラエル商品の不買など、その内容は比較的穏健なものでしたが、イスラエルはこれを武力で鎮圧しにかかりました。

　この状況下で、イスラエルに対抗すべく**ハマス**というグループが登場しました。それまでの反イスラエル闘争の主役はパレスチナ解放機構（PLO）でしたが、**PLOがイスラエルからのパレスチナ解放を単に訴えるのに対して、ハマスはパレスチナ社会のイスラーム化を目指しました。**

　1993年には、アメリカのクリントン大統領の仲介によってイスラエルとPLOが交渉のテーブルに着き、ここではヨルダン川西岸地区とガザ地区からのイスラエル軍撤退と、この地域にパレスチナ人による自治政府（**パレスチナ暫定自治政府**）をつくることで双方が合意しました。これを**オスロ合意**といいます。

　しかし、あくまでパレスチナ全土の解放を訴えるハマスらイスラーム原理主義勢力は、オスロ合意を阻止すべくテロを行います。これに対するイスラエル側の報復、さらにハマスの再報復という泥沼の中で、イスラエル国内でもオスロ合意への失望の声が上がり、2000年初頭にはオスロ合意は事実

上崩壊しました。

オスロ合意に反対するハマスは、パレスチナ暫定自治政府で政権を握るPLOにもテロ攻撃を仕掛けました。

その一方で福祉や教育活動を通じてパレスチナでの草の根の支持も広げていったハマスは、2006年、選挙で議会第1党となり、内閣まで組織します。一時はPLOと連立政権を組みましたが、2007年にはパレスチナ暫定自治政府内

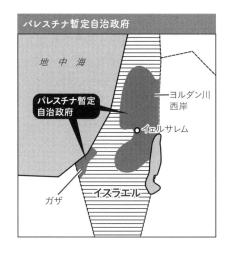

パレスチナ暫定自治政府

地中海

パレスチナ暫定
自治政府

ヨルダン川
西岸

イェルサレム

ガザ

イスラエル

部でPLO主流派の**ファタハ**とハマスが内戦状態となり、イスラエルとの共存も視野に入れるファタハに対し、ハマスはあくまで闘争を貫く姿勢を示しました。こうして、**ファタハがヨルダン川西岸地区を、ハマスがガザ地区を占拠して、パレスチナは内戦状態に陥りました。**

ガザ地区を占領したハマスは、連立政権時代には自制していたイスラエルへの攻撃を再開しました。これに応戦するかたちでイスラエルが2008年12月にガザ地区に侵攻しました。

どうなった① 一応停戦となるも、イスラエルがガザ地区を包囲し続ける

ハマスはイスラエル領内にロケット弾を撃ち込み、イスラエルはガザ地区への空爆をもってこれに応じました。これには武器を持たない市民も多数犠牲になりました。

イスラエル国内で反ハマス感情が高まる中、対パレスチナ強硬派の野党が支持を拡大しました。イスラエルでは選挙を控えていたため、比較的穏健な与党も攻撃を強める姿勢をとらざるを得ず、2009年1月にはイスラエルは地上での侵攻を進め、さらなる破壊を行いました。

泥沼の情勢を見て、エジプトらが停戦に向けた仲裁に乗り出しますが、停戦条件をめぐりハマスとイスラエルは合意に至りません。しかし、1月17日夜にはイスラエルが一方的な停戦を宣言し、攻撃を中止しました。ハマスも攻

撃をやめ、一応紛争は終わりました。

　しかし、**停戦後もイスラエルはガザ地区を厳しく包囲しました。**武器はもちろん、生活に必要な物資も調達できず、電気、水道といったインフラも破壊されたままのガザ地区は困窮し、「天井のない監獄」といわれるようになりました。

　一時は、ハマスに好意的だったムルスィー政権下のエジプトに通じる地下トンネルを掘り、物資を調達していましたが、2013年夏にはそのムルスィー政権が倒れ、後のエルシーシ政権はハマスへの援助を拒絶してトンネルを破壊しました。これにより、ハマスはますます困窮してしまいます。

ハマスとファタハが再び連立政権を組み、協力

　この状況下で、ハマスとファタハが接近します。ファタハは、パレスチナをめぐる問題の解決が行き詰まる中で、ハマスとの結束を強め、パレスチナ市民の支持を得ようと考えました。一方のハマスも、ファタハの仲介によってエジプト政府との関係を改善したいと考えたのです。

　こうして双方の利害が一致したファタハとハマスは、2014年4月、敵対関係を解消し、連立政権を組んでパレスチナ自治政府の政治を行うことを取り決めました。

　ただしそれ以降も、ハマスとイスラエルの小競り合いは続き、2014年には、再び大規模な衝突が発生しています。それが次に紹介するガザ侵攻です。

ガザ侵攻

2014年

ハマスとイスラエルが再び大規模衝突を起こす。
双方の対立はいまだ続いている。

—| 主な交戦勢力 |—

イスラエル ハマス

 ## ハマスとイスラエルの小競り合いが
大規模衝突に発展

　2014年6月、パレスチナ自治政府でユダヤ人の少年3人が何者かに殺害される事件が発生しました。イスラエルは、これをハマスの犯行と断定し、ハマス幹部の大量逮捕に乗り出します。

　この報復として、ハマスはロケット弾によるイスラエルへの攻撃をいっそう強め、イスラエルはガザ地区への空爆で対抗しました。

　イスラエルは延べ数千回にのぼる空爆を行い、誤爆や無差別爆撃によって一般市民が犠牲となり、国際社会の非難を集めました。ハマス側も数千発のロケット弾をイスラエルに発射し、死傷者が出ています。

　この復讐の連鎖のさなか、7月17日にはイスラエル軍がガザ地区に地上侵攻を開始しました。**実は、ハマスが掘った地下トンネルの中にはイスラエルに通じるものもあり、ハマスはここからテロ要員をイスラエルに送り込んだり、物資の密輸を行ったりしていたのです。**イスラエルは、このトンネルの破壊を主な目的として、ガザ地区に侵攻しました。

 ## 空爆と地上戦で多数の市民が犠牲になった

　この地上戦では、市街戦で多数の犠牲が生じ、パレスチナの人々は戦争で故郷を追われました。

　エジプトの仲介でたびたび一時停戦がなされましたが、イスラエルがエジ

プトの停戦案にその都度応じる一方、主にハマス側が停戦を破り、イスラエルがそれに応酬するという流れで戦闘が継続しました。

　しかし、イスラエルがハマスの幹部3人の殺害に成功すると、これが効いたのか、ハマスはようやく長期停戦に合意し、2014年8月26日に戦闘は終結となりました。翌日の27日には、双方が停戦と「勝利」を宣言しています。

　戦時中に行われた世論調査では、イスラエル国内では多数のユダヤ人市民がガザ侵攻を支持し、一方のパレスチナ人の間でもハマスの支持は高く、市民レベルでの分断も顕在化しました。

　また、ガザ紛争を通じて協力関係を結んだファタハとハマスの関係は再び悪化しました。**ファタハ、ハマス、イスラエルの間の複雑な関係は依然として続き、2021年には再びイスラエルとハマスが大規模な衝突を起こしています。**

パレスチナ問題の起源

パレスチナをめぐるイスラエルとアラブ諸国による中東戦争が勃発。
現在にまで続くパレスチナ問題が始まる

中東戦争で生まれたパレスチナ解放機構（PLO）がレバノンに拠点
を移す。現地のキリスト教マロン派との間でレバノン内戦が発生

PLOを倒したいイスラエルがレバノンに侵攻。これに対抗し、
反イスラエル組織ヒズボラがレバノンに誕生。
ヒズボラとイスラエルの闘争は今も続いている

アメリカのクリントン大統領の仲介により、イスラエルとPLOが交渉。
ヨルダン川西岸、ガザ地区にパレスチナ暫定自治政府が発足

パレスチナ暫定自治政府内で争いが起き、ヨルダン川西岸をPLO主
流派のファタハ（イスラエルとの共存も視野に入れる）が、
ガザ地区を過激派のハマスが占領することに

ガザ地区のハマスがイスラエルに攻撃を仕掛け、ガザ紛争が勃発。
停戦後もイスラエルがガザ地区を包囲

2014年にはイスラエルのガザ侵攻が発生。
両者の衝突は今も続いている

PART
3

中東・イスラーム

イスラーム原理主義と
対テロ戦争

イラン＝イラク戦争

1980〜88年

イランに侵攻したイラクを、イラン革命の拡大を恐れた各国が支援。

┤ 主な交戦勢力 ├

イラン イラク

 国境問題解決、イラン革命波及の阻止などを
目的にイラクがイランに侵攻

1979年、アメリカの支援のもとに政治・文化面での西洋化を進めてきたイランで、イスラームシーア派のイスラーム原理主義勢力が政権を倒す出来事が起こりました（**イラン革命**）。

イスラーム原理主義（復興運動）とは、イスラーム本来の姿に基づいた宗教国家の樹立を目指し、西欧化や資本主義、共産主義に反対の姿勢をとる思想・運動のことです。この革命では指導者**ホメイニ**が率いるイスラーム原理主義勢力により、イスラーム国家の**イラン＝イスラーム共和国**がイランで成立しました。

一方、隣国のイラクでは、1958年の**イラク革命**によって王政が廃止され、1979年以降はイスラームスンナ派の**サダム＝フセイン**が大統領として実権を握っていました。**フセイン政権は独裁政治によって、国民の半数にも及ぶシーア派を抑圧していたため、イラン革命の影響が自国へ波及することを恐れました。**

また、両国は国境に関する問題でも対立していたため、1980年には、フセイン大統領がイラン領内への侵攻を軍に命じます。これがイラン＝イラク戦争の始まりです。

どうなった イラン・イラクに過剰な軍備を残す結果となった

　開戦当初は、イラク軍が優位に戦いを進めました。しかし、次第に戦況がイラン有利に傾いていくと、イラン革命の拡大を懸念したアラブ諸国や西側諸国の支援を受け、イラクは戦いを続けました。

　しかし、祖国防衛を掲げて反撃を続けるイランに対し、戦争は長期化していきました。石油危機を恐れた国連安全保障理事会が緊急停戦を決議しますが、イランはこれを拒絶します。

　長引く戦争の中で、**イラクは毒ガスなどの化学兵器を使い、多くの犠牲者を生んで、国際社会からの非難を受けました**。のちの湾岸戦争（→次ページ）でイラクが敗戦した際には、国連からこの化学兵器廃棄を義務付けられています。

　開戦から8年と長期化した戦争は、国際的に孤立したイランがようやく安全保障理事会の停戦決議を受諾し、終わりを迎えました。

　この戦争は、イラン・イラク両国に経済的疲弊と過剰な軍備を残す結果となりました。

　ここでアメリカがイラクに軍事支援を行ったことは、イラクの軍事大国化につながり、強大化したイラクは、1990年にクウェートへ侵攻し、アメリカ軍などから攻撃を受けることになります（湾岸戦争）。アメリカは自身の与えた武器が原因となり、イラクと湾岸戦争で戦うはめになるのでした。

PART

3

中東・イスラーム

湾岸戦争

1991年

イラクに制圧されたクウェートを、アメリカ中心の多国籍軍が解放。
ここでイラクは、大量破壊兵器の完全廃棄を約束させられる。

─┤ 主な交戦勢力 ├─

イラク　　　　　　　　　アメリカ中心の多国籍軍

 なぜ争った

イラクが身勝手な理由でクウェートに侵攻し、それを見かねたアメリカが攻撃

　イラン＝イラク戦争が長期に及んだことで、イラクは財政難に陥ってしまいました。そこでイラクのフセイン政権は、国力を回復させるためにクウェートに侵攻します。**イラクはクウェートに負債があり、その負債解消とクウェートの石油資源を手に入れようとしたのです。**

　1990年8月に侵攻を開始したイラク軍は、なんと侵攻開始わずか8時間でクウェート全土を制圧しました。当時のクウェートは、豊富な石油資源を牛耳る王族が国家を支配しており、憲法や議会がまったく機能しておらず、イラク軍の突然の侵攻に対応できなかったのです。

　クウェートを制圧したイラクは、「クウェートはイギリスが強引に保護国化する以前はイラクの一部であった」と主張し、侵略を正当化しようとしました。

　しかし、国際世論はこれを許しませんでした。国連安全保障理事会は、イラクの軍事侵攻がわかると、直ちに無条件撤退を求める決議を採択します。また、国連の全加盟国はイラクへの全面的な禁輸を行うことも取り決めました。

　それでも、イラクは撤退勧告に

中東各国とイラク・クウェート

シリア

イラク

イラン

アフガニスタン

クウェート

カタール

サウジアラビア

アラブ首長国連邦

オマーン

応じようとはしませんでした。こうなると、イラン゠イラク戦争時にはイラクを支援したアメリカも、国際平和や秩序を乱すクウェート侵攻を看過することはできません。また、アメリカは石油の主な輸入先であったサウジアラビアに危険が及ぶことも危惧しました。そこでアメリカは、**1991年に国連安全保障理事会の承認を得て多国籍軍を結成し、イラクへの攻撃を開始したのです**。こうして湾岸戦争が勃発しました。

多国籍軍がクウェートの解放に成功。イラクは大量破壊兵器の破棄を約束

　イラクは、アメリカを中心とする多国籍軍に圧倒されました。その結果、多国籍軍はたった6週間でクウェート解放に成功します。最終的にはイラクが国連決議を受け入れるかたちで敗北を認め、クウェートから撤退して戦争は幕を閉じました。

　多国籍軍に惨敗したイラクは、停戦条件として、クウェートへの不可侵などとともに**大量破壊兵器の完全廃棄**を受け入れました。この湾岸戦争までの間に神経ガスや化学兵器を保有・使用していたイラクは、大量破壊兵器を廃棄するとともに、将来にわたりこれらの開発をしないと約束しました。

　なお、この戦争では、多国籍軍はイラク本土までは侵攻しておらず、戦後もフセイン政権は存続し続けました。そのため、多国籍軍はサウジアラビアに駐屯し続け、イラクの監視を続けることになります。

　しかし、異教徒のアメリカ軍の駐留は、現地のイスラーム教徒たちの反感をおおいに買うものでした。こうしたイスラーム教徒たちの反米感情はイスラーム原理主義勢力にも波及し、9.11のアメリカ同時多発テロという最悪の結果を生んでしまうのです。

アフガニスタン内戦

1992〜2001年

アフガニスタンの社会主義政権（人民民主党）とイスラーム国家樹立を
掲げるムジャーヒディーンが争った。ここでターリバーンやアル゠カーイダが台頭。

┤ 主な交戦勢力 ├

アフガニスタン（人民民主党）　　　　ムジャーヒディーン

 なぜ争った

アフガニスタンの社会主義政権とイスラーム原理主義勢力ムジャーヒディーンが武力対立を始めた

　もともとイギリスに支配されていたアフガニスタンは、第三次アフガン戦争で独立を果たし、第二次世界大戦後、立憲君主制となり近代化を推し進めてきました。

　そして、次第にソ連との関係を強め、1978年には**人民民主党**による社会主義政権が成立します。この政権は、**国内のイスラーム教徒の反感を買う世俗化政策をとったため、次第にイスラーム原理主義勢力が、国内でゲリラ戦を展開するようになっていきました。**

　これを受けたソ連は、現地の社会主義を守るために、イスラーム原理主義勢力排除を目的として、1979年、アフガニスタンへの侵攻を決めました。

　ソ連のアフガニスタン侵攻に対抗し、イスラーム勢力は、各国の義勇兵なども含む**ムジャーヒディーン**という組織を結成して戦いました。また、中東でのソ連の影響力拡大を警戒した国々もムジャーヒディーンを支援しました。アメリカもパキスタンを経由して軍事支援を行っています。

　ムジャーヒディーンはイスラーム国家建設を目指して戦ったわけですが、その裏では、冷戦下の米ソの代理戦争の側面があったと考えることもできるのです。

　各国の支援が集まる中、予想外に戦闘は長期化し、ソ連の経済は圧迫され、また多くの死者も出ました。

　最終的に、**新思考外交**（西側諸国などとの共存を目指す方針）を展開したソ

連の**ゴルバチョフ**が、国連の和平案を受け入れ、1989年にはアフガニスタンから全軍を撤退させました。

しかし、**ソ連の撤退後も人民民主党政府とムジャーヒディーンとの戦いは続き、アフガニスタン国内での内戦は続きました。**このソ連撤退後の内戦を**アフガニスタン内戦**と呼びます。

 ## 人民民主党が敗北。ターリバーンがアフガニスタンを支配

内戦に転機が訪れたのは、1991年のことでした。この年、ソ連が解体したことで、ソ連からの支援を受けていた人民民主党政府は大幅に戦況が悪化しました。

1992年には人民民主党政府のナジーブッラー大統領が辞任し、人民民主党政府は事実上崩壊。ムジャーヒディーンの勝利が確定しました。

しかしその後、ムジャーヒディーン同士の派閥争いが始まります。最終的にはムジャーヒディーンの一勢力の**ターリバーン**が台頭し、首都カーブルを攻略して権力を握りました。**ターリバーンは、2022年現在もアフガニスタンを統治し、アフガニスタンの95パーセントを勢力下に収めています。**

厳格なイスラーム法によりアフガニスタンを統治するターリバーンは、当初は秩序回復などを求める市民から歓迎されました。しかし、過激なイスラーム法の適用などにより、次第に恐怖の対象となっていきます。

 ## テロ組織のアル＝カーイダが生まれる

また、アフガニスタンでは、**ビン＝ラーディン**が中心となって、ムジャーヒディーンを母体とする**アル＝カーイダ**が成立しました。アル＝カーイダは、その後、各国のイスラーム教徒から支持を得て世界各国に広まりましたが、彼らが起こしたアメリカ同時多発テロはあまりに悲惨な出来事でした。

主なイスラーム系テロ組織		
組織名	主要活動国	宗派
アル＝カーイダ	アフガニスタン	スンニ派中心
ターリバーン	アフガニスタン	スンニ派中心
イスラーム国	シリア	スンニ派中心
ボコ＝ハラム	ナイジェリア	スンニ派中心
アル＝シャバーブ	ソマリア	スンニ派中心
ヒズボラ	レバノン	シーア派中心

アメリカの
アフガニスタン侵攻

2001〜21年

アル゠カーイダが起こしたアメリカ同時多発テロの報復として、
アメリカがアフガニスタンへ侵攻。

―― 主な交戦勢力 ――

アメリカ率いる多国籍軍 ターリバーン

なぜ争った
9.11 アメリカ同時多発テロの報復

　20世紀、世界は2度の世界大戦と、その後の冷戦を乗り切ったことで、長く続いた緊張が緩和され、21世紀には平和な世界が訪れるだろうと思われました。しかし、その考えは21世紀最初の年にあっけなく崩れ去ることとなります。

　2001年9月11日、複数人のテロリストがアメリカへ向かう4機の飛行機をハイジャックし、世界貿易センタービルとアメリカ国防総省本部庁舎（ペンタゴン）に飛行機を突撃させ、3000人以上の死者を出しました。この未曾有のテロ事件は**アメリカ同時多発テロ**と呼ばれ、アメリカ政府は調査の結果、この事件を、イスラーム原理主義勢力の組織**アル゠カーイダ**の犯行だと断定しました。

　また、アフガニスタンの**ターリバーン政権**がアル゠カーイダをかくまっているとし、アフガニスタンへの攻撃を決定しました。世界中の国々がアメリカを支持し、イギリスやドイツを含めた多国籍軍が編成され、アフガニスタンへの攻撃を始めました。

どうなった
①
20年にわたる戦闘の結果、アメリカ軍は撤退

　アメリカ率いる多国籍軍は、アフガニスタン北部の反ターリバーン組織である**北部同盟**と組んで攻撃を仕掛け、1か月ほどで首都カーブルは陥落しま

した。これによりターリバーン政権は崩壊しましたが、ここでは実行犯とされる**ビンラディン**らを捕らえることには失敗してしまいます。さらに、政権を失った後もターリバーンは消滅せず、彼らとのゲリラ戦は続きました。

　ターリバーン政権が追放された後のアフガニスタンでは、北部同盟による新政権が生まれ、アメリカが国家運営をサポートしました。しかし、多民族による北部同盟はうまくまとまらず、ターリバーンとの和平交渉も何度か画策されましたが、それも結局頓挫しています。

　2011年には、アメリカはオバマ政権下でビン゠ラーディンを暗殺しました。これにより軍隊を駐留させる大義名分がなくなり、徐々にアメリカ軍は撤退を進めていきます。

　そして2017年に就任したトランプ大統領は、アメリカ第一主義を掲げ、2021年までにターリバーンと和平を結び、米軍を完全撤退させることを約束しました。2021年に就任したバイデン大統領もこの方針を継続し、**2021年8月にはアメリカ軍はアフガニスタンから完全撤退しました。**

どうなった ❷ 2021年から、再びアフガニスタンでターリバーンが政権を握る

　アメリカが引き揚げるやいなや、ターリバーンはアフガニスタン全土を攻撃しました。2021年8月には首都カーブルが陥落し、**結局アフガニスタンでは、20年前と同様にターリバーンが政権を握ることになります。**

　ターリバーンは、首都を制圧した後、報道担当者を通じて「20年前のターリバーンとは違う」と国際社会にアピールしました。暴力による報復はしないことや、女性の社会進出を認めることなどを公言しましたが、それが事実なのか、今後のアフガニスタン情勢に注目する必要があります。

　なお、アメリカ軍の撤退は、対テロ戦争における「世界の警察」の役割をアメリカが放棄したことを如実に表しました。2022年に始まったロシアによるウクライナ侵攻の背景には、アメリカが以前ほど軍事力を行使しなくなったこともあるといわれています。

イラク戦争

2003～11年

アメリカが有志連合を結成してイラクを制圧。フセイン大統領を殺害した。

―――| 主な交戦勢力 |―――

イラク アメリカを中心とする有志連合

アメリカがイラクの大量兵器保有を主張した

　イラクが隣国クウェートに侵攻したことで始まった**湾岸戦争**では、アメリカ中心の多国籍軍がイラクに勝ち、停戦条約にてイラクの大量破壊兵器廃棄を約束させました。

　ところが、本当に廃棄したのかを査察しようとしたところ、イラクがそれを拒否しました。これにより、アメリカをはじめとする他の国々は大きな不信感を抱くことになります。

　そのタイミングで起きてしまったのが、2001年9月11日の**アメリカ同時多発テロ**でした。史上最悪のテロとも称されるこの事件は、国際テロ組織アル＝カーイダによる犯行とされ、アメリカは報復のためにアフガニスタン侵攻を進めました。

　また、アメリカはイラクがアル＝カーイダとつながっていると主張しました。時の大統領ブッシュは、イラクを「北朝鮮、イランと並ぶ悪の枢軸」と名指しして非難しました。

　そして、国連はイラクに再度査察を要求します。さすがにイラクもまずいと思ったのか、今回は受け入れました。査察団は血眼で大量破壊兵器を探しましたが、なんと見つけることができなかったのです。

　しかし、**アメリカはなおもイラクが大量破壊兵器を保有し、テロ組織とつながっていて危険だと主張して武力行使を決定します**。さすがにこれは国連安全保障理事会での合意は得られませんでしたが、アメリカはイギリスとともに有志連合を結成し、イラクの首都**バグダード**への空爆に踏み切りました。

アメリカは首都バグダードを制圧し、フセイン大統領を殺害

　有志連合はあっという間にバグダードを制圧し、**2006年には逃亡していたフセイン前大統領を逮捕し、死刑に処しました**。しかし、大量破壊兵器は結局見つからないままでした。

　このことから、今でもこの戦争の大義を疑う声が数多く上がっています。また、この戦争以降、イラク国内の治安は非常に悪くなり、テロや内戦が相次ぎました。そのため、イギリス軍とアメリカ軍はフセイン政権が倒れた後も治安維持のためにイラクにとどまり続け、2011年まで現地に駐留しました。

　この戦争に対しては、日本の対応も注目されました。当時の日本の首相、小泉純一郎は「私は、米国の方針を支持します」と発言し、イラクにおける人道復興支援活動及び安全確保支援活動の実施に関する特別措置法（通称**イラク特措法**）を成立させ、非戦闘地域に自衛隊を派遣し、人道支援などを行いました。ここでの戦闘地域と非戦闘地域の分け方については問題点が指摘されており、戦場への派遣ではないかとの意見も挙がりました。

イスラーム原理主義と対テロ戦争

国境問題解決などを目的に、イラクがイランに侵攻。
イラン＝イラク戦争が起きる

イラン＝イラク戦争で財政難に陥ったイラクがクウェートに侵攻。
それに対し、アメリカを中心とする多国籍軍とイラクとの間で湾岸戦争
が勃発。敗北したイラクは、大量破壊兵器の廃棄を約束させられる

アフガニスタン内戦を通して、イスラーム原理主義のターリバーンが
アフガニスタンの実権を握る。
また、ムジャーヒディーンを母体とするアル＝カーイダも誕生

アル＝カーイダによるアメリカ同時多発テロが起きる。
アル＝カーイダをかくまっているとして、アメリカはアフガニスタンに侵攻。
ここでターリバーン政権は崩壊するも、
2021年には再びアフガニスタンでターリバーンが政権を握っている

アメリカ同時多発テロを受け、テロ組織とのつながりや
大量破壊兵器の保持を疑ったアメリカがイラク戦争を起こす。
ここでフセイン前大統領が殺害される

Chapter 6

今なお続く
中東の紛争

カシミール紛争

1947年～

カシミール地方をめぐって、インドとパキスタンがにらみ合いを続けている。

――――――| 主な交戦勢力 |――――――

インド　　　　　　　　　　　　　　　　　　パキスタン

なぜ争った

イギリスから独立したインド、パキスタンが、「カシミール地方」の帰属問題をめぐって争った

現在も対立関係にあるのがインドとパキスタンです。**この2つの国は、もともと1つの国でした。**

長らくイギリスの植民地であったインド帝国は、第二次世界大戦後の1947年8月、インドとパキスタンの2国に分離し、独立を果たしました。**ヒンドゥー教徒を主体とするインドに対し、イスラーム教徒を主体とする国がパキスタンとなったのです。**

当時、インド帝国にはおよそ600の藩王国があり、藩王はどちらの国に帰属するか決めなければなりませんでした。

このとき問題となったのが**カシミール地方**の帰属です。この地域は、藩王はヒンドゥー教徒、住民の多くがイスラーム教徒という複雑な事情を抱えていました。そして、**藩王はインドへの帰属を決めますが、人口の4分の3ほどを占めるイスラーム教徒はそれを拒否し、パキスタンへの帰属を求めたのです。**

そこで両国はカシミールに派兵し、帰属をめぐって争うことになりました。これは**第一次印パ戦争**と呼ばれます。

核をちらつかせての両者のにらみ合いが
現在も続いている

　1947年に始まったこの戦争は、インド軍優勢のまま、国連安全保障理事会の停戦決議によって終結となりました。その後は、インドが実質的にカシミールを支配しました。

　しかし1965年、インドがカシミール地方の完全統合を宣言すると、再び両国の対立が深まります。インドは中国との間でもヒマラヤ地方をめぐる国境問題（**中印国境紛争**）を抱えていましたが、これに実質的にインドが敗北したことを機に、パキスタンはカシミール地方のインド支配地域へ武装集団を送り込みました。これにインド軍が応じるかたちで、1965年9月、**第二次印パ戦争**が勃発しました。

　しかし、これも国際社会の圧力によって同年9月には停戦しています。国連の監視下でタシュケント宣言が採択され、これに基づき、両国とも軍を撤退させました。その際、「停戦ライン」によってカシミールの国境が定まりました。しかし、**両国ともにカシミール全域の支配権を譲らず、カシミールの実効支配地域に軍を配備して互いにけん制しあっています**。

　1974年にはインドは核保有を宣言し、世界で6番目の核保有国となりました。これに対抗するかたちで、1998年にはパキスタンも核開発を行い、核を保有しました。

　このカシミールをめぐる紛争は、2022年現在、解決していません。現在も、インド、パキスタンの両国は対立関係にあり、カシミール問題や宗教問題などで対立する両国が、核戦争という選択に踏み切らないことを願うばかりです。

第三次印パ戦争では、
バングラデシュ（東パキスタン）が独立

　なお、ここまで見てきた第一次、第二次印パ戦争は、カシミール地方の帰属をめぐるものでした。

　実は、この印パ戦争は第三次にまで及びます。ここでは、パキスタンの東西分裂にインドが加担したことで戦争が勃発しました。

　もともと、パキスタンはベンガル地方の東パキスタンと、現在のパキスタン

である西パキスタンによって構成さ
れていました。しかし、政治的な
実権はすべて西パキスタンが握っ
ていたのです。

　その状況に不満を持つ東パキス
タンは、1971年に独立運動を開始
しました。これを西パキスタンが弾
圧すると、多数の難民がインドに
なだれ込みました。

　これを受けたインドのインディラ
＝ガンディー政権が東パキスタン
への軍事的な支援を決めたことで、東パキスタンが勝利を収め、**1971年12月、**
東パキスタンはバングラデシュとして独立しました。

キプロス紛争

1955年〜

キプロス共和国に共存していたギリシア系住民とトルコ系住民が、
互いに分離独立を掲げて対立し続けている。

───┤ 主な交戦勢力 ├───

ギリシア系住民　　トルコ系住民

なぜ争った

同じ島に共存していたギリシア系住民と
トルコ系住民が対立し始めた

　東地中海に浮かぶ**キプロス島**は、古来、海上交通の要衝となってきました。また、良質な銅が産出されたことでも重んじられてきました。

　キプロス島には、古代にはギリシア人が入植し、その後はアッシリア、アケメネス朝ペルシア、プトレマイオス朝エジプトがここを支配しました。前57年にはローマ帝国に征服され、のちにビザンツ帝国領となり、ギリシア正教会が広がりました。しかし、1571年には、イスラームのオスマン帝国の支配下に入り、トルコ系イスラーム教徒が流入します。

　つまり、**ここでキプロス島には、ギリシア系正教徒とトルコ系イスラーム教徒という2つの民族が存在するようになったということです。**

　イスラームは他宗教に寛容な側面があり、オスマン帝国は非ムスリムに対しても税金を払えば信仰を認めていました。そのため、キプロス島のギリシア系住民は、オスマン帝国支配下でも生活を続けられたのです。

　その後、オスマン帝国からイギリスの支配下となったキプロス島では、ギリシア系住民による独立運動（**エノシス運動**）とギリシアへの

併合を求める声が盛んとなりました。そして1955年には、ギリシア系住民とトルコ系住民が紛争状態に陥り、キプロス島は2つの民族が分裂した状態となってしまったのでした。

トルコ系、ギリシア系、中道派の3勢力が争いを始めた

　紛争が始まって数年たった1960年、キプロス島は**キプロス共和国**としてイギリスから独立を果たしました。ここでは、大統領はギリシア系、副大統領はトルコ系から選出されることが憲法で定められます。そして、ギリシア正教会の大主教であり、独立運動の指導者でもあった**マカリオス**が大統領に就任しました。

　しかし、独立後もギリシア系住民の間ではエノシス運動が収まらず、マカリオスもこれに同調しました。1963年にはトルコ系住民が分離独立を目指したことで、キプロス共和国は内戦状態となってしまいます。

　しかしこれは、国連キプロス平和維持軍が派遣され、一旦停戦となりました。マカリオスは、ギリシアへの統合を目指す限り内戦は続くと考え、トルコ系住民との共存を選び、独立中道主義を掲げてエノシス運動の放棄を宣言します。こうしてキプロスでは、**トルコ系**、**ギリシア系統合派**、**独立中道派**の3つの勢力が対立することになりました。

　ギリシア系統合派はマカリオスを裏切り者とみなし、政権打倒を掲げ、1974年にギリシア軍の支援を受けてクーデタを起こしました。また、このクーデタには黒幕がいました。アメリカのキッシンジャーです。冷戦下の当時、ソ連に接近したマカリオスを排除しようと考えたのです。

　クーデタ部隊の戦車は大統領官邸に突入し、マカリオスが乗っていた専用車を爆破しました。そして、ギリシア系統合派を臨時大統領に据えた新たな政権を樹立します。

　しかし、亡くなったと思われたマカリオスは、翌日ラジオで肉声を流し、生存を世間に知らしめました。なんと、爆破された専用車に乗っていたのはマカリオスの蝋人形だったのです。こうして、新たな政権は9日後に崩壊してしまいます。

キプロス共和国は南北に分断され、いまだに紛争は解決していない

　また、この動きに対して、トルコ軍がトルコ系住民の保護を名目に軍事介入し、北部を占領しました。

　マカリオスの政権復帰後もトルコ軍の北部占領は続き、1983年には一方的に**北キプロス＝トルコ共和国**として独立を宣言します。しかし、この国を承認しているのは世界でトルコのみであり、国際的な承認は得られていません。

　南北の境界線には国連が設定したグリーンラインと呼ばれる緩衝地帯が置かれ、2022年現在まで、停戦が続いています。キプロス共和国の首都ニコシアはこの境界線上に存在し、世界で唯一首都が分断されている国家となっています。

　国連の働きかけにより、連邦制による再統合を目指す動きもありますが、ギリシア系住民の反対で話がまとまっていないのが現状です。

PART
3

中東・イスラーム

シリア内戦

2011年〜

シリアのアサド政権の独裁に対し、民主化を目指す反政府軍が蜂起。
イスラーム国の介入や、難民増加などさまざまな問題が発生している。

┤ 主な交戦勢力 ├

アサド政権　　　　　　　　　　自由シリア軍

 なぜ争った 「アラブの春」がシリアにも波及した

　2011年から、アラブ諸国は相次いで民主化していきました。インターネットの発達などで、政権に不満を持つ人たちが連携しやすくなり、各地で民主化運動が起こったのです。これは**アラブの春**と呼ばれます。

　チュニジアの**ジャスミン革命**から始まったこの民主化運動は、エジプト、リビア、イエメンに広がり、次々とアラブ地域の独裁政権が倒されていきました。

　その流れは、シリアにも及びました。1970年以来、シリアでは親子二代による**アサド政権**の一党独裁体制が続き、国民は不満を募らせていました。アサド大統領はイスラーム教シーア派であり、国民の大多数はスンナ派だったことから宗教的な鬱憤（うっぷん）もたまっていたのでしょう。また、少数民族**クルド人**らも現状に不満を持っていました。

　こうして、アサド政権に不満を持つ民衆たちが中心となり、2011年には、民主化を求める反政府デモが起こりました。これに政府が武力をもって対応すると、民衆たちの一部は過激化し、武装勢力なども巻き込んだ衝突が始まり、内戦状態となったのです。

　このシリア内戦では、世界各国がそれぞれ自国にとって「都合のいい」陣営を支援しました。たとえば、「世界中を民主化する」という大義名分を掲げるアメリカは反政府勢力を支援しました。また、親米的なサウジアラビアや、もともとシリア政府とクルド人問題をめぐって対立していたトルコも反政府側を支持しました。一方、シリア政府側には、友好関係を持っていたロシアやイランが支援に回りました。

どうなった❶ ISの参戦により状況は泥沼化

　アメリカなどから武器の支援を受けた反政府勢力は武装蜂起し、**自由シリア軍**を結成して政府軍を圧倒しました。しかし、次第に自由シリア軍内部で意見対立が起きるようになり、一部の過激派は**ヌスラ戦線**という独自の組織を結成します。

　一方の政府軍はロシアやイランの支援を受けて反撃し、シーア派の過激派組織ヒズボラも政府側でこの戦いに参入しました。

　この複雑な状況を、さらに複雑にしたのが**IS（イスラーム国）**の介入です。**イスラームスンナ派の過激派組織であり、イラクやシリアを拠点にしていたISは、さらなる支配地域の拡大を狙ってシリア内戦に介入してきたのです。**

　当初、ISは同じスンナ派の反政府勢力の味方をして政府軍を攻撃するだろうと思われました。しかしISは、政府軍のみならず、反政府勢力を含む一般民衆に対しても攻撃を始めました。そのため、ISはその他勢力から集中攻撃を受け、実質的に崩壊することになります。

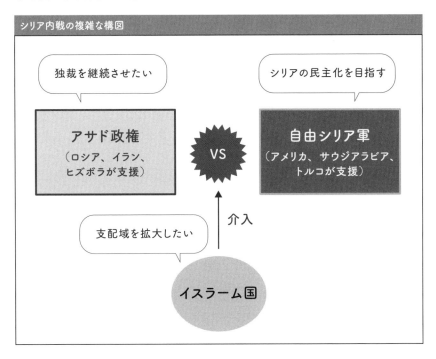

シリア内戦の複雑な構図

独裁を継続させたい

シリアの民主化を目指す

アサド政権
（ロシア、イラン、ヒズボラが支援）

VS

自由シリア軍
（アメリカ、サウジアラビア、トルコが支援）

支配域を拡大したい

介入

イスラーム国

アメリカは撤退するも、内戦はいまだ終わりが見えず

こうして三つどもえの状態は解消され、内戦は初期の「政府軍」と「反政府勢力」という構図に戻りました。

2017年にはアサド政権が化学兵器を使用したことに対してアメリカが空爆を行い、2018年にはアメリカのトランプ大統領がISの掃討が完了したとして、シリアに駐留していたアメリカ軍を引き揚げました。しかし、依然として武器支援などは継続しています。大国、宗教、民族、政治などさまざまな思惑が絡み合ったシリア内戦は、今なお解決の糸口が見えず泥沼化している状態です。

ヨーロッパはシリアからの難民への対応を迫られている

また、この内戦では難民問題も生じました。シリア国内の避難民は2021年までで680万人に上り、トルコでは350万人の難民を受け入れています。難民の暮らしは深刻で、キャンプでは最低限の食事しかなく、職も見つかりません。

また、トルコや地中海を渡ってヨーロッパに逃げる難民も多く、2015年には半年で約14万人の難民が流入するなど、ヨーロッパでは難民問題が深刻化しています。ヨーロッパ諸国では治安の悪化や失業を心配する声が高まり、移民・難民の排斥を訴える右翼政党が支持を拡大させています。

イエメン内戦

2015年〜

「世界最悪の人道危機」と呼ばれる内戦。
ハディ政権とフーシ派がイエメンの統治をめぐって争い続けている。

┤ 主 な 交 戦 勢 力 ├

ハディ政権　　　　　　　　　　フーシ派

 ## 独裁者が倒れたイエメンで、
次の統治者をめぐる内戦が勃発

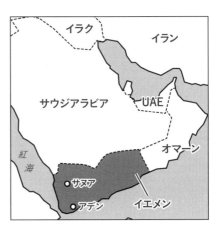

アラブ諸国の民主化の流れ (アラブの春) は、中東のイエメンにも波及しました。イエメンでは、1970年代から**サーレハ大統領**による独裁政権が続いていましたが、2011年の騒乱によって崩壊しました。

その後を継いで成立したのが、**ハディ大統領**の新政権です。彼はもともとサーレハ政権のもとで副大統領を務めており、サウジアラビアの支援を受けながら民主的な政治を進めていきました。

これでイエメンの未来は明るい、と思われましたが、残念ながらそうはいきませんでした。

イスラームシーア派を掲げる反政府勢力のフーシ派が2014年9月に首都サヌアを占拠し、さらに翌年1月にハディ大統領を軟禁して、大統領辞任を求めました。

一時は辞任を表明したハディ大統領でしたが、アデンへと逃亡し、辞任を撤回してフーシ派との対決を表明します。するとフーシ派は、アデンに向けて本格的な攻撃を開始しました。

イランとサウジアラビアがバックに控える内戦は、激化の一途をたどっている

この内戦では、ハディ大統領を支援していたサウジアラビアと、イエメンと関係が深いアラブ首長国連邦 (UAE) がハディ政権を支援しました。一方、サウジアラビアと敵対関係にあったイランは、フーシ派を支援します。これにより、この戦争は、対立していたイランとサウジアラビアの代理戦争の側面も大きくなりました。

国連の推計によれば、この内戦ではこれまでに約38万人が死亡しました。しかも、このうち戦闘や空爆で亡くなったのは4割程度で、残りは飢餓や感染症が原因だとされています。**イエメンでは食料供給や公衆衛生、医療の体制などが崩壊してしまっているのです**。多くの人が難民となり「**世界最悪の人道危機**」とまでいわれています。

2022年以降、この内戦はさらに深刻化しそうです。フーシ派が、ミサイルやドローンなどを使って支援国のUAE国内へ直接攻撃を仕掛けてきたのです。これは、イエメンにて、UAEが支援する民兵組織とフーシ派との対立が激しくなったことが原因と見られています。

支援国UAEに対しての直接攻撃まで始まったことで、戦争のさらなる激化が懸念されます。これに対抗し、サウジアラビアが主導する連合軍がフーシ派の拠点を空爆するなど、今なお内戦は激化の一途をたどっています。

アメリカ・ロシア
と冷戦

America, Russia and the Cold War

PART 4 ─────────────────────

アメリカ黎明期の戦争

アメリカ独立戦争

1755〜83年

課税に反発したアメリカ大陸の植民地に住む人たちが、
独立を目指して本国イギリスと戦った。

────────┤ 主な交戦勢力 ├────────

イギリス　　　　　　　　　　　　　　アメリカ

 度重なる戦争で財政難に陥ったイギリスが、
植民地アメリカへの課税を行った

　15世紀末、ヨーロッパが大航海時代を迎えた頃、コロンブスがアメリカ
大陸に到達しました。コロンブスは、アメリカ大陸をインドと勘違いし、先
住民を*インディアン*と呼びました（現在では、*ネイティブアメリカン*と呼ばれます）。

　その後、アメリカ大陸へヨーロッパからの移住が続き、アメリカ東海岸に
は13の植民地が形成されました。そして18世紀半ばには、英仏によるアメ
リカ大陸での植民地争いが激化し、フレンチ゠インディアン戦争（→230ペー
ジ）などを経て、イギリスがそのほとんどを支配するようになります。

　しかし、この頃のイギリスはアメリカ大陸以外の植民地をめぐっても戦争
を繰り広げており、**一連の戦争によって財政難に陥ってしまいます。**

　戦争には想像以上にお金がかかります。軍隊の維持費、移動費、食費、
装備・武器の費用など、莫大な戦費を伴ううえ、万が一敗戦しようものなら、
賠償金や領土の割譲も待っています。だから、どの国も必死なわけです。

　また、戦争に勝ち、賠償金や領土を得ても、投じたお金がすべて戻ってく
るわけではありません。戦争で得た領土や植民地は、長い目で見れば収入
源となりますが、すぐにお金になるわけではないのです。本来、戦争とは儲
かるものではなく、たとえ損をしてでも、譲れない一線を守るための外交上
の最終手段だと言えます。

　国家が財政難に陥ったときに行われる対策の一つが増税や課税です。**イ**
ギリスも、財政難を脱するために、アメリカの植民地に新たな税を課しまし
た（印紙法）。

アメリカのイギリス人たちが、本国への対抗姿勢を強めた

イギリスによる課税は、当然アメリカの人々の大きな反発を生みました。植民地側から代表を送っていないイギリス本国議会による勝手な課税は、植民地に移住したイギリス人の権利を侵害していると考えたのです。課税への反対運動のスローガンとして生まれた**「代表なくして課税なし」**という言葉も、「アメリカからはイギリス議会に代表すら送れない。それなのに、勝手にアメリカの税金を決めるとはどういうことだ」という抗議の声でした。

こうして不満をため込んだアメリカ大陸のイギリス人たちは、**ボストン茶会事件**を起こします。これは、先住民に扮した現地のイギリス人たちが、ボストン湾に来航していたイギリス貿易船に乗り込み、大量の茶葉を海に投げ捨てたというものです。これはイギリス本国に対する明確な反抗であり、万が一捕まったときのために先住民の格好をしたようです。

その後も続く本国イギリスの締め付けに対して、アメリカでは**第1回大陸会議**が開かれました。ここではイギリス製品のボイコットが決定され、イギリスとアメリカの溝はさらに深まっていきました。

そして、ついにアメリカのレキシントンで両国の武力衝突が起き、これがアメリカ独立戦争の始まりとなりました。**第2回大陸会議**の結果、**ワシントン**が独立軍の総司令官に任命され、本格的にアメリカとイギリスの戦いが始まったのです。

戦時中のアメリカ独立宣言により、アメリカ合衆国が誕生

イギリスに対し、アメリカは終始劣勢に立たされました。今でこそ大都会のアメリカも、当時は開拓途上の田舎にすぎません。フランスをはじめとする西洋列強との戦いを勝ち抜いてきた大国イギリスはあまりに強敵でした。

しかし、この戦争中に発表された**トマス＝ペイン**の著書**『コモン＝センス』**が、独立を誓った植民地の人々を強く後押ししました。この本では、アメリカの独立は当然の権利だと書かれ、独立のために戦うべきだという主張は、苦戦を強いられる独立軍の希望の言葉となりました。

戦時中の1776年7月4日には、大陸会議にて**トマス＝ジェファソン**が起草

PART 4 アメリカ・ロシアと冷戦

した**アメリカ独立宣言**が全会一致で採択されました。これがアメリカ合衆国誕生の瞬間とみなされ、アメリカでは今でも7月4日を独立記念日として盛大に祝います。

各国を味方につけたアメリカがイギリスから独立を果たした

　劣勢を強いられていたアメリカでしたが、アメリカ軍が**サラトガの戦い**で圧勝したことを機に、フランスやスペイン、オランダなどが一気にアメリカ側で参戦してきました。各国には、当時勢力を拡大していたイギリスを抑えたいという思惑がありました。

　さらに、ロシアのエカチェリーナ2世が**武装中立同盟**を結成します。これは、イギリスが行ったアメリカ海上封鎖に対し、「アメリカとの取引を邪魔するな」という趣旨の同盟でした。ロシアのほか、スウェーデン、デンマーク、プロイセンなども参加し、彼らも間接的にアメリカを支援しました。

　さらにはナポレオンの副官として活躍したフランスのラ゠ファイエットら義勇軍も到着し、国際情勢もアメリカ応援ムードとなりました。こうして勢いづいた独立軍は一気に形勢を逆転し、**ヨークタウンの戦い**での勝利が決定打となり、**1783年、パリ条約にてアメリカは正式に独立を認められました。**

　アメリカ合衆国の初代大統領には、独立軍の総司令官を務めたワシントンが就任しました。アメリカの1ドル札には、今も彼の肖像画が使われています。

　なお、独立を果たした当時のアメリカと、今のアメリカではその領土はまったく異なります。建国当初のアメリカの領土は東海岸のみで、19世紀にさまざまな国からの割譲や併合を繰り返して、今のかたちとなりました。その経緯については、これから紹介する戦争を通して説明していきます。

アメリカ＝メキシコ戦争

1846〜48年

アメリカとメキシコによるテキサスをめぐる戦争。
勝利したアメリカは、カリフォルニア、ニューメキシコを獲得した。

───┤ 主な交戦勢力 ├───

アメリカ　　　　　　　　　　　　　　　メキシコ

なぜ争った アメリカのテキサス共和国併合に、メキシコが大反発

　独立を果たしたばかりのアメリカは、東海岸から領土を広げるべく大陸西部の開拓を進めていきました。19世紀に入ると、フランスからルイジアナを、スペインからはフロリダを買収します。

　そして、さらなる西部開拓を進めるアメリカが起こしたのがアメリカ＝メキシコ戦争です。**両者は「テキサス」の所有権をめぐって戦争を起こしました。**

　1821年にスペインから独立を果たしたばかりのメキシコは、現在よりもはるかに広い領土を持っていました。現在のアメリカ西南部も当時はメキシコ領だったのです。

　しかし、アメリカは国境を無視して西部開拓を進めました。その結果、メキシコ領のテキサスにはアメリカ人の不法移民が増加してしまいます。現代では、アメリカがメキシコからの不法移民に苦しんでいますが、昔は真逆のことが起きていたのです。

　そして、**テキサスが「テキサス共和国」としてメキシコから独立すると、アメリカはテキサス共和国を併合してしまいます。**テキサス独立までは認めたメキシコも、アメリカによる併合には大反発し、これを機に両国は戦闘状態に入りました。

PART
4

アメリカ・ロシアと冷戦

勝利したアメリカが、メキシコの広域な領土を獲得

アメリカはメキシコの風土に苦しめられながらも、兵士の数や武器の水準の高さなどでメキシコを圧倒しました。カリフォルニアなどの西海岸を占領していったアメリカは、とうとうメキシコの首都メキシコシティも占領し、アメリカ＝メキシコ戦争はアメリカの勝利で幕を閉じました。

この戦争の賠償として、アメリカは、カリフォルニアとニューメキシコという広範な地域の割譲を手にしました。その広さは、当時のメキシコのおよそ3分の1にも及び、日本でたとえるなら九州と四国を奪われたようなものです。

「こんなに広大な土地を一気に与えてしまっていいのか」と思いますが、カリフォルニアは当時不毛の砂漠地帯であったことから、メキシコはこの領土割譲を甘く考えていたのでしょう。ところが、その後カリフォルニアではゴールドラッシュが起き、大量の黄金が採掘されます。さらにテキサス州では良質な油田が見つかりました。ここでメキシコの逃した魚は相当大きかったと言えます。

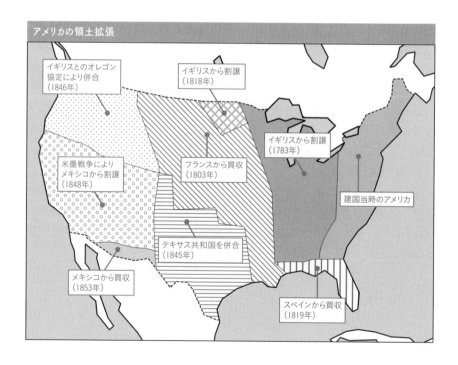

アメリカの領土拡張

イギリスとのオレゴン協定により併合（1846年）

イギリスから割譲（1818年）

イギリスから割譲（1783年）

米墨戦争によりメキシコから割譲（1848年）

フランスから買収（1803年）

建国当時のアメリカ

テキサス共和国を併合（1845年）

メキシコから買収（1853年）

スペインから買収（1819年）

南北戦争

1861〜65年

奴隷制をめぐってアメリカ南北が分裂。
大統領リンカンの手腕で分断の危機を乗り越えた。

┤ 主 な 交 戦 勢 力 ├

アメリカ合衆国（アメリカ北部）　　アメリカ連合国（アメリカ南部）

 なぜ争った ①

独立後のアメリカで、
「奴隷制」をめぐる南北の対立が生まれた

　アメリカの16代大統領であり、没後150年以上がたった今でも国民から絶大な人気を得ているのが**リンカン**（エイブラハム゠リンカン）です。彼を一躍スターにしたのが、この南北戦争でした。

　もともとアメリカは、イギリスからの移民が先住民族を排除し、北アメリカ大陸に住み着いたのが始まりです。このうち、**大陸の北部に住んだ人々は主に自営農民となり、南部の人々は黒人奴隷を働かせて大規模な綿花農園を経営しました。**

　アメリカ独立戦争では、この北部と南部が協力し、イギリスから独立を勝ち取りました。このときに発表された独立宣言には、「すべての人は平等につくられている」とうたわれています。これは、「アメリカに住む移民も、イギリスの住民も同じ人間なのに、不平等に扱われるのはおかしい」という南北アメリカ移民たちの怒りの声であり、彼らの団結の象徴でもありました。

　ところが、この独立宣言を書いたトマス゠ジェファソンは、途中でまずいことに気づきます。**「すべての人は平等につくられている」としたのに、南部のアメリカ人は黒人奴隷を農園でこき使っているという事実**です。ジェファソンは奴隷制廃止に向けた文言を宣言に盛り込もうとしますが、そうすると南部の人々が反対し、南北の協力関係が崩れて独立が失敗に終わってしまうと考えました。結局、彼はこの矛盾について見て見ぬふりをしたのです。

　しかし、**独立後、北部の人々が南部の奴隷制を批判し始めます**。これは、必ずしも黒人奴隷たちのことを思いやったからではありません。当時の北部

では工業が発達し、起業家や経営者が多く集まっていました。彼らは、奴隷制を非効率な稼ぎ方だと考えていたのです。「奴隷たちを無理やり働かせても、やる気がないから効率が悪い。行動の自由を与えつつ低賃金の労働に就かせたほうが、彼らも一生懸命働くのではないか。頑張れば報われると思わせたほうが、やる気を出すだろう」という主張です。これはアメリカ以外の国でも支持され、イギリスでも1833年には奴隷制が廃止されています。奴隷制廃止の流れは、世界的な潮流でもあったのです。

　一方の、綿花農園の経営が生活基盤である南部からすれば、簡単に奴隷制を廃止するわけにはいきません。南部でつくられる綿花は海外に輸出され、アメリカ経済を支えていたことから、彼らは奴隷制の意義を主張しました。結局、南北の代表が議会で衝突し、互いのことには口出しをしないと決めて妥協に至ります。

なぜ争った②　北部が支持するリンカンの大統領当選を機に、南部がアメリカ連合国をつくって独立。南北の対立が激化した

　ところが、ここで問題が起こります。このときのアメリカは、領土拡大の真っ最中でした。荒野だった西部の開拓が進み、また隣国のメキシコとの戦争でも領土を拡大した結果、**「新しく得た領土で奴隷制を実施するか否か」**という議論が生まれたのです。これをめぐり、南北の対立は再燃しました。

　そして、1860年の大統領選挙では、北部が支持する共和党のリンカンが、南部の支持する民主党候補を破って当選します。すると翌年、**南部は「アメリカ連合国」という新しい国をつくり、アメリカ合衆国から離脱してしまいました。**

　リンカンは、奴隷制を全否定したわけではありません。彼は新領土への奴隷制拡大には反対しましたが、南部の奴隷制存続は認めていました。大統領の就任演説でも、既存の奴隷制は禁止しないと約束しています。

　それでも腹の虫が治まらない南部は独立し、そればかりか北部の要塞を攻撃しました。こうしてアメリカ国内を南北に分断する南北戦争が勃発したのです。

北部が勝利し、
アメリカは南北分断の危機を乗り越える

　北部は南部の2倍以上の人口を持ち、工業力でも南部を圧倒していました。ところが、北部軍が初戦で敗北してしまうと戦争は予想外に長引いてしまいます。

　すると、綿花の貿易で南部とつながりの深いイギリスが南部に肩入れしようとしました。そこでリンカンは、奴隷解放宣言を発表します。**戦争の目的を「奴隷解放」とハッキリさせたのです。これにより、すでに奴隷制を禁止していたイギリスが南部を応援できないようにしました。**

　さらにこの宣言は、より多くの黒人たちの北部支持を取り付ける効果もありました。その結果、次第に北部が戦況を優勢に進め、1865年、ついに南部は降伏しました。こうして南北が統一されたアメリカでは、その後、北部主導の産業革命が加速することになります。

　なお、戦争に勝利し、アメリカ分断の危機を乗り越えたリンカンは、残念なことにその後まもなく南部出身の俳優に射殺されてしまいました。

アメリカ南部の黒人差別はいまだ解決せず

　戦後、議会は黒人への市民権や参政権を与える法律を制定します。ところが、これまで教育の機会を奪われてきた黒人には仕事がなく、結局、南部の農園に戻り、以前と同様の条件に身を置くこととなりました。

　そして時間がたつにつれ、南部では黒人選挙権の否定や、人種隔離を認める法律が制定され、裁判所もこれを容認します。さらに、元南部軍の兵士たちを中心に*クー＝クラックス＝クラン*（KKK）と呼ばれる白人至上主義の団体が組織され、KKKが黒人を襲う事件も頻発しました。

　黒人にも完全な参政権がようやく与えられるのは南北戦争から100年後のことであり、現在でも黒人差別は続いています。南北戦争は、南北に分かれたアメリカをたしかに統一しましたが、その実、もう一つの分断である人種問題については解決することができなかったのです。

アメリカ=スペイン戦争

1898年

スペインとの戦争により、アメリカがキューバ、フィリピン、
グアムなどを手に入れ、帝国主義国家としての歩みを進めた。

───────────┤ 主 な 交 戦 勢 力 ├───────────

アメリカ　　　　　　　　　　　　　　スペイン

なぜ争った

キューバ独立戦争に、
アメリカ国内で介入の声が高まった

　南北戦争以降、アメリカでは本格的な産業革命が展開されました。天然資源に恵まれ、労働力も豊富だったアメリカでは、石炭・石油・鉄鋼などの重工業が躍進し、**1894年には世界一の工業国となりました。**

　また、1890年にはフロンティアの消滅も宣言されました。これは、アメリカ大陸西武の未開拓地がなくなったこと、すなわち国内市場のこれ以上の拡大には限界が来たことを意味します。そこでアメリカでは、工業製品を輸出するための海外市場を求める声が高まり、**1890年代には、アメリカは自国の領土を海外へと広げようとする「帝国主義」へと方針を転換します。**

　そして、アメリカにとって最初の帝国主義戦争が、キューバをめぐる**アメリカ＝スペイン戦争**でした。

　ラテンアメリカでは、19世紀初頭、ハイチの独立を先駆けとして多くの国がヨーロッパから独立を果たしました。しかし、キューバはスペイン領のままでした。以前にもキューバでは独立を求める武装蜂起が起こりましたが、そこでは独立には至らなかったのです。

　1895年、再びキューバはスペインを相手に独立戦争を開始します。この戦争に対し、**キューバの砂糖資源に多くの投資をしていたアメリカでは、介入するべきだという世論が高まっていました。**

　そして1898年、キューバのハバナ沖に停泊していたアメリカ軍艦が爆沈されるという「メイン号事件」がスペインの謀略だと伝えられると、アメリカ国民の間でスペインとの開戦を要求する声が一気に高まりました。そして、ア

メリカの第25代大統領マッキンリーはスペインに宣戦布告し、アメリカ＝スペイン戦争が始まったのです。

 ## 植民地を多数獲得したアメリカが「帝国主義国家」へと躍進

　アメリカ海軍は、ラテンアメリカだけでなく、フィリピンやグアムなど、当時の他のスペイン植民地も攻撃しました。そして、アメリカ優勢のまま、開戦から7か月後には講和が成立します。

　アメリカは、スペインとの間で結んだパリ条約において、**プエルトリコとグアムの割譲、フィリピンの2000万ドルでの譲渡、キューバの独立をスペインに認めさせ、キューバを保護国として実効支配しました。**

　キューバに加え、フィリピン、グアムの太平洋の植民地も手に入れたアメリカは、海外に植民地を持つ帝国主義国家として、一躍世界の強国となりました。一方、植民地をほぼすべて失ってしまったスペインは、帝国主義国家としての勢いを失うことになってしまいます。

　なお、アメリカの植民地となったフィリピンは、その後アメリカと**フィリピン＝アメリカ戦争**（1899～1902年）を戦っています。

　アメリカ＝スペイン戦争当時、スペインからの独立運動が盛んになっていたフィリピンは、独立を条件にアメリカから戦争への協力を迫られました。これに承諾したフィリピンは、アメリカ＝スペイン戦争でスペインから次々と領土を奪還し、フィリピン共和国を建設して独立国家としての整備を進めます。

　しかし戦後、アメリカが約束を反故にし、フィリピンを植民地にしてしまったのです。これに反発したフィリピンが戦いを挑んだのがフィリピン＝アメリカ戦争であり、結局ここではフィリピンが敗れ、独立を果たすことはできませんでした。しかしその後、第二次世界大戦下における日本の支配を経て、1946年のマニラ宣言で無事独立を果たしています。

　なお、アメリカも万事がうまくいっていたわけではなく、列強による中国進出には乗り遅れていました。フィリピンを獲得し、アジアへの足がかりを得たアメリカは、1899年、国務長官**ジョン＝ヘイ**の名で**第一次門戸開放宣言**を発表しました。翌年の第二次とあわせたこれらの宣言では、列強に対して、各国が中国と平等に通商できること、そして中国の領土を奪い合わないことに同意を求めました。

この宣言は直ちに採用はされませんでしたが、1921年に開かれたアメリカ主催のワシントン会議で、これを意識した条約が締結されました。

ここまでの おさらい アメリカ黎明期の戦争

アメリカ独立戦争で、アメリカがイギリスから独立を勝ち取る

アメリカ=メキシコ戦争に勝利したアメリカは、
メキシコからカリフォルニアなどの領地を獲得。
西部開拓とあわせて領土を拡大

奴隷制をめぐってアメリカの南北が対立。南部が独立国家をつくり、
北部と南北戦争を起こす。ここで北部が勝利し、
アメリカは分断の危機を乗り越える

西部開拓を終えたアメリカは、帝国主義に方針を転換。
アメリカ=スペイン戦争ではスペインに勝利し、
グアム、フィリピンなどの海外植民地を獲得。
世界的な大国として歩み始める

20世紀以降のアメリカ

独立からわずか1世紀で世界的な国家に

　ここまで述べてきた通り、18世紀後半にイギリスから独立を果たしたアメリカは、19世紀を通して大きく発展しました。

　西部開拓による領土の拡大や、海外植民地の獲得、イギリスを抜いて世界一の工業国になるなど、わずか1世紀の間に大国へと上り詰めたのです。

　第一次世界大戦が終結すると、アメリカは国際社会における存在感を一層強めていきました。ヨーロッパ各国が戦場となって荒れ果て、疲労困憊（こんぱい）となる中、アメリカはほぼ無傷のまま終戦を迎えたからです。

　さらに、アメリカは戦時中に各国に多額の融資を行っており、戦後、債権国（他国から借金を返してもらう側）となったことも大きかったでしょう。

　こうして順調に世界での立ち位置を高めていったアメリカでしたが、1929年にニューヨークのウォール街から始まった**世界恐慌**によって、世界各国とともに大きな打撃を受けてしまいました。

　この危機に対し、民主党のフランクリン＝ローズヴェルト大統領は、**ニューディール**（新規まき直し）と呼ばれるさまざまな政策によって対応しました。しかし、これらの政策の多くは場当たり的なものにとどまり、景気回復には直接役に立ちませんでした。それでも、貧困層を救う社会保障制度を確立したことなどによって国民は安心感を得られ、民主政治を維持することはできました。

　続く第二次世界大戦では、アメリカは当初、直接戦場に行くことはなく、あくまで武器などの援助にとどめていました。しかし、日本の仕掛けた真珠湾攻撃を機に、その姿勢は一変します。対日参戦を決定したアメリカは、

太平洋を主戦場として日本と激突することになったのです（太平洋戦争）。

　圧倒的な国力を有していたアメリカは日本に勝利し、戦勝国として国際連合を指揮するとともに、新たな経済体制である**ブレトン＝ウッズ国際経済体制**の中心的役割を担いました。

資本主義陣営のリーダーとなり、冷戦でソ連と対立

　しかし、戦後まもなく、ソ連を中心とする社会主義陣営とアメリカを中心とする資本主義陣営の対立が始まります。これが**冷戦**（→414ページ）です。米ソの対立の影響は、東西ヨーロッパの分断にとどまらず、**ベトナム戦争**（→100ページ）や**朝鮮戦争**（→96ページ）、アンゴラ内戦などに代表されるように、アジア、アフリカなどの各地で両国の代理戦争が展開されました。**キューバ危機**（→416ページ）の際には、歴史上、もっとも核戦争の危機が迫る事態ともなりました。まさに、一触即発の時代だったということです。

　この冷戦は、アメリカのブッシュ大統領とソ連のゴルバチョフ書記長が1989年に出した共同宣言によって終結しました。しかし、これによって世界が平和になったかと言えば、残念ながらそうではないことを現代の私たちはよくわかっているはずです。

21世紀以降、テロや米中対立などが問題に

　2001年9月11日には、アメリカで同時多発テロが発生し、これに対抗すべくアメリカは対テロ戦争を開始しました。**アメリカのアフガニスタン侵攻**（→367ページ）や**イラク戦争**（→369ページ）は、記憶に新しい方も多いでしょう。しかし、当時から標的としていたアル＝カーイダや新興勢力であるイスラーム国はいまだ存続しており、平和がもたらされるどころか、むしろテロによる危険は拡大したという見方もあります。

　さらに現代では、**米中の対立**が国際社会全体に影響を与えるようになってきています。現職のバイデン大統領が「中国は唯一の競合国」と発言するなど、その対立は深まるばかりです。

Chapter 2

ロシアの南下政策と冷戦

北方戦争

1700〜21年

バルト海の覇権を手に入れたいロシアが、
デンマークやポーランドと手を組んでスウェーデンと戦った。

┤ 主な交戦勢力 ├

ロシア スウェーデン

なぜ争った

まだ小国の一つだったロシアが、
西欧への出口を求めてバルト海を狙った

　今でこそ大国として世界に影響力を持つロシアですが、その繁栄が始まったのは近代以降で、北方戦争はその足掛かりとなった重要な出来事です。

　ロシアの起源は、862年に北西ロシアに建国された**ノヴゴロド国**だといわれています。この国は、ノルマン人が先住民のスラヴ民族を支配してつくった国です。ノヴゴロド国はさらに南下を進め、キエフを占領して**キエフ公国**を建国しました。**ウラディミル1世**の頃に全盛期を迎えたキエフ公国は、一時はモンゴル帝国の支配下に入るも、1480年には再び独立して**モスクワ大公国**を築きます。

　このモスクワ大公国を大きく発展させたのが、その目覚ましい功績から、のちに「大帝」と呼ばれることになる**ピョートル1世**です。彼は王位についた後、自らヨーロッパを巡り歩きました。そこで学んだことを生かし、帰国後にヨーロッパを模範とした改革を進めます（西欧化政策）。

　さらにロシアは、国内の改革にとどまらず、対外進出にも積極的に取り組みました。東方では当時清朝の時代だった中国と**ネルチンスク条約**を結んで、ロシア・中国間の国境を確定させました。南方では、オスマン帝国と衝突しつつ、黒海北部のアゾフ海に進出します。

　こうした流れの中、次にピョートル1世が狙ったのが**バルト海**でした。この頃、バルト海の覇権を握っていたのがスウェーデンです。当時のスウェーデンは、三十年戦争やウェストファリア条約での北ドイツ獲得などを経て大国へと成長していました。

そこでピョートル1世は、スウェーデンの勢力拡大を抑えたいデンマーク・ポーランドと手を組み、デンマーク軍がスウェーデンに侵攻したことで、北方戦争の火ぶたが切られました。

 一度は敗れたロシアが軍備を強化して、リベンジに成功

開戦後、ロシアはバルト海へ進軍し、スウェーデン軍の要塞ナルヴァへの攻撃を始めました。しかし、当時のスウェーデン軍は新式の装備を採用しており、ロシアの軍事的劣勢は明らかでした。

この作戦に失敗したピョートル1世は軍隊の再建を図り、積極的な徴兵や軍備増強に資源をつぎ込んでいきました。こうして次の戦闘への準備を着々と進めたロシアに対し、スウェーデンはポーランドを相手に苦戦を強いられていました。この間に、ロシアはナルヴァでの敗戦から立ち直ったのです。

ようやくポーランドとの戦いを終えたスウェーデン国王カール12世は、勝利を確信してロシアに向かいました。

しかしロシア軍は、焦土作戦（敵の侵攻が予想される地域の建物や畑などをあらかじめ破壊し、敵に使われないようにすること）を使ってスウェーデン軍を追い込みました。さらに、スウェーデン軍の頼みの綱だった補給部隊を先回りして叩き、ロシアの厳しい寒さや悪天候に苦労するスウェーデン軍を追い詰めていきました。かのナポレオン1世も、同様の戦術に苦しめられ、ロシアから敗走しています。そして、この戦争最大の衝突となった**ポルタヴァの戦い**にて、ロシアは見事リベンジを果たしました。

 ロシアが「西欧への窓」を獲得。ロシア帝国の誕生

ポルタヴァの戦いに勝利したロシアは、バルト海沿岸に**サンクト゠ペテルブルク**という港湾都市を建設しました。その後、バルト海へと順調に領土を広げたロシアは首都をここに移します。以降、**サンクト゠ペテルブルクは、「西欧への窓」としてロシアの発展を支えていきました。**

ちなみに、北方戦争はこれ以降も続きました。ポルタヴァでの敗戦でオスマン帝国への亡命を余儀なくされたカール12世は、その後もロシアへ戦闘を

仕掛けますが、その最中に戦死してしまいます。こうして20年以上にもわた
る長い戦いは、スウェーデンの敗北で幕を下ろしました。

　この結果、**ロシアはスウェーデンに代わるバルト海の覇者として、一躍
東欧の強国の一つに名乗りを上げました**。また、勝利したピョートル1世は、
1721年に皇帝の称号を得てモスクワ大公国を「帝国」と宣言し、これにより
ロシア帝国が誕生したのです。

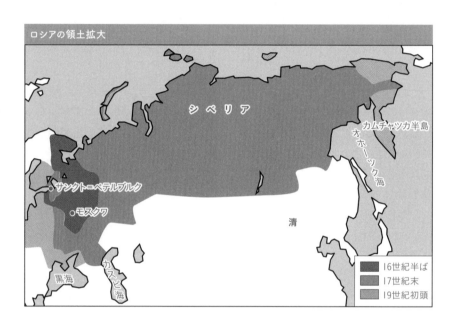

ロシアの領土拡大

シベリア

カムチャツカ半島

オホーツク海

サンクト=ペテルブルク

モスクワ

清

黒海

カスピ海

	16世紀半ば
	17世紀末
	19世紀初頭

露土戦争（18世紀）
ろ　と

1768〜74年、1787〜92年

凍らない港を求めて南下を進めるロシアが、
黒海への進出を狙ってオスマン帝国と戦った。

――| 主 な 交 戦 勢 力 |――

ロシア オスマン帝国

なぜ争った　「凍らない港」を求めたロシアが南下した

　18〜19世紀にかけて、「露＝ロシア」と「土＝トルコ（オスマン帝国）」は、何度も戦争を行いました。そのため、露土戦争と呼ばれる戦争は複数存在します。ここで紹介する露土戦争は、当時、**ロシアがオスマン帝国からクリミア半島を獲得するに至った戦争**です。

　ロシア帝国を確立した**ピョートル1世**が1725年に亡くなって以後、ロシアではしばらく政治的な混乱が続きました。

　その後、ロシアを大きく発展させたのは、女帝**エカチェリーナ2世**でした。彼女は前皇帝のピョートル3世の妻で、ロシア史上でも珍しい女帝であり、さらにはロシア人ですらないという異色の経歴の持ち主でした（ドイツ出身で、七年戦争の際に捕虜として連れてこられた）。

　エカチェリーナ2世が力を入れたのが、ピョートル1世に続く帝国領土の拡大でした。その主な目的は「南下政策」です。ロシアの港はどれも寒冷地にあったため、冬になると凍って使いものにならなくなってしまいます。そこで、**ロシアはかねてから不凍港（凍らない港）を求めて、黒海の制海権獲得、地中海への進出を狙い、南への領土拡大を進めていたのです。これが南下政策で、以後、ロシア南部・地中海地方を押さえていたオスマン帝国との対立が本格化していきます。**

　エカチェリーナ2世も、地中海への出口となる黒海に進出すべく、オスマン帝国との戦争を始めました。

ロシアが黒海北岸、クリミア半島を獲得

陸海からオスマン帝国を攻め、クリミア半島とバルカン半島を押さえたロシアは、オスマン帝国を追い詰めて、キュチュク＝カイナルジャ条約の締結にこぎつけます。**ここでロシアは、アゾフ海沿岸地帯を割取し、さらに黒海の自由航行権とボスフォラス・ダーダネルス両海峡における商船の航行権を獲得しました。さらに、オスマン帝国内のギリシア正教徒の保護権**

も獲得しています。この保護権に関する問題は、のちのクリミア戦争における開戦の口実となります。

一方のオスマン帝国は、ここでクリミア半島のクリム＝ハン国への保護権を失うことになりました。これを契機に、**1783年にはロシアがクリム＝ハン国を併合してしまいます。**

この併合に怒ったオスマン帝国は、ロシアに再び宣戦布告しました。しかし、ロシアの軍事的優位は明らかで、オスマン帝国軍は再び撃破されてしまいました。

そして、ここで結ばれたヤッシーの講和で、**ロシアはキュチュク＝カイナルジャ条約とクリミア併合をオスマン帝国に確認させ、黒海北岸、クリミア半島を領有することになりました。**これにより、ロシアは黒海への出口を獲得し、南下政策の目的を達成するとともに、現代まで問題となるクリミア半島を獲得しました。

さらに同時期、エカチェリーナ2世はプロイセン・オーストリアと共同してポーランド分割を行いました。1772年から3度にわたって行われたこの分割を経て、1795年にはポーランドという国家は一時的に消滅してしまいました。ポーランドが再び独立国家として復活するのは、1918年のこととなります。

クリミア戦争

1853〜56年

南下政策を進めるロシアが、
黒海から地中海への航海ルートを確保するためにオスマン帝国に宣戦布告した。

─┤ 主な交戦勢力 ├─

ロシア イギリス、フランス、オスマン帝国、
サルデーニャ連合軍

 **ロシアが、ボスフォラス・ダーダネルス海峡の
軍艦航行権を手に入れたかった**

　クリミア戦争は、これまでたびたび繰り返されてきたロシアの南下と、それを防ごうとする他の列強たちが正面からぶつかりあった戦争です。

　18世紀の終わりにフランス革命が起こると、自由主義やナショナリズムの考えが世界各地に広まり、各地では民族運動が活発化していきました。

　中東のオスマン帝国でも、**ギリシア独立戦争**（→332ページ）が起こり、さらに、エジプトがオスマン帝国からの独立を求めた**第一次エジプト＝トルコ戦争**が起こります。

　ギリシア独立戦争では、ギリシアを支援し、南下に成功したロシアでしたが、一転して第一次エジプト＝トルコ戦争では、オスマン帝国を支援しました。オスマン帝国に味方することで、南下政策をさらに推し進めようとしたのです。

　戦後、オスマン帝国とロシアは相互援助条約（ウンキャル＝スケレッシ条約）を結びました。これによりロシアは、狙い通り、**ボスフォラス・ダーダネルス両海峡の軍艦通行独占権**を獲得します。

　しかしこれは、ロシアの南下を防ぎたいイギリスによって妨害されてしまいます。エジプトとオスマン帝国が再び争うと（第二次エジプト＝トルコ戦争）、ロシアはイギリスらと共にオスマン帝国側で参戦しました。しかし、ここで戦後の条約締結を主導したのはイギリスでした。ここで結ばれたロンドン条約により、平和時におけるあらゆる外国軍艦の海峡通過は禁じられ、先に結ばれたウンキャル＝スケレッシ条約は無意味になってしまったのです。

　そこでロシアは、武力で南下政策を進めようと考えます。しかし、なんの

大義名分もないままいきなりオスマン帝国を攻撃することはさすがにできません。**そこで利用したのが、「聖地管理権問題」です。**この頃、フランスのナポレオン3世が「聖地イェルサレムの管理権」をギリシア正教徒から取り上げ、カトリックの司祭に与えることをオスマン帝国に認めさせました。これは、ナポレオン3世がフランス国内のカトリックからの支持を集めるためのものでした。

　当然、これはギリシア正教徒の地位を脅かすものであり、ロシアは、先の露土戦争のキュチュク＝カイナルジャ条約で約束したギリシア正教徒の保護権を理由に、聖地管理権の復活などをオスマン帝国に求めました。

　しかし、オスマン帝国はこれを拒否します。これを口実に、ロシアはオスマン帝国に宣戦布告したのです。

　さらに、ロシアの南下を抑えたいイギリスと、オスマン帝国に多額のお金を貸していたフランスが、オスマン帝国側で参戦します。4つの大国が絡み合ったクリミア戦争は、「19世紀の一大事件」と言っても過言ではないほど苛烈なものになりました。

ロシアは敗戦し、黒海における非武装化などを約束させられる

　この戦争で鍵を握ったのが、**セヴァストーポリ要塞の攻防戦**でした。クリミア半島南端に位置するこの要塞は、ロシアの南下政策の拠点となっていました。

　ここで1854年から始まった攻防戦は、翌年まで続く長期戦の末、ロシアの敗戦で終わります。ここでのロシアの敗戦は、戦争全体の結末を決定づけました。ちなみにこの戦いには、『戦争と平和』などで知られる小説家のトルストイも参加していたことが知られています。

　1856年にはオーストリアの仲介によりパリ条約が締結され、**ロシアは、黒海における非武装化やボスフォラス・ダーダネルス海峡の軍艦通過禁止を受け入れざるを得ませんでした。**さらに、戦争の口実となったキリスト教徒の保護についても、オスマン帝国領内のキリスト教徒は列強が共同で保護することでまとまりました。

　一方のオスマン帝国にとっても、この戦争は苦い勝利となりました。度重なる戦争に加え、このクリミア戦争も激化したために莫大な戦費を要したからです。

　さらに、戦前にイギリスと結んだ不平等条約の影響で安価な外国産品が

流入するようになり、国内産業も大打撃を受けました。**こうしてオスマン帝国は財政破綻へと追い込まれます**。結局、オスマン帝国はイギリス・フランスにいいように使われただけとなってしまったのです。

敗戦の反省を生かし、ロシアでは近代化が推進された

なお、ここで敗北したロシアは、大きく反省しました。まず大きかったのが軍備です。英仏が蒸気機関の軍艦を使っていたのに対し、ロシアはいまだに帆船で、鉄道の敷設も遅れていたため、戦地に素早く兵力を送ることすらできませんでした。当然、それでは勝てるはずがなく、**ロシアはクリミア戦争での敗戦をきっかけに軍備のあり方を改めるようになりました**。

さらに、ロシアにはもう一つ「古くさい」制度が残っていました。それが**農奴制**です。これは地主のもとで働く農奴の自由を厳しく制限するもので、知識人などから改革を求める声が多く集まるようになりました。

そこで、戦時中に亡くなったニコライ1世に代わって王となったアレクサンドル2世が**農奴解放令**を公布します。この農奴解放は、土地制度改革としてはイマイチな成果に終わりますが、ここからようやくロシアの近代化が始まったのは確かです。

クリミア戦争を機に、戦争がより悲惨なものになった

このクリミア戦争は、初めての近代的戦争といわれることがあります。ここでは、新式の銃や鉄道、蒸気船などの技術に加え、電報や新聞による情報伝達、軍事医学が活用されるなど、戦争が一気に近代化したのです。

それゆえ、ロシア軍兵士だけでも約50万人の死者が出たといわれています。戦闘による負傷そのものではなく、治療が不十分なことで病死するケースも多かったようです。

諸外国も、このクリミア戦争で「近代的な戦争のあり方」を知ることになりました。そしてこれは、以降の戦争が、今までよりも悲惨で、規模の大きな戦いになってしまうことを意味していたのでした。事実、この戦争以降、科学技術が兵器としても活用され、多くの犠牲を出してしまいます。

露土戦争（19世紀）

1877〜78年

バルカン半島を狙ったロシアがオスマン帝国に戦争を仕掛けた。

┤ 主な交戦勢力 ├

ロシア オスマン帝国

 ## バルカン半島を支配したいロシアが、「スラヴ民族の保護」という建前のもとオスマン帝国に宣戦布告した

　クリミア戦争では勝利を収めたオスマン帝国でしたが、莫大な戦費を使い、財政破綻へと追い込まれてしまいました。この衰退するオスマン帝国に、バルカン半島への勢力拡大をもくろんだロシアが再び宣戦布告したのが、こちらの露土戦争です。

　この時期には、オスマン帝国のバルカン半島でスラヴ民族による独立運動が盛んになっていました。そこでロシアは、自分たちと同じ系統であるスラヴ民族の連帯と統一を目指す**パン゠スラヴ主義**を唱え、民族運動を南下政策に利用しようと企みました。

　その中で、ボスニア・ヘルツェゴヴィナで、オスマン帝国に対するキリスト教徒の反乱が起こります。さらに翌年には、ブルガリアでも反乱が発生しました。

　スラヴ民族の多いこれら地域での反乱を受け、**ロシアは同じスラヴ民族の救済というもっともらしい理由を掲げてバルカン半島に干渉を始めました。そして最終的に、オスマン帝国に宣戦布告したのです。**

 ## ロシアが勝利するも、期待していた結果は得られず

　クリミア戦争で完敗を喫し、軍備を整え直したばかりのロシアは、戦いを優位に進めました。約5か月にわたる包囲戦でオスマン帝国が敗れて以降、

ロシア優位のままサン＝ステファノ条約によって戦争が終結しました。

　この条約では、**セルビア、モンテネグロ、ルーマニアがオスマン帝国から独立を果たしました。また、ブルガリアをロシアの保護国に置くことも認められました。**

　こうしてバルカン半島まで勢力を南下してきたロシアに危機感を覚えたイギリスとオーストリアは、すかさずこの条約に抗議しました。そこで仲介人に名乗り出たのが、当時のヨーロッパをまとめていたドイツ帝国のビスマルクです。ビスマルクはベルリン会議を主催し、諸国間の利害調整を行いました。

　その結果、**ブルガリアの領土は縮小され、あくまでオスマン帝国の下で自治国となることが決まりました。**一方で、オーストリアはボスニア・ヘルツェゴヴィナの統治権を、イギリスはキプロス島の統治権を獲得します。ロシアとしては、不満を抱かずにはいられない結果となったと言えるでしょう。

ここまでのおさらい　ロシアの南下政策と冷戦①

北方戦争で勝利したロシアが、バルト海の覇権を獲得

露土戦争（18世紀）にて、ロシアがオスマン帝国から黒海北岸とクリミア半島を獲得。南下政策を進める

黒海の軍艦航行権を得ようと考えたロシアが、オスマン帝国らを相手にクリミア戦争を起こすも敗戦

バルカン半島を狙ったロシアが、露土戦争（19世紀）でオスマン帝国と争う。勝利するも、各国の抗議により思った戦果は得られず

ロシア革命

1917年

ロシアで帝政が倒されて社会主義政権が誕生。
のちにソ連が成立した。

──────┤ 主な交戦勢力 ├──────

ロシア ロシアの民衆・社会主義者など

なぜ争った | **度重なる戦争で不満がたまるロシア国内で
民衆が蜂起した**

　1905年1月、真冬のロシアで事件が起こりました。労働条件の改善や憲法改正などを訴える民衆のデモ隊に対して警備隊が発砲し、多くの犠牲者を出したのです（血の日曜日事件）。この事件によって、人々はロシア王政にへの信頼を失い、以後ストライキや農民反乱が全国で起こるようになりました。

　さらに追い打ちをかけたのが、日露戦争（→86ページ）におけるバルチック艦隊の敗北でした。バルト海から出発してはるばる北極海を回っていった自慢の艦隊が、たかが小国と侮っていた日本にほぼ全滅させられてしまい、ロシアの権威はすっかり落ちてしまいました。

　また、日露戦争に加えて、第一次世界大戦の長期化も人々の生活を困窮させました。ついに限界を迎えた労働者たちが中心となり、ロシアでは二月革命（ロシア暦で「十月」、西暦では「三月」）が起こります。これにより、皇帝による政治は終了し、代わりに臨時政府が樹立されました。

　しかし、自由主義者や富裕層に支持された臨時政府は戦争の継続を主張しました。一方、農民や労働者の多くは依然として不満を抱え、戦争を早くやめてほしいと考えていました。彼らが支持したのは、社会革命党や社会主義政党でした。

　ここで登場したのが、社会主義政党ボリシェヴィキのリーダーであり、革命家のレーニンです。戦争の即時終結を主張したレーニンは、軍を率いて臨時政府を打倒しました。これを十月革命（西暦では「十一月」）と呼びます。こうしてレーニンは権力を完全に掌握しました。

のちに15か国が加盟する社会主義連邦「ソ連」が誕生

　臨時政府が倒されたことで、**世界初の社会主義政権である「ソヴィエト政権」が誕生**しました。

　これを受け、社会主義革命が自国へ波及することを恐れた資本主義国がソヴィエト政権を攻撃しました（対ソ干渉戦争）。

　レーニンはこれに対抗し、社会主義革命を支持する各国の共産党勢力と**コミンテルン**という国際組織をつくりました。そして、**1922年には、新たに社会主義国家となったザカフカース、ウクライナ、ベラルーシを統合して「ソビエト社会主義共和国連邦（ソ連）」を樹立します。**

　その後もソ連は加盟国を増やし、1940年には15か国もの国がソ連の一員となりました。その後、超大国として成長したソ連は、世界で非常に大きな存在感を発揮することになります。第二次世界大戦後には、冷戦の社会主義陣営のリーダーとして、国際社会に大きな影響を与えました。

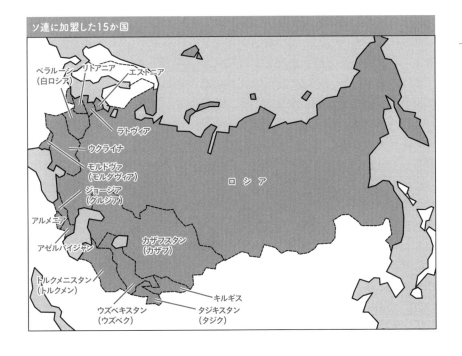

ソ連に加盟した15か国

- ベラルーシ（白ロシア）
- リトアニア
- エストニア
- ラトヴィア
- ウクライナ
- モルドヴァ（モルダヴィア）
- ジョージア（グルジア）
- アルメニア
- アゼルバイジャン
- ロシア
- カザフスタン（カザフ）
- トルクメニスタン（トルクメン）
- ウズベキスタン（ウズベク）
- タジキスタン（タジク）
- キルギス

冷戦

1947〜89年

第二次世界大戦後、資本主義・自由主義を掲げるアメリカ中心の西側諸国と、
社会主義を掲げるソ連中心の東側諸国が対立した。

―――――┤ 主な交戦勢力 ├―――――

資本主義陣営 社会主義陣営

 なぜ争った
世界大戦後、ヨーロッパは東西に分裂した

　第二次世界大戦後、アメリカを中心とする資本主義陣営（西側）と、ソ連
を中心とする社会主義陣営（東側）との「冷戦」が始まりました。「冷たい」と
呼ばれるのは、ヨーロッパでは直接の衝突が起こらなかったからです。

　両者の対立が明確になったのは1947年のことでした。この年の3月、アメ
リカのトルーマン大統領は、「自由主義を守るのがアメリカの義務である」と
言って、**ソ連の勢力拡大を阻止する「封じ込め政策」**を発表します。

　またアメリカは、第二次世界大戦後に経済危機に陥ったヨーロッパを放
置すればソ連の勢力が一層拡大してしまうと考え、大戦で被災したヨーロッ
パ各国へ大規模な経済援助を行うと表明しました（マーシャル・プラン）。一方
のソ連は、**大戦後、東欧諸国に軍を駐留させ、次々と東欧を社会主義国
家にしていきました。**

　そして1949年、ソ連がマーシャル・プランに対抗して**コメコン**（経済相互援
助会議）をつくると、アメリカは軍事機構である**NATO**（北大西洋条約機構）
を結成しました。

　さらに、同年9月にはドイツ連邦共和国（西ドイツ）が、10月にはドイツ民
主共和国（東ドイツ）が成立したことで、東西対立を背景としたドイツの分断
が決定的となりました。

　1955年には、西ドイツがNATO加盟と再軍備を表明します。これに対抗
したソ連は、東側の社会主義諸国と**WTO**（ワルシャワ条約機構）を結成しま
した。

こうしてヨーロッパは、資本主義陣営と社会主義陣営に二分されてしまったのです。このヨーロッパの東西の分断を、当時のイギリス首相チャーチルは「鉄のカーテン」と表現しました。

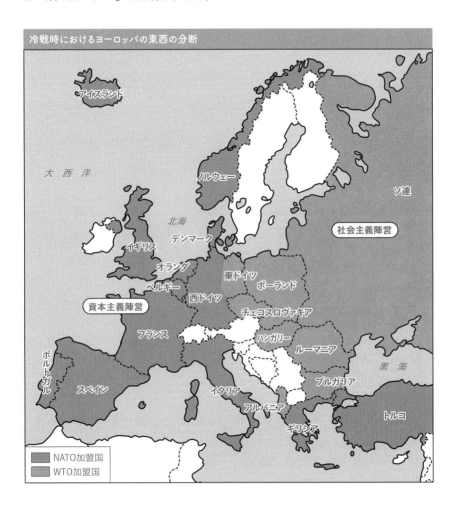

冷戦時におけるヨーロッパの東西の分断

アイスランド

大西洋

ノルウェー

ソ連

社会主義陣営

北海

デンマーク

イギリス

オランダ

ベルギー

東ドイツ

ポーランド

資本主義陣営

西ドイツ

チェコスロヴァキア

フランス

ハンガリー

ルーマニア

黒海

ポルトガル

スペイン

イタリア

ブルガリア

アルバニア

トルコ

ギリシア

NATO加盟国
WTO加盟国

どうなった
①

スターリンの死去により、一時雪解けへ。東欧では民主化運動が活発化

1953年には、東西の対立に転機が訪れました。ソ連の最高指導者、スターリンが死亡し、**フルシチョフ**が第一書記（共産党の党首）に就任したのです。

フルシチョフは「スターリン批判」を行い、にらみ合いを続けていたアメリカや西欧諸国との協調路線へ外交政策を転換しました。

　このソ連の動向を見て、東欧諸国では民主化を求めるデモが起こります。ポーランドのポズナニ暴動、ハンガリーのハンガリー動乱、チェコスロヴァキアのプラハの春などです。ソ連はこれらを武力で弾圧していきました。

　東西が分裂したドイツでも、民主化を求める東ドイツ国民が西ドイツに逃げ込むようになり、それを防ぐために1961年に東ドイツ側がつくったのがベルリンの壁なのです。

歴史上、もっとも核戦争に近づいた「キューバ危機」

　こうして一時は緊張緩和に向かっていた東西対立でしたが、1961年にアメリカ大統領に就任したケネディは、宇宙開発などでソ連に後れを取った反省から、ソ連に対して強い姿勢で臨みました。一方、アメリカの態度を見たソ連も、「そちらがその気なら」と態度を硬化させていきます。

　そして、歴史上もっとも核戦争に近づいたとされるのが、1962年に始まったキューバ危機です。ソ連がキューバに核ミサイル基地を建設したことがきっかけで、核戦争の一歩手前まで緊張状態が高まりました。しかし、すんでのところで話し合いの機会が持たれ、最終的にはソ連がキューバからミサイルを撤去し、最悪の危機は回避されました。

モスクワオリンピックを67の国と地域がボイコット

　キューバ危機を乗り越えた両国は、一転して歩み寄りを始めました。両国は軍縮を進めるとともに、1963年には部分的核実験禁止条約（PTBT）を締結します。また、両国の間には、首脳同士が直接話すためのホットラインが開設されました。

　ドイツでも、1969年に就任した西ドイツ首相のブラントが、ソ連や東ドイツ、ポーランドなどと相次いで和解する「東方外交」を行いました。1973年には、東西ドイツが国連に同時加盟しています。

　しかし、ソ連が1979年からアフガニスタン侵攻を始めると、西側諸国は

強く反発しました。1980年のモスクワオリンピックでは、ソ連と対立していた67の国と地域がボイコットしました。さらに、1981年からアメリカ大統領となったレーガンも、反共主義的な言動を繰り返してソ連を厳しく批判しました。

一方の東側諸国も、アメリカが行ったグレナダ侵攻への非難を名目として、1984年のロサンゼルスオリンピックをボイコットしています。このような状況は「**新冷戦**」と呼ばれ、両者の対立はまたしても深まりました。

 ## ゴルバチョフの改革により、冷戦は終結

しかし、1985年、**ゴルバチョフ**がソ連共産党書記長に就任したことで、状況は大きく変わります。就任翌年に発生したチェルノブイリ原発事故でソ連が抱えていた問題が明らかになると、ゴルバチョフは改革を本格化させました。それが、経済的な自由化や政治的な民主化などの改革（ペレストロイカ）と、情報公開や言論の自由化の推進（グラスノスチ）です。さらに彼は、1987年にアメリカと中距離核戦力（INF）全廃条約を締結し、翌年にはアフガニスタンからのソ連軍撤退も実行します。

こうしたソ連の動きを見て、東欧では社会主義体制からの離脱が進みました。最も象徴的なのは、1989年11月のベルリンの壁崩壊です。

そして、同年、**マルタ会談にて、ゴルバチョフとアメリカのブッシュ大統領が冷戦の終了を確認し、ここで長きにわたった冷戦が終結しました。**

 ## ソ連が解体し、CISが発足

しかし、ゴルバチョフの一連の改革にソ連国内の保守派は大きく反発し、クーデタを起こします。これに反対し、クーデタを失敗に追い込んだのが、ソ連の共和国の中でもっとも力を持っていたロシア共和国の**エリツィン大統領**でした。

クーデタを抑えたエリツィンは、ゴルバチョフ書記長の辞任と共産党解散を受け、ソ連を解体し、15の共和国はすべて独立することになりました。その後、ロシア連邦（ロシア共和国から改名）は、ウクライナ・ベラルーシととも

に**独立国家共同体（CIS）**を結成します。CISには、のちに旧ソ連に所属していた15か国のうち、バルト3国を除く12か国が参加しました。

　しかし、2009年にグルジア（現在はジョージア）が、そして2018年にはウクライナがCISからの脱退を表明しています。

ユーゴスラヴィア内戦

1991〜2000年

複雑な民族事情を抱えたユーゴスラヴィア連邦で、
独立をめぐって民族間対立が激化。

———————| 主な交戦勢力 |———————

新ユーゴスラヴィア連邦、セルビア人、クロアティア人、イスラーム教徒など

 なぜ争った❶

ユーゴスラヴィアには、あまりに複雑な民族、言語、宗教事情があった

　冷戦が終わって世界が平和になったかといえばそうではなく、ヨーロッパ周辺の地域ではいくつかの紛争が起こりました。その代表的な例が**ユーゴスラヴィア内戦**です。第二次世界大戦のきっかけにもなったバルカン半島の複雑な民族状況が、冷戦後に再燃し、この戦争が起こってしまったのです。

　第二次世界大戦後、バルカン半島ではユーゴスラヴィア連邦が誕生しました。**スロヴェニア共和国、クロアティア共和国、ボスニア・ヘルツェゴヴィナ共和国、モンテネグロ共和国、セルビア共和国、マケドニア共和国**の6つの共和国からなる連邦国家です。ここは、**「7つの国境、6つの共和国、5つの民族、4つの言語、3つの宗教、2つの文字、1つの国家」**といわれるほど、**複雑な民族、言語、宗教が入り混じるモザイク国家**でした。

　これほどバラバラであった国家をまとめていたのが、カリスマ的指導者ティトーです。彼は、第二次世界大戦中にナチスに対する抵抗運動（パルチザン）を組織し、占領の圧力からこの地を守った英雄でした。大戦後にユーゴスラヴィア連邦の大統領に就任したティトーは、共産党の指導者でありながらソ連に対して自主的な姿勢を示したため、ソ連によってコミンフォルム（共産党・労働者党情報局）を除名させられます。そこで、ティトーは自主管理社会主義という独自の社会主義を導入し、そのもとでユーゴスラヴィアは国力を伸ばしました。こうして彼は、資本主義諸国でも社会主義諸国でもない非同盟運動のリーダーとして、複雑な事情を抱えていたユーゴスラヴィアを巧みにまとめ上げたのです。

なぜ争った ② カリスマ的指導者の死後、内戦が始まり、ユーゴスラヴィアは崩壊

しかし、1980年にカリスマ的指導者たるティトーが亡くなると、なんとか保たれていた統合は崩壊を始めます。

追い打ちをかけたのが、80年代を通してユーゴスラヴィアで続いた経済危機です。ユーゴスラヴィアは外国からの多額の融資によって経済成長を続けていましたが、70年代に起こった2度の石油危機の影響を受けて不況となると、借金のツケが回ってきて、一気に危機的状態に陥りました。

こうして人々の生活が困窮すると、労働者によるストライキが増加し、かつてユーゴスラヴィアを支える核の一つだった共産主義者同盟 (かつてティトーが結成した、ユーゴスラヴィアの中心政党) の求心力も落ちていきました。

さらに、1989年から冷戦が終結に向かうと、それに伴って東欧各国では共産党独裁が崩壊し、民主的な自由選挙が行われるようになりました。この流れに出遅れたユーゴスラヴィアでも民主化を進める動きが始まりましたが、各国はその方針を十分にまとめきれず、ついに共産主義者同盟は分裂してしまいます。

いよいよ1991年には、連邦内でも経済力のあったクロアティア、スロヴェニアが最初に独立を宣言しました。同年にはマケドニア、翌年にはボスニア = ヘルツェゴヴィナも独立を宣言するなど、ユーゴスラヴィアの本格的な解体が始まったのです。

すると、独立を宣言した国と、連邦制を維持したいと考えていた新ユーゴスラヴィア連邦軍との間で紛争が生じました。**さらに、ボスニア・ヘルツェゴヴィナでは、次第にイスラーム教徒、セルビア人、クロアティア人の3者が対立し始め、それぞれが他勢力を排除する展開となり、多くの犠牲者が生まれました (ボスニア紛争)**。「民族浄化 (Ethnic cleansing)」という用語で盛んに報道されたこの紛争は、1995年にNATO軍が介入したこともあってようやく収束しました。

しかし、ユーゴスラヴィア紛争はこれでは終わりませんでした。続いて起こったのがコソヴォ紛争です。セルビア南部の自治州だったコソヴォは、アルバニア人が約8割を占める地域で、1980年代から独立を求める運動を継続していました。これをセルビア勢力が弾圧したため紛争に発展し、1999年

にはNATO軍がセルビアを空爆する事態にまで発展しました。

旧ユーゴスラヴィアは7つの国に分裂

　これら旧ユーゴスラヴィアで起きた各紛争により、多数の死傷者、難民が生じました。もっとも悲惨な結果となったボスニア・ヘルツェゴヴィナ紛争では死者・行方不明者が20万人にのぼり、270万人以上もの人が被災者・難民となったといわれています。

　そして、**もともと1つの連邦国家であった旧ユーゴスラヴィアは、スロヴェニア、クロアティア、ボスニア・ヘルツェゴヴィナ、セルビア、モンテネグロ、マケドニアに分裂しました。**

　2008年にはコソヴォも独立を宣言し、現在までに国連加盟国の半数以上が承認しています。ただし、ロシアやセルビアなど未承認の国も多く、いまだに国連には加盟できていません。

　このコソヴォの独立は、この後のロシアの政策に大きく関わってきます。ロシアは、自国の民族問題が複雑化することを恐れ、コソヴォの独立に反対していました。しかし、コソヴォはアメリカとの密接な協議の末、セルビアから一方的に独立を宣言したのです。

　これを見たロシアは、「西側諸国がロシアの反対を押し切って地域の独立を決めるなら、我々も強硬手段を取っていいはずだ」というロジックを考えつきます。これが、この後に紹介する南オセチア・アブハジアや、クリミア半島の問題につながっていくのです。

旧ユーゴスラヴィアの7つの国

ロシアの南下政策と冷戦②

日露戦争、第一次世界大戦などで国内が疲弊するロシアで二月革命が起きる。帝政が終了し、臨時政府が樹立される

十月革命で、社会主義政党のレーニンにより臨時政府が倒される。世界初の社会主義政権が誕生

資本主義各国が社会主義革命の波及を恐れてロシアに干渉。それに対抗し、レーニンは社会主義国家を集めてソ連を樹立

第二次世界大戦後、米ソを中心とする冷戦が始まる

1989年に冷戦は終結。1991年にはエリツィンがソ連を解体。旧ソ連の15の共和国が独立

ロシアがウクライナ、ベラルーシとともに「独立国家共同体（CIS）」を結成。旧ソ連のうち12か国が参加。のちにグルジアとウクライナが脱退

冷戦後、ヨーロッパ周辺地域で紛争が起こる。ユーゴスラヴィア内戦は、国際的な注目を集めた

Chapter 3

プーチンの思惑

チェチェン紛争

1994〜96年（第一次）、1999〜2009年（第二次）

チェチェンを手放したくないロシアが、独立運動を武力で抑え込んだ。

───────┤ 主な交戦勢力 ├───────

チェチェン ロシア

 ロシアが「チェチェン」を絶対に手放したくなかった

　ソ連を構成する国の一つに**チェチェン共和国**がありました。**チェチェン地域にはイスラーム教の神秘主義者が多く**、宗教的な理由からもロシア帝国時代から抑圧を受けていました。ソ連のスターリンの時代には、大規模な粛清も行われています。

　1991年にソ連が解体すると、チェチェン共和国では独立運動が盛んになりました。しかし、ほかにも少数民族を抱えていたロシアは、独立運動が波及することを恐れ、これを認めませんでした。

　また、それ以上にロシアにはチェチェン共和国を手放したくない理由がありました。**チェチェン地域では、19世紀中頃に大規模な油田が発見されており、さらにカスピ海から黒海につながるパイプライン（天然ガスや石油を運ぶための管路）が複数通っていることからも、ロシアはここを簡単には手放せなかったのです。**

　そして1994年、チェチェン独立を目指すグループが武装闘争を開始し、ロシア政府はこれを武力で抑え込もうとしました。これにより第一次チェチェン紛争が始まりました。

ここで国民の支持を集めたプーチンが大統領に。
また、チェチェン人によるテロが激化

　ソ連崩壊後間もないタイミングで弱体化していたロシアは、予想外の苦戦を強いられました。また、民間人にも多数の被害を出したことで国際社会の非難も集めてしまいます。さらには、世界各地からイスラーム人義勇兵がチェチェンに協力したことでロシアは撤退を余儀なくされてしまいました。ロシアは、5年間はチェチェン共和国の独立を認めないという約束のもとに休戦協定を結びます。

　しかし、紛争が収まったのは束の間でした。大イスラーム教国建設を掲げたチェチェン独立派の最強硬派が、和平協定を破ってロシア連邦の一つであるダゲスタン共和国への侵攻を開始したのです。

　さらに、ロシアの首都モスクワで300人近い死者を出す爆破テロが起こりました。この事件の調査を行ったのが当時のロシア首相であった**プーチン**です。彼はこれをチェチェン人による犯行と断定しました。イスラームテロリズムの撲滅を掲げたプーチンは、すぐにチェチェンへの空爆を命じました。**ここで強硬な姿勢を取ったプーチンは、国民の絶大な支持を集めて、翌年、大統領に就任しました。**しかし、このテロ事件には不審点が多く、プーチンが自作自演で行ったという証言も多数あり、真相は不明です。

　ともかく、再びチェチェンに侵攻を開始したロシアはチェチェン共和国を制圧し、2009年に紛争終結宣言をしました。**そして現在に至るまで、チェチェン共和国は、ロシア連邦の共和国の一つのままです。**

　しかし、国民の多くを紛争で失ったチェチェン共和国内では、反ロシア感情が根強く残り、現在も独立運動は止まっていません。チェチェン抵抗派によるゲリラ攻撃が後を絶たず、チェチェン人による無差別テロ事件がロシア各地で発生しています。2度にわたったチェチェン紛争は、現在にも影を落としているのです。

ロシア＝グルジア戦争

2008年

南オセチアの独立をめぐって、
ロシアとグルジアが武力衝突した。

─┤ 主な交戦勢力 ├─

グルジア ロシア

 ## グルジアがNATOに接近し、ロシアが危機感を強めた

　グルジアとロシアが衝突するに至った背景には、2000年代から始まったロシアと西側諸国との関係悪化がありました。

　2008年4月には、ブカレストNATO首脳会議にて、**アメリカのブッシュ大統領により、グルジア（2015年からジョージアに呼称変更）とウクライナのNATO加盟が提案され、両国の将来的な加盟に合意しました**。これに対し、両国を自国の勢力圏だと考えていたロシアは危機意識を強めるようになります。

　その状況で、**南オセチア**がグルジアからの独立を求め、グルジアと衝突し始めました。ソ連のスターリンのもとで南北に分けられたオセチアは、**ソ連が解体した際に、北オセチアはロシアに、南オセチアはグルジアに所属しました**。しかし、南オセチアの中には、かつて一緒だった北オセチアとの併合や、グルジアからの独立を求める人も多く、以前からこの問題をめぐってグルジア政府と南オセチアは衝突していたのです。

　この南オセチアの独立問題に対し、NATOはグルジアを支援しました。一方のロシアは、NATOに近づいたグルジアから自分たちの勢力圏を守りたいと考えたのでしょうか、軍事介入によって南オセチアの独立を承認しようとしました。

ロシアが一方的に南オセチアの独立を承認。現在もジョージアとの国境では緊張状態が続く

グルジア国内には、南オセチアと同じような境遇の地域がもう一つありました。**アブハジア**です。この地域にはアブハズ人が居住し、彼らもまた1990年代からグルジアからの分離独立を要求していました。ロシアはこれに目をつけ、アブハジア軍とともにグルジア軍を攻撃しました。

最終的にグルジア軍は南オセチアとアブハジアから撤退し、フラン

スの仲介によって休戦となりました。そしてロシアは、**南オセチアとアブハジアの独立を一方的に承認し、両地域にロシア軍を駐留させました**。これを受けて、グルジアはロシアとの国交を断絶しています。

ロシア側が一方的に定めた南オセチアとアブハジアの国境には有刺鉄線が張られ、現在、ジョージアから入ろうとすると殺されてしまう状況です。また、この国境は日々拡大しており、緊張状態は続いています。

グルジアがCISを脱退し、ロシアはさらに危機感を強める

また、このロシアの対応は、ソ連解体時にロシアが中心となって結成されたCISの「互いの領土と国境の不可侵」という約束を破るものでした。そのため2009年には、**ロシアとの関係が悪化したグルジアはCISからの脱退を決めます**。

この戦争におけるロシアの対応とグルジアの脱退によって、CIS加盟国のロシア離れが加速することが予想されましたが、それは現実となりました。2014年に起きたクリミア併合、そこから始まったウクライナ紛争をきっかけとして、**ウクライナもCISから脱退しました**。

アメリカ・ロシアと冷戦

PART 4

ウクライナ紛争

2014年〜

ロシアのクリミア併合をきっかけに起きたウクライナ東部における親ロシア派と
ウクライナ政府（親欧米派）による紛争。親ロシア派のバックにはロシアが控えている。

── 主な交戦勢力 ──

親ロシア派武装勢力 ウクライナ政府（親欧米派）

なぜ争った① ウクライナで「親ロシア派」と「親欧米派」の対立が深まっていった

　ウクライナ紛争とは、ロシアのクリミア併合をきっかけとして起こった、**ロシアを後ろ盾とする「親ロシア派」と「親欧米派のウクライナ政府」との紛争**です。

　1991年のソ連解体後、ソ連から独立したウクライナでは、「親欧米派」と「親ロシア派」との対立が深まっていきました。2004年には大統領選挙に不正があったとして抗議運動が起こり、親欧米派の**ユシチェンコ大統領**が誕生しました（オレンジ革命）。しかし、ユシチェンコ大統領のもとで政治的混乱が続くと、2010年にはオレンジ革命で一度は排除された親ロシア派の**ヤヌコビッチ**が大統領に返り咲きます。

　ところが、そのヤヌコビッチ大統領も2013年からの親欧米派による抗議運動（ユーロマイダン革命）で追放され、今度は親欧米派の**ポロシェンコ**が大統領となりました。

なぜ争った② 親ロシア派がウクライナからクリミアを独立させ、ロシアがクリミアを併合

　これを受け、ウクライナでは親ロシア派による抗議活動が始まりました。そして、**親ロシア派とみられる武装勢力がクリミアの議会を占拠し、クリミアのウクライナからの独立、そしてロシア編入をめぐる住民投票を実施しました**。結果は賛成多数で、翌日にはクリミアはウクライナから独立を宣言し、

ロシアに編入されることになりました。

　もちろん、ウクライナや欧米各国はこの住民投票の正当性について疑問を投げかけました。しかし、**ロシアはそれを無視してクリミアを併合し、軍を配備するなどして実効支配を進めていきました。**

　ロシアがクリミアをこうまでして欲しがった理由には諸説ありますが、西側諸国をけん制するため、軍事上の要衝を獲得するためなどが考えられます。

　このクリミア併合をきっかけに、ウクライナ東部の一部地域で、親欧米派のウクライナ政府軍と親ロシア派武装勢力による紛争が始まったのです。

「ミンスク合意」で停戦するも、ウクライナ東部での紛争は続く

　親ロシア派武装勢力は、ウクライナ東部のドンバス地域を占拠し、それぞれ**ドネツク人民共和国**、**ルガンスク人民共和国**と名乗りました。

　ウクライナ政府は武装勢力を追い詰めますが、ここでロシア軍兵士が「義勇兵」として参戦し始め、正規のロシア軍もウクライナ国境に集結しました。ここではロシアは、あくまでこれをウクライナにおける「内戦」と主張し、支援しているという立場を取っていたのです。

　2015年には、ドイツ・フランスの仲介により、ウクライナ政府と親ロシア派とのウクライナ東部での停戦、外国部隊の撤退などを決めた**「ミンスク合意」**が取り交わされました。

　しかし、この合意はあくまでロシア側に有利な条件でした。武装勢力が実効支配している2つの州には特別な地位が認められ、幅広い自治権を認める内容となっていたのです。そのため、合意後もウクライナ東部では紛争が続きました。

親ロシア派による
ドネツク人民共和国・ルガンスク人民共和国

ウクライナ戦争

2022年〜

ウクライナ紛争におけるロシア、ウクライナの対立が深刻化。
2022年、とうとうロシアがウクライナに侵攻した。

┤ 主な交戦勢力 ├

ロシア　　　　　　　　　　　　　　　　ウクライナ

 EU・NATOの東方拡大、ウクライナ紛争で生まれた対立などがロシアを戦争に突き動かした

　ミンスク合意での停戦以降も、ロシアを後ろ盾とする親ロシア派とウクライナ政府との紛争は続きました。

　2021年初めには、ウクライナのゼレンスキー大統領がロシアに併合されたクリミア奪還令を発令し、NATOとウクライナ軍で合同軍事演習を実施します。それに対してロシアは、ウクライナとの国境周辺の軍事力を強化する動きで対抗しました。

　そして2022年2月10日、ロシアとウクライナの対立に一気に緊張が走りました。この日、ウクライナ・ロシアの国境付近に、ロシア軍とベラルーシ軍が合同演習を理由に集まったのです。

　さらに2月21日、**ロシアはドンバス地域のドネツク人民共和国、ルガンスク人民共和国（ロシアの傀儡国家との見方が強い）の独立を承認します。**そして同月24日、この地域でロシア人がウクライナに虐殺されているという口実で、プーチン大統領が攻撃開始の演説を行い、ウクライナへの侵攻を開始しました。ウクライナ東部での軍事作戦を実施するとともに、ウクライナの首都キーウ（キエフ）などへのミサイル攻撃や空爆が行われました。

　なぜロシアが侵攻を始めたのか、ということについては、専門家によるさまざまな議論が重ねられています。その真の目的はまだ定かではありませんが、主に次のようなロシアの思惑が合わさって侵攻に至ったと考えられています。

- ウクライナがミンスク合意を守らないことへの対応
- EUやNATOの東方への拡大に対する対抗
- ウクライナ軍やネオナチに迫害されるロシア系住民の救出
- ロシア、ウクライナ、ベラルーシは皆同じ「ルーシ」の民族によるとの認識に基づく民族統合

 ## どうなった　両者が一歩も譲らず、戦争は泥沼化

　2023年1月現在、この戦争は膠着状態にあります。両軍の兵力は現時点でほぼ互角ともいわれており、あと数年続く可能性もあるようです。**世界一の核兵器保有国であるロシア**が今後核兵器を使用する可能性も否定できず、緊張状態が続いています。

　中国やインドなどロシアと関係の深い国では、ロシアをどの程度支援し、あるいは説得するのか、難しい対応を迫られています。ロシアとの貿易を強化することで経済制裁の逃げ道をつくってしまうのか、逆にロシア非難の姿勢を強めるのか、今後の動きに注目です。

　また、長年中立を保っていた北欧のスウェーデン、フィンランドがNATOに加盟を申請するなど、**ロシアの狙いとは裏腹に、戦争はNATOを拡大する方向にも向かっています**。現時点でロシアはNATOの領域には手を出していないことも受け、自国だけでは軍事力の不十分な各国がNATOに頼ろうと考え始めているのです。

　また、この戦争は各国の人々の生活にも大きな影響を与えています。エネルギー、特に**天然ガスのロシアへの依存度が高いEU**では、電気代の高騰などが問題となりました。また、**ロシアは世界の原油の12パーセントを生産しており、原油の供給減少によって、世界的な原油高が起こりました。**

　さらに、**穀物大国であるロシア・ウクライナ両国（世界の輸出量の3分の1を占める）**が紛争状態にあることによって小麦等の流通が不安定になり、さまざまな商品へ影響がありました。家畜の餌の高騰も招き、食肉の高騰も引き起こされています。

　日本でも、2022年に起きた記録的な円安などもあいまって、さまざまな商品の価格が高騰するなど、この戦争の影響は少なくありません。

　こうした中で、**ウクライナを支援する各国の「ウクライナ疲れ」**が問題に

なりつつあります。ロシアに対する経済制裁は、ロシアだけでなく、自国の首をも絞める行為です。戦争が長期化していることで支援国が被る負の影響も大きくなってきており、「いつまで支援するのか?」という声が上がるケースも出てきているようです。ただ、ロシアが非人道的・国際法違反の行為を行っていることは明白であり、各国がどのように折り合いをつけていくのか、難しい判断を求められています。

PART 5

アフリカ

Africa

Chapter 1

西欧列強による
アフリカ分割

アドワの戦い

1896年

エチオピアがイタリアの侵攻を防ぎ、
アフリカで唯一独立を守った。

┤ 主な交戦勢力 ├

エチオピア イタリア

 19世紀から西欧列強によるアフリカ分割が始まった

　17〜18世紀のアフリカは、ヨーロッパ・アメリカとの**大西洋三角貿易**に組み込まれ、アメリカ大陸に奴隷を労働力として送り出し、イギリスなどから工業製品を買うようになっていました。

　その後、19世紀にイギリスやフランスで奴隷制度が廃止されると、アフリカからの奴隷供給もストップします。しかし、西欧列強のアフリカへの注目は変わりませんでした。1880年代からは西欧列強による**アフリカ分割**が進んだのです。

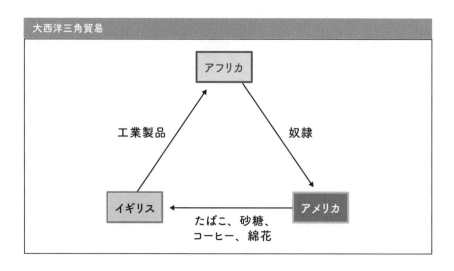

大西洋三角貿易

きっかけはベルギーがコンゴの領有を宣言したことでした。それに反発したヨーロッパの列強は、1884年から始まった**ベルリン会議**でその問題について話し合い、**その結果、「アフリカの植民地の領有は早い者勝ち」という趣旨の内容が決まりました。**

そこから列強のアフリカ進出に拍車がかかり、フランスやイギリスを中心に、各国がアフリカに植民地を確保していくようになったのです。

 ## イタリアとエチオピアが結んだ友好条約に、齟齬があった

列強各国がベルリン会議後すぐにアフリカの植民地化を進める中、イタリアは少し遅れた1896年に進出を始めました。

しかし、すでにイタリアからもっとも近かったチュニジアはフランスが、トリポリ・キレナイカ（現在のリビア）はオスマン帝国が、エジプトはイギリスが押さえていました。そこでイタリアが目をつけたのがエチオピアです。

イタリアは、いきなり軍事侵攻はせず、1889年に当時のエチオピア皇帝メネリク2世と**ウッチャリ条約**という友好条約を結びます。この条約は、エチオピアが領土の一部をイタリアに譲り、イタリアはエチオピアへ軍事・経済的支援をするというものでした。

しかし、イタリア語とアムハラ語で書かれたこの条約は、双方の言語でニュアンスが微妙に異なっていました。**イタリア語では「エチオピアは、事実上、イタリアの支配下となる」と読め、アムハラ語では「エチオピアが依然として主権を保持している」と読めたのです。**

この条約の齟齬もあり、メネリク2世はイタリアへの従属を拒みました。その結果、イタリア軍はエチオピアに侵攻し、エチオピア北部のアドワ近郊で両国が衝突することになったのです。これがアドワの戦いです。

 ## エチオピアがイタリアに大金星を挙げる

それまでも、そしてそれ以降も、植民地側が列強に勝利することはほとんどありません。イタリアやその周辺国も、「どうせイタリアが勝つだろう」と考えていたことでしょう。

しかし、**実際にはエチオピアが勝利しました。まさに大金星です。**エチオピアは、この戦いに備えて各地の有力者たちに呼びかけ、勢力を結集させていました。イタリア軍をはるかに上回る兵力を準備していたのです。さらに、背後でフランスがエチオピアを支援したことで、エチオピア軍は近代的な兵器をもってイタリア軍を迎え撃てました。

　まさかの勝利を挙げたエチオピアは、独立を維持することができました。これは、当時としては「ありえない」ことだったのです。というのも、当時アフリカ分割はほとんど完了しており、植民地となっていないのはわずか数か国にすぎませんでした。実際1912年までには、わずか7つの列強によってアフリカ全土が分割されています。

　その中で、**最終的に独立を維持したのは、エチオピアとリベリアだけでした**。ただし、リベリアはアメリカの解放奴隷が建てた国であり、アメリカの属国に近い状況でした。そのためエチオピアは、事実上、アフリカで唯一独立を維持した国だと言えます。

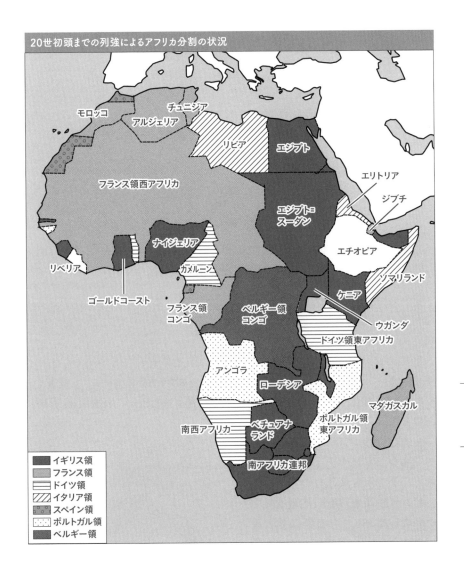

モロッコ

チュニジア

アルジェリア

リビア

エジプト

エリトリア

ジブチ

フランス領西アフリカ

エジプト=
スーダン

エチオピア

ナイジェリア

リベリア

カメルーン

ソマリランド

ゴールドコースト

フランス領
コンゴ

ベルギー領
コンゴ

ケニア

ウガンダ

ドイツ領東アフリカ

アンゴラ

ローデシア

マダガスカル

南西アフリカ

ベチュアナ
ランド

ポルトガル領
東アフリカ

南アフリカ連邦

■ イギリス領
■ フランス領
▤ ドイツ領
▨ イタリア領
▧ スペイン領
⋰ ポルトガル領
■ ベルギー領

ファショダ事件

1898年

「縦」と「横」にアフリカ支配を進めていた
イギリスとフランスがスーダンのファショダで遭遇し、一触即発の状態に。

── 主 な 交 戦 勢 力 ──

イギリス フランス

 ## イギリスの「縦断」政策と フランスの「横断」政策が交錯した

　ファショダ事件は、厳密には戦争には至っていません。しかし、アフリカの列強支配を理解するうえで非常に重要な出来事なので、ここで紹介します。

　アフリカ分割をもっとも精力的に行ったのがイギリスとフランスでした。**イギリスは、エジプトとケープ植民地（現在の南アフリカ共和国付近）を支配し、それを結ぶ縦のラインに沿って植民地化を進めました**。これを縦断政策と呼びます。

　一方、**フランスは、西アフリカのアルジェリアやチュニジアを押さえ、そこから東西に伸びるようにサハラ砂漠周辺を植民地化していきました**。これを横断政策と言います。

　この英仏の縦・横に向かう政策が交わった土地こそ、アフリカ中東部に位置するスーダンの**ファショダ**でした。

　西アフリカから東進してきたフランスのマルシャン大佐は、ファショダの地にフランス国旗を掲げまし

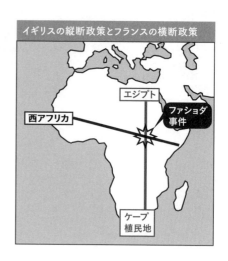

イギリスの縦断政策とフランスの横断政策

エジプト

西アフリカ

ファショダ事件

ケープ植民地

た。一方のイギリスも、すでにスーダンへの進出を進めていて、その制圧を始めていたところでした。そこにフランス軍がやってきて国旗を掲げたものですから、当然イギリスは激怒します。イギリスはファショダに軍隊を派遣し、フランス軍を包囲しました。まさに一触即発の状態に陥ったわけです。

 ## すんでのところで踏みとどまった2国は、その後急接近

しかし、両者はギリギリのところで踏みとどまり、直接の激しい戦闘は回避できました。両国内の世論は開戦の方向で盛り上がったようですが、首脳陣はお互い冷静だったのです。

当然ですが、両国ともに戦争によって消耗し、植民地支配に割くエネルギーを失うことは避けたいと考えていました。**そこでここでは、フランス政府が譲歩し、スーダンをイギリスに明け渡すことになりました。**

その後イギリスは、南アフリカ戦争（→次ページ）を起こすなど縦断政策を着々と進めていきます。一方のフランスは、サハラ地域における基盤をより強固にしていきました。

また、ここから英仏は急速に接近しました。この事件の後、イギリスとフランスは1904年に**英仏協商**を結成します。これは、イギリスのエジプト優越権、フランスのモロッコ優越権をお互いに確認するものであり、当時、台頭していたドイツに対抗する意味もありました。

PART 5 アフリカ

南アフリカ戦争
（ブール戦争）

1899〜1902年

南アフリカを支配したいイギリスが、ブール人を追い出したあげく、
彼らが新しく建てた国家まで支配しようとした。

┤ 主な交戦勢力 ├

イギリス トランスヴァール共和国・
オレンジ自由国

 イギリスが南アフリカ全域を手中に収めたいと考えた

　南アフリカの最南端には**喜望峰**という岬があります。ここが最初に注目されたのは17世紀のことでした。オランダ東インド会社による貿易で大きく発展していたオランダは、各地に貿易・物資供給の拠点を欲しており、ここに**ケープタウン**を建設してアジア航海の拠点としました。ケープタウンは、今でも南アフリカ共和国第2の都市として栄えています。

　しかし19世紀初頭には、イギリスが喜望峰を占領し、1814年のウィーン会議にて正式にイギリス領となりました。そして、この地にはイギリス人が入植し始め、もともと住んでいた**ブール人**（オランダ占領時に住み着いたオランダ系白人）は移住を強いられました。

**　押し出されたブール人は北方に移住し、「トランスヴァール共和国」「オレンジ自由国」を建国しました。**

　これに対し、あろうことかイギリスは、彼らの新たな国まで支配しようと考えたのです。

　その理由は2つありました。一つは、ブール人の移動先で貴重な天然資源が相次いで発見されたこと。そしてもう一つは、イギリスがエジプトと南アフリカを結ぶ縦断

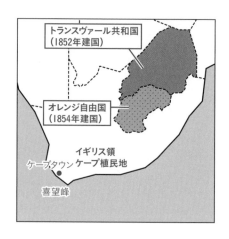

トランスヴァール共和国
（1852年建国）

オレンジ自由国
（1854年建国）

イギリス領
ケープタウン　ケープ植民地

喜望峰

政策に加え、エジプトのカイロ、南アフリカのケープタウン、インドのカルカッタをつなぐ3C政策を進めていたことです。**これらの政策実現のためにも、イギリスは南アフリカを安定的に支配する必要があったのです。**

　こうして1899年、当時のイギリスのケープ植民相ジョゼフ゠チェンバレンが、トランスヴァール共和国の支配を目指して戦争を起こしました。これが南アフリカ戦争です。トランスヴァール共和国は、オレンジ自由国と同盟を組みイギリス側に対抗しました。

どうなった　イギリスは両国の併合に成功するが、低迷を露呈

　イギリスは早期終結を想定していましたが、最新の武器とゲリラ戦で抵抗するブール人たちに苦戦し、戦いは長期化しました。

　イギリスは2年半の戦いの末になんとか勝利を収め、1902年の講和で**トランスヴァール共和国、オレンジ自由国の併合に成功します**。そしてその後、トランスヴァール共和国、オレンジ自由国とケープ植民地を合併するかたちで、イギリス領の**南アフリカ連邦**が成立しました。こうして南アフリカ最南端の支配に成功したイギリスは、3C政策を順調に進めていきました。

　一方で、イギリスはこの戦争を通じて自国の陰りにも気づいたと言えます。たかが小国と侮っていた連合軍の制圧に2年半もかかってしまったからです。

　さらに、イギリスにはもう一つ悩みのタネがありました。それがロシアです。当時、イギリスとロシアは、中央アジアでの勢力争いをしており、19世紀後半、ロシアが東アジアへと進出を始めたことへの対応を迫られていました。

　そこでイギリスが講じたのが、日本と手を組むという策でした。もともとイギリスは「光栄ある孤立」と称し、あえてどことも手を組まないことを誇りにしていました。しかし、1902年にこれを放棄し、日本と**日英同盟**を締結することになります。

Chapter 2

アフリカの独立と
止まらぬ紛争

アルジェリア戦争

1954～62年

アフリカ各国の独立に拍車をかけた戦争。
アルジェリアがフランスの植民地支配から独立を目指した。

─┤ 主な交戦勢力 ├─

フランス アルジェリア

 フランス領インドシナ4国の独立を受け、アルジェリアがフランスからの独立を図った

　第二次世界大戦が終わると、列強に支配されていたアフリカ諸国は次々にその支配から独立を果たしていきました。

　各国の独立とあわせて、アフリカ各地ではさまざまな戦争・内戦が起こりました。主な戦争、内戦は次ページの通りです。ここでは、アルジェリア戦争について紹介していきます。

　フランスは、1830年以降、北アフリカへの侵略を強めていきました。天然資源が豊富なことに加えて、とにかく地理的に近かったというのがその大きな理由です。

　フランスは、アルジェリアを本国の一部としたほか、チュニジア、モロッコも支配下におき、北アフリカの多くを保護領・植民地としていました。

　フランス支配下のアルジェリアでは、白人移民（コロン）による土地収奪が進められ、アルジェリア人への差別的な政策も導入されました。これに対し、現地では多くの抵抗運動が起こりますが、それはことごとく鎮圧されてしまいます。

　しかし、第二次世界大戦が終結すると、**アジアを中心に広がった「自分たちの民族のことはよそ者ではなく自分たちで決める」という民族自決の空気がアフリカにも伝わり、アルジェリアでも再び反仏運動が起こり始めました。**1954年にジュネーヴ協定にて、フランス領インドシナ4国が正式に独立を果たしたことも、同じフランス領のアルジェリア人を後押ししました。

　そして同年、アルジェリア民族解放戦線（FLN）が組織され、武装蜂起し

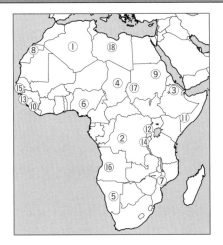

1954～62年
①アルジェリア戦争 →p.446

1960～65年
②コンゴ動乱
コンゴと旧宗主国ベルギーの争い。独立に際し、自国の資産をコンゴに国有化されてしまうのを恐れたベルギーが軍事介入した。

1962～93年
③エリトリア独立運動
1962年にエチオピアに併合されたエリトリアが独立運動の末、1993年に独立を果たした。

1966～2010年
④チャド内戦
フランスから独立後、南部の多数派である黒人と北部の少数派であるアラブ系市民が対立。

1966～88年
⑤ナミビア独立戦争
→p.450

1967～70年
⑥ナイジェリア戦争
→p.452

1975～92年
⑦モザンビーク内戦
ポルトガルから独立して以降、政権を握ったモザンビーク解放戦線と、反政府組織との間で続いた内戦。

1976～91年
⑧西サハラ紛争
旧スペイン領の西サハラをめぐり、モロッコとモーリタニアの両国が分割統治を主張。独立を画策するポリサリオ戦線と対立した。1991年に停戦が成立。

1955～72年、1983～2005年
⑨スーダン内戦 →p.454

1989～2003年
⑩リベリア内戦
1980年、現地勢力がクーデタを起こして軍事政権を樹立。この独裁に反対した反政府勢力が1989年に蜂起して内戦が開始。2003年には和平合意を締結。

1991年～
⑪ソマリア内戦 →p.458

1990～94年
⑫ルワンダ内戦 →p.456

1991～2002年
⑬シエラレオネ内戦
打倒政府を掲げた革命統一戦線（RUF）と政府軍がダイヤモンドの鉱山の支配権をめぐり、大規模な内戦を繰り広げた。不法に採掘・取引されたダイヤモンドが内戦の資金源になっていたことが国際的に問題視された。

1993～2006年
⑭ブルンジ内戦
多数派のフツ人出身者が初の大統領に選出されるも、少数派の伝統的支配層ツチ人による暗殺事件が発生。ここから内戦が勃発。多くの犠牲者を出した。

1998年～
⑮ギニアビサウ内戦
ポルトガルから独立したギニアビサウで、1998年、軍部の反乱が発生して大統領が亡命。その後、クーデタや反乱がたびたび発生している。

1975～2002年
⑯アンゴラ内戦
ポルトガルから独立したアンゴラで、政府と反政府勢力との間で対立が生まれ、内戦が発生。2002年に停戦合意が行われ、事実上終結。

2003年～
⑰ダルフール紛争
スーダンのダルフール地方で、反政府勢力が蜂起。大きな被害を出したため、ジェノサイドとして扱われた。2010年には、ドーハにて政府と反政府勢力の一部が停戦合意に調印。現在、治安は改善傾向。

2011年
⑱リビア内戦 →p.461

PART
5

アフリカ

ました。山岳地帯から始まった武装蜂起は次第に農村地域にも広がり、都市でもテロなどによる抵抗運動が拡大しました。これに対し、フランス政府はアルジェリアの駐留軍を増強し、対抗しました。

 ## フランス国内の世論が二分され、第四共和政が崩壊

アルジェリアの反仏運動は、国内を飛び出して別の国にも波及しました。同じフランス領であったチュニジアとモロッコでも民族運動が盛り上がり、フランスは「この2国なら」ということで、**1956年にチュニジアとモロッコの独立を承認します。**

一方、アフリカ最大の植民地であり、100万人ほどの白人移民が存在するアルジェリアに関しては、フランス国内でも意見が対立しました。「チュニジアとモロッコの独立は認めたのに、アルジェリアを認めないのは筋が通らない」という意見があった一方、「フランス系住民もたくさんいるアルジェリアを簡単に独立させるわけにはいかない」という意見も根強くあったのです。

こうした国内世論の分裂に加え、アルジェリアとの戦争が長期化したことで戦費が拡大し、フランスは財政難に陥りました。これにより、当時のフランスの**第四共和政**は崩壊しました。

 ## ド＝ゴールがアルジェリアの独立を容認

ここで登場するのが、現在パリの空港の名前にもなっている**ド＝ゴール**です。彼はもともと軍人で、第二次世界大戦中にパリがドイツによって占領された際も、「自由フランス」という亡命政府をつくってドイツに対抗しました。彼は軍部からの信頼があつく、軍からの信頼を失った第四共和政に代わって政権を握ることになりました。これが**第五共和政**です。

ド＝ゴールを知る人々は、「彼はきっと強硬策をとるだろう」と考えていました。戦時中はドイツに強く抵抗し、戦後に首相を務めた際にも独断的、強権的な態度が目立っていたからです。

しかし、実際はそうなりませんでした。彼は国際社会や国内の世論をよく観察していたのでしょう。民族自決を認め、戦争をやめてアルジェリアの独

立を容認しました。**こうして1962年のエビアン協定によりアルジェリアは正式に独立を果たします。**

アルジェリア戦争の影響もあり、アフリカ各国が次々と独立

アルジェリア戦争の影響もあり、1960年以降、フランスはアフリカの植民地の独立を次々と承認していきました。同年は「**アフリカの年**」と呼ばれ、この年だけでアフリカの17か国が独立を果たします。これにより、第二次世界大戦後から進んでいたアフリカ大陸の独立国は、9か国から26か国にまで増加しました。

さらに、「アフリカやアメリカ大陸などに分散したアフリカ人が一つにまとまり、アフリカ人の手によってアフリカを独立させよう」という主張も生まれました。これは**パン＝アフリカ主義**と呼ばれます。

1960年、ケープタウンを訪れたイギリスのマクミラン首相は「変化の風がこの大陸を通じて吹いている」と語り、アフリカの脱植民地化をマスメディアも大きく取り上げました。アルジェリア戦争はまさに、そうした変化の起点となった意義深い戦争だったと言えるでしょう。

ナミビア独立戦争

1966〜88年

南アフリカ共和国の白人政権に支配されていた
ナミビアの黒人たちが独立を求めて蜂起。

┤ 主な交戦勢力 ├

ナミビア　　　　　　　　　　　　　　南アフリカ共和国

 なぜ争った ## 南アフリカ共和国が、アパルトヘイト政策によって ナミビアの黒人先住民を支配した

　ナミビアが南アフリカ共和国の支配からの解放を求めて起こしたのがこの戦争です。

　もともとドイツ領であったナミビアは、第一次世界大戦中に隣接するイギリス領の南アフリカ連邦に侵攻され、同国に統治されていました。

　第二次世界大戦後には、南アフリカ連邦で**アパルトヘイト政策**（白人を優遇し、非白人を差別する人種隔離政策）がとられ、黒人の待遇が悪化しました。白人と黒人の居住地は分離され、黒人はわずかな土地に追いやられ、白人と同じ乗り物を利用すること、同じトイレに入ることなども禁止されました。

　1961年には、南アフリカ連邦がイギリスから独立し、**南アフリカ共和国と**なります。**南アフリカ共和国の白人政権は、ナミビアでもアパルトヘイト政策を実施しました。**

　これに対し、ナミビア北部の黒人たちが中心となり、**南西アフリカ人民機構（SWAPO）**が結成されます。彼らはナミビアの独立を要求し、1966年8月26日にはナミビア北部に駐留していた南アフリカ防衛軍を攻撃しました。これがナミビア独立戦争の始まりです。なお、

現在のナミビアでは8月26日は祝日となっており、現地の人はこの日を「英雄の日」と呼んで讃えています。

 20年以上に及ぶ衝突の末、ナミビアは独立を果たした

　戦争とはいえ、南西アフリカ人民機構の武力は、南アフリカ共和国の圧倒的な軍事力には歯が立たず、小規模なゲリラ戦を行う程度でした。

　南アフリカ共和国は、このナミビアの独立問題への国連の介入を拒否し、独自のやり方で解決しようと試みますがうまくいきません。

　その後は国連が介入して和平交渉にあたり、1988年12月のニューヨーク協定によって戦争は終結しました。こうしてナミビアは、1990年に**ナミビア共和国**として独立を果たします。その後の選挙では、南西アフリカ人民機構が国会の議席を多数獲得し、国民政府を樹立しています。

 マンデラの活躍により、アパルトヘイト政策は廃止される

　なお、南アフリカ共和国におけるアパルトヘイト政策は、1991年に撤廃されました。この撤廃に力を注いだことで知られるのが、**ネルソン＝マンデラ**です。彼は、同国でのアパルトヘイト廃止を求めて「アフリカ民族会議」を結成し、抗議活動を続けましたが、1962年に逮捕され、終身刑に処されてしまいます。

　しかし、アパルトヘイトに対する国際社会からの非難も後押しとなり、その後も黒人たちの抗議活動は続けられました。そして1990年、マンデラが解放され、1991年にはアパルトヘイト廃止が決まりました。

　1994年にはマンデラが南アフリカ共和国の大統領につき、南アフリカはイギリス連邦に復帰することになりました。マンデラは2013年に亡くなりましたが、ノーベル平和賞を受賞するなど、その功績は後世に残る偉大なものだと言えるでしょう。

ナイジェリア戦争
（ビアフラ戦争）

1967〜70年

ナイジェリアから分離独立したいイボ人と、
それを阻止したい連邦政府の戦い。

┤ 主な交戦勢力 ├

ナイジェリア連邦政府　　ビアフラ共和国

 **多民族国家となったナイジェリアで、
イボ人が独立を宣言した**

　ナイジェリアは西アフリカのギニア湾に面し、アフリカ最大の人口を有する連邦国家です。

　1914年にイギリス領になったナイジェリアでは、もともとさまざまな民族が、それぞれ独立した国家で生活していました。北部乾燥地帯に住む**ハウサ人**、西部熱帯雨林地帯に住む**ヨルバ人**、東部熱帯雨林地帯に住む**イボ人**などがその代表です。

　しかし、イギリスはこれらの複数の民族をまとめ、ナイジェリアという一つの国として支配・統治してきました。こうした複雑な民族事情を抱える中で、1960年、ナイジェリアはイギリスから独立を果たします。つまり、**もともと別の国家で生活していた各民族がイギリスの手によって一つの国にまとめられ、その状態のまま独立してしまったわけです**。当然、それぞれの民族の中には、単一民族としての独立を願う人も多くいました。

　そして1967年、東部に住むイボ人が**ビアフラ共和国**としての独立を宣言します。しかし、ナイジェリア連邦政府はそれを認めず、ビアフラ共和国との間でナイジェリア戦争が始まってしまったのです。

 ビアフラは悲惨な飢饉に見舞われ、降伏

開戦当初、イボ人はフランスなどから石油と引き換えに秘密裏に支援を受

けました。一方で、欧米をはじめ
とする多くの国々はナイジェリア連
邦政府を支持しました。特に、ナ
イジェリアに武器を供給していた
のが、アフリカに影響力を広げた
いと考えていたソ連やイギリスで
す。

独立宣言をしたビアフラ共和国

ニジェール

チャド

ベナン

ナイジェリア

カメルーン

ビアフラ共和国

　国際的に劣勢に立たされたビア
フラ軍は徐々に押し込まれ、1968
年には港を失い、外国から支援を
受けるのが困難な状態に陥りまし
た。さらに、連邦政府がビアフラ
の領土を包囲し、物資の供給路も遮断しました。

　そのため起こったのが大規模な飢饉です。当時、栄養失調によってお腹
の膨れ上がった黒人幼児の写真が全世界に広まり、世界各国からビアフラ
へ食料や薬の支援が集まりました。しかし、結果的には200万人以上の人
が命を落としてしまったのです。こうして、**1970年にビアフラ共和国は降伏
し、ナイジェリア連邦共和国に吸収されるかたちで崩壊しました**。

　戦後のナイジェリアでは、3つの民族間で協調的な政策がとられました。
それまでヨルバ人の最大都市ラゴスに置いていた首都を、国土の中心に位
置するアブジャに遷都したことにもその姿勢が表れています。ちなみに、アブ
ジャの都市計画は日本建築界の第一人者である丹下健三氏が担当しまし
た。

　しかし近年、イボ人の中で再び独立の動きが見られています。1999年に
はイボ国家の実現を目的とした組織が設立され、2012年にもイボ人の有力
者たちがビアフラ先住民組織IPOBを設立して連邦政府とたびたび衝突を起
こしています。ナイジェリア政府が、どのように各民族が満足する解決策を
提示するかが今後の課題となっています。

スーダン内戦

1955〜72年（第一次）、1983〜2005年（第二次）

独立を果たしたスーダンで起きた南北の宗教紛争。
2011年には南スーダン共和国が成立。

├ 主 な 交 戦 勢 力 ┤

スーダン北部 スーダン南部

 なぜ争った

スーダンが南北に分かれ、宗教を原因に対立した

1960年の「アフリカの年」よりも早く、1956年にイギリスから独立したのがスーダンでした。しかし、その独立運動の裏では、スーダン内部における宗教紛争が激化していました。

イギリスからの独立運動を主導していたのは、主にスーダン「北部」のイスラーム教徒でした。これに対し、**スーダン「南部」の伝統宗教を信仰する人々やキリスト教徒は、独立により、イスラーム化、アラビア語化が推し進められることに反発します。**

こうした民族・宗教紛争に端を発したのが第一次スーダン内戦でした。独立前年の1955年から争いが始まり、1972年には一旦終結しています。

しかし、第一次スーダン内戦の終結後も、南部地域が北部の合意なしに油田開発を行うなど、南北の対立はくすぶり続けました。そして1983年、北部の主導するスーダン政府がイスラーム化政策を進めたことで、両者の対立は再び激化します。この政策に南部が大反発したことで、第二次スーダン内戦が勃発しました。

 どうなった

2011年、南部が南スーダン共和国として独立。
しかし、いまだに厳しい状況が続く

非アラブ系黒人の南部勢力は「スーダン人民解放運動（SPLM）」を結成し、1985年には軍事クーデタによって当時のヌメイリ政権を倒しました。

その後に発足したマハディ政権は内戦終結を目指し、SPLMとの停戦を試みますが、北部のイスラーム原理主義者の反対もあって失敗に終わります。その後、2005年に「南北包括和平合意（CPA）」が成立するまで、実に20年以上にわたって停戦と闘争が何度も続きました。**これはアフリカ最長の内戦といわれ、何百万人にものぼる犠牲者と難民を出してしまいました。**

　結局、南北包括和平合意（CPA）に基づき、**南部地域は住民投票の末に、2011年、南スーダン共和国として独立しました。**

　しかし、南スーダン共和国が成立後も、平和が完全に訪れたとは言えません。南スーダン共和国の内部でも、新政府内の派閥抗争などが続き、多くの人が難民となっています。今でも悲惨な環境の中にいて人道的な支援が必要な人が多く、国連や日本も南スーダン共和国に支援を行っています。

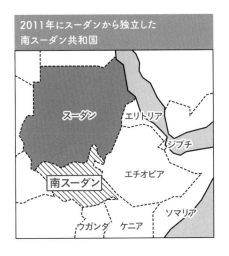

2011年にスーダンから独立した
南スーダン共和国

スーダン　エリトリア
ジブチ
南スーダン　エチオピア
ソマリア
ウガンダ　ケニア

ルワンダ内戦
（ルワンダ虐殺）

1990〜94年

ベルギーがもたらした悲惨すぎる大虐殺。
わずか100日でルワンダ国内の約100万の人が亡くなった。

┤ 主な交戦勢力 ├

フツ人　　　　　　　　　　　　ツチ人

 **かつての支配国ベルギーが、
ルワンダに民族差別を持ち込んだ**

　20世紀には「6大悲劇」と呼ばれる出来事があります。オスマン帝国によるアルメニア人虐殺、ウクライナで起こった大飢饉ホロドモール、中国共産党による文化大革命、カンボジアのポル＝ポトの虐殺、ナチスによるホロコースト、そしてこれから述べる**ルワンダ虐殺**の6つです。今からほんの30年前、ルワンダ全国民の10〜20パーセントが殺害されるというおぞましい出来事が起こりました。

　アフリカ中部に位置するルワンダは、19世紀のアフリカ分割にてベルギー領となりました。もともとルワンダには、**ツチ人**と**フツ人**という2つの民族が存在し、それぞれの区別はあいまいだったようです。しかし、**ベルギー人が入植して以降、両民族は明確に区別されるようになります。**

　ベルギー人は「ハム仮説」というイデオロギーをもとに、2つの民族を明確に区別しました。**ツチ人はアフリカに文明をもたらした「ハム人種」、フツ人は下等な「アフリカ土着人種」として、ツチ人を優遇し、フツ人を差別するようになったのです。**

　しかし、第二次世界大戦後、ベルギーはその方針を転換しました。ベルギーとツチ人との関係が悪化したため、今度はフツ人による体制転覆を支援するようになりました。

　ベルギーに支援されたフツ人は、今までツチ人がついていたさまざまな要職を奪うとともに、これまでの報復としてツチ人を虐殺するようになります。その結果、ツチ人は国外に脱出し、多くの人が難民となりました。

このルワンダから逃れたツチ人の難民が設立した反政府組織「ルワンダ愛国戦線」によって、1990年にはツチ人とフツ人による内戦が勃発しました。これがルワンダ内戦です。

 わずか100日で、約100万人もの犠牲者が出た

1993年には、ルワンダ政府とルワンダ愛国戦線との和平協定が結ばれます。しかし翌年の1994年4月、ルワンダのハビャリマナ大統領の乗った飛行機が、何者かのミサイル攻撃で撃墜される事件が起こりました。

ルワンダ愛国戦線とフツ人の過激派は、お互いに相手側をこの事件の犯人とし、一時は和平に向かった両者の対立は再び激化することになりました。

そしてフツ人の過激派は、とうとうツチ人を撲滅するための虐殺を開始します。彼らの中には政権に近いエリートがおり、1990年頃から新聞やラジオを使ってツチ人に対するヘイトスピーチを続けていました。このときも、ラジオなどを使って、「年齢、性別にかかわらずツチ人を皆殺しにしろ」と民間人を扇動し、これに賛同しないものはフツ人でも殺しの対象とする、としました。**その結果、100日間でなんと約100万人もの犠牲者が出てしまったのです。**

このルワンダで起きた大虐殺に対して、国際社会は適切に対処しきれませんでした。国連は事態への介入に消極的で、ルワンダから再三の支援要請があったにもかかわらず、これを黙殺していたのです。国連が重い腰を上げたのは、50万人もの人々が虐殺されてからのことでした。

私たちが理解しなければならないのは、この人種差別はヨーロッパ人が持ち込んだものであるということです。2022年現在もなお、虐殺の加害者は生存し、生き残った被害者の多くはPTSD（心的外傷後ストレス障害）に苦しんでいます。

ソマリア内戦

1991年〜

ソマリア各地でさまざまな勢力が台頭し、それぞれが独立国家を立ち上げて大混乱。
アル＝シャバーブによるテロ行為も問題に。

ソマリア各地の独立国家、ソマリア暫定連邦政府（TFG）、
イスラーム法廷連合（UIC）など

 なぜ争った バーレ政権下で生まれた反政府勢力が、
バーレ追放後に権力争いを始めた

　アフリカ北東部に位置する国**ソマリア**は、世界でもトップクラスに貧困な
国の一つです。2022年4月に出された「一人あたりのGDPで見る世界の貧
困国ランキング」では5位にランク
インしています。なお、このランキ
ングのベスト10はすべてアフリカ
の国です。貧困もまたアフリカにお
ける深刻な問題の一つなのです。

　ソマリアがこれほどの貧困に
陥っている理由は、かつてエチオ
ピアとの戦争に敗れたこと、そして
中央政府が事実上機能していない
ことにあります。

　もともとソマリアは、10世紀頃か
らムスリム商人の交易路として発
達してきました。19世紀には列強
の進出を許し、北部をイギリスが、
南部をイタリアが統治しますが、
1960年には独立を果たしていま
す。

　そして1969年、クーデタの末に

一人あたりのGDPで見る世界の 貧困国ランキング （引用：World Economic Outlook Database: April 2022）	
1位	ブルンジ
2位	南スーダン
3位	中央アフリカ共和国
4位	コンゴ民主共和国
5位	ソマリア
6位	ニジェール
7位	モザンビーク
8位	マラウイ
9位	チャド
10位	マダガスカル

バーレ政権が誕生しました。バーレ政権は、ソマリアとその隣のエチオピアにいるソマリ人による統一国家建国を目指し、エチオピアに戦争を仕掛けました（オガデン戦争）。

しかしそこで敗北し、国は財政破綻の危機に瀕します。これにバーレは有効な対策を打たず、また要職を自分の親族で固めたことからも国民の反感を買いました。そのためソマリア各地に反政府組織ができ、各地域の有力な氏族らとも結びついてクーデタが起こりました。その結果、バーレは国外に追放されてしまいます。

しかしその後、無政府状態となったソマリアで、台頭した各地の勢力による武力闘争が激化してしまいました。これがソマリア内戦であり、かつての日本や中国の戦国時代のような状態に陥ってしまったのです。

 ## 追い打ちをかけるようにイスラーム勢力が台頭

2005年になると、周辺国の助けもあって、ようやくソマリア暫定連邦政府 (TFG) が設立されます。これにより、小康状態に入ったかに見えましたが、事態は収まりませんでした。**2006年には、イスラーム原理主義勢力が組織した「イスラーム法廷連合（UIC）」が急速に力を伸ばし、首都モガディシュを制圧し、ソマリアの中南部を実効支配するに至りました。** UIC は、ソマリアでのイスラーム法に基づく国家統一を掲げました。

これに危機感を覚えたのが、ソマリア暫定連邦政府と隣国エチオピアでした。エチオピアはキリスト教国であり、隣国でイスラーム勢力が台頭することを恐れたのです。当時のエチオピア首相メレス = ゼナウィは、「隣にイスラーム国家はつくらせない」と公に発言するほどでした。そこで暫定連邦政府は、エチオピアにUICを抑えてほしいと依頼します。

 ## 隣国エチオピアがイスラーム勢力を排除するも、アル = シャバーブによるテロ行為が続いている

こうして2006年には、UIC打倒を目指し、エチオピアのソマリア侵攻が始まりました。エチオピアはこれを、対テロ戦争と位置付けています。

エチオピア軍はUIC軍を各地で圧倒し、UICをソマリアの首都から排除す

ることに成功しました。UIC勢力はケニア国境方面に撤退を余儀なくされます。

2008年には、暫定連邦政府とUICの残党が停戦に合意し、一旦落ち着きを取り戻しました。また、2012年には議会が招集され、ようやくソマリアに統一政府が成立しました。

しかし、これで完全な平和が訪れたわけではなく、**以降、イスラーム系テロ組織「アル＝シャバーブ」が結成され、ソマリア国内でのテロ行為が多数発生するようになりました。**2022年10月にもアル＝シャバーブによるソマリア首都でのテロで約100人が死亡する事件が起きており、ソマリア政府はアル＝シャバーブとの全面戦争に乗り出すと表明しています。

ソマリア沖の海賊も国際的な問題に。日本の海上自衛隊も護衛活動に派遣されている

内戦が続くソマリア国内では汚職がまん延し、麻薬や武器の売買、国際的な指名手配犯の潜伏、政府要人へのテロ行為など、治安がまったく安定しない状況です。難民も増えています。

また、**ソマリア沖での海賊も国際問題となっています。ソマリア沖がヨーロッパからアジアへの交易路となっていることから、海賊行為が頻発しているのです。**日本の海上自衛隊も「海賊対処法」に基づき、2009年からソマリア沖での護衛活動を行っています。2022年には、日本政府は護衛の期限を1年延長すると発表しており、こちらも国際社会を巻き込んだ対応が続いています。

リビア内戦

2011年

リビア国内の反政府勢力が、
NATOと協力してカダフィ政権打倒を目指した。

┤ 主な交戦勢力 ├

カダフィ政権　　　　　　　　　　　　反カダフィ勢力・NATO

 **「アラブの春」の波及で、
反カダフィ勢力が武装蜂起**

　イタリア＝トルコ戦争（→335ページ）にてイタリア領となったリビアは、1951年には独立を果たし、リビア連合王国となりました。

　リビアの状況が大きく動いたのは1969年のことでした。カダフィ大尉を指導者とするクーデタにより、王政が打倒され、共和政の国となったのです。その後のリビアでは、**カダフィ政権の独裁体制が42年にもわたって続くことになります。**

　そして、そのカダフィ政権が倒されたのが、2011年に起きたこのリビア内戦でした。他のアラブ諸国で起きた「**アラブの春**」と呼ばれる反政府運動がリビアにも波及し、カダフィの退陣を求めるデモが起こったのです。各地で反カダフィ勢力が武装蜂起し、リビアは内戦状態に陥りました。

 NATOの介入でカダフィ大佐が暗殺される

　反政府勢力が民衆の支持を得られていなかったこともあり、カダフィ政権は一時反政府勢力の拠点に迫ります。しかし、**ここでフランス、アメリカ、イギリス、イタリアなどのNATOが軍事介入し、反政府勢力への支援を開始しました。** NATOは、カダフィによる反政府勢力への攻撃を「人権侵害」とみなし、民主化を求める反政府勢力を守るという大義名分のもとに支援を進めました。これによって反政府勢力は盛り返し、戦況は膠着状態に陥りま

す。

　結局、欧米の支援を受けた反政府勢力が勢いを増し、首都トリポリは陥落しました。カダフィはトリポリを脱出し、なおも政権奪還を図りますが、ついに殺害されてしまいました。**反政府勢力やNATOにとっては、「民主主義を弾圧する独裁者を倒した」**わけです。

 ## カダフィの死後、リビアの治安は大幅に悪化

　カダフィの死をもって、内戦は一応終結しますが、その後、リビアでは民族間対立が激化しました。カダフィ時代のリビアは、カダフィのカリスマ性でうまく各民族がまとまっていましたが、**カリスマ亡き後、民族間対立が表面化したのです。**

　また、リビアはカダフィ政権時は治安の安定したアフリカ有数の国だったのですが、この内戦で各地から武器が流入したために、治安が大幅に悪化してしまいました。

 ## 2014年には再びリビアで内戦が起こった

　内戦終結後も、しばらくは国内の諸勢力同士による対立が続きました。その中で、2012年にはリビア初の自由国政選挙が実施されます。選挙自体は大きな混乱なく執り行われ、新たにできた「国民議会」が国家権限を握ることになりました。国民議会は、2013年に国名を「リビア国」に変更しています。

　しかし、国内の政治的混乱はこれで収まりませんでした。2014年には、国民議会に代わる新たな議会を設置するための選挙が行われ、世俗派が圧勝しました。ここで、この選挙結果を不服とするイスラーム勢力と世俗派とが争い、再び内戦状態に陥ったのです。

　世俗派は東部のトブルクで「代表議会」（トブルク政府）を樹立した一方で、この代表議会を認めない勢力は、西部のトリポリで国民議会の復活を宣言しました（トリポリ政府）。**こうしてリビアでは、東西に2つの政府が誕生してしまったのです。**

　国際社会やアラブ首長国連邦、エジプトは「代表議会」を支援した一方、

トルコやカタールはイスラーム主義勢力中心の旧国民議会を支援するなど、この対立は国際社会やイスラーム諸国も絡んだ問題に発展していきました。

　さらに、この混乱状態の中、国内で過激派組織のIS（イスラーム国）が勢力を伸ばしてきたことで、事態は一層複雑になりました。

　その後、2020年には両勢力が停戦を発表し、ジュネーヴで停戦に向けて合意しました。ただ、2021年12月に予定されていたリビアでの大統領選挙が延期され、2022年3月には「代表議会」が新政府を承認したことによって2人の首相が併存する事態になるなど、まだまだ多くの課題が残されています。

主な参考文献

『世界史用語集 改訂版』(全国歴史教育研究協議会編、山川出版社)

『詳説世界史 改訂版』(木村靖二、岸本美緒、小松久男ほか著、山川出版社)

『詳説世界史研究』(木村靖二、岸本美緒、小松久男編、山川出版社)

『市民のための世界史』(大阪大学歴史教育研究会編、大阪大学出版会)

『最新世界史図説 タペストリー 二十訂版』(川北稔、桃木至朗監修、帝国書院編集部編、帝国書院)

『山川 詳説世界史図録(第3版)』(木村靖二、岸本美緒、小松久男監修、日下部公昭、澤野理、杉浦理花、鈴木孝、山川志保編、山川出版社)

『流れ図 世界史図録 ヒストリカ 新訂版』(谷澤伸、甚目孝三、柴田博、高橋和久著、山川出版社)

『世界史大年表〔増補版〕』(青山吉信、石橋秀雄、木村靖二、武本竹生、松浦高嶺編、山川出版社)

『戦争の世界史 大図鑑【コンパクト版】』(R・G・グラント編著、樺山紘一日本語版総監修、河出書房新社)

世界史の窓　https://www.y-history.net/

ジャパンナレッジ(改訂新版 世界大百科事典、平凡社／情報・知識 imidas、集英社／日本大百科全書(ニッポニカ)、小学館)　https://japanknowledge.com/

外務省ホームページ　https://www.mofa.go.jp/mofaj/

中国・アジア

『概説中国史 上-古代―中世』(冨谷至、森田憲司編、昭和堂)

『概説中国史 下-近世―近現代』(冨谷至、森田憲司編、昭和堂)

『増補新装版 ベトナムの世界史―中華世界から東南アジア世界へ』(古田元夫著、東京大学出版会)

『近代インドの歴史』(ビパン・チャンドラ著、粟屋利江訳、山川出版社)

ヨーロッパ

『イギリス帝国の歴史』(秋田茂著、中央公論新社)

『ハプスブルク家』(江村洋著、講談社)

『神聖ローマ帝国』(菊池良生著、講談社)

『イタリア史10講』(北村暁夫著、岩波書店)

『物語 オランダの歴史』(桜田美津夫著、中央公論新社)

『スペイン史10講』(立石博高著、岩波書店)

『古代ギリシアの民主政』(橋場弦著、岩波書店)

『興亡の世界史 東インド会社とアジアの海』(羽田正著、講談社)

EU MAG　https://eumag.jp/

464

中東・イスラーム

『世界史の中のパレスチナ問題』(臼杵陽著、講談社)

『オスマン帝国』(小笠原弘幸著、中央公論新社)

「国際テロリズム要覧2022」(公安調査庁)

アメリカ・ロシアと冷戦

『大学で学ぶアメリカ史』(和田光弘編著、ミネルヴァ書房)

『クリミア戦争 上』(オーランドー・ファイジズ著、染谷徹訳、白水社)

『クリミア戦争 下』(オーランドー・ファイジズ著、染谷徹訳、白水社)

『「帝国」ロシアの地政学 「勢力圏」で読むユーラシア戦略』(小泉悠著、東京堂出版)

『ウクライナ戦争』(小泉悠著、筑摩書房)

『ユーゴスラヴィア現代史 新版』(柴宜弘著、岩波書店)

『ウクライナ戦争と米中対立 帝国主義に逆襲される世界』(峯村健司、小泉悠、鈴木一人、村野将、小野田治、細谷雄一著、幻冬舎)

『新版 世界各国史 22 ロシア史』(和田春樹編、山川出版社)

アフリカ

『現代アフリカ・クーデター全史』(片山正人著、叢文社)

『改訂新版 新書アフリカ史』(宮本正興、松田素二編、講談社)

東大カルペ・ディエム

現役の東大生集団。貧困家庭で週3日アルバイトをしながら合格した東大生や地方公立高校で東大模試1位になった東大生など、多くの「逆転合格」をした現役東大生が集い、全国複数の学校でワークショップや講演会を実施している。年間1000人以上の生徒に学習指導を行う。著書に『東大大全 すべての受験生が東大を目指せる勉強テクニック』（幻冬舎）などがある。

東大生が教える
戦争超全史

2023年2月28日　第1刷発行
2023年3月17日　第2刷発行

著　者———東大カルペ・ディエム
発行所———ダイヤモンド社
　　　　　〒150-8409　東京都渋谷区神宮前6-12-17
　　　　　https://www.diamond.co.jp/
　　　　　電話／03·5778·7233（編集）　03·5778·7240（販売）

装丁————三森健太（JUNGLE）
本文DTP——梅里珠美（北路社）
イラスト——野田映美
地図————木村図芸社
校正・校閲—鷗来堂、三森由紀子
製作進行——ダイヤモンド・グラフィック社
印刷————三松堂
製本————ブックアート
編集担当——畑下裕貴